1981

VIGNETTES LITTÉRAIRES

MODERN LANGUAGE DEPARTMENT
COLLEGE OF ST. FRANCIS

Vignettes littéraires

FRENCH LIFE AND IDEALS

by

JOHN P. LE COQ

Drake University

D. C. HEATH AND COMPANY BOSTON

To Floss

Foreword

The purpose in presenting these short stories for the benefit of second semester freshman classes or for students in the first semester of the second year is to bring to the attention of young people some of the social traits that have characterized the French since the dawn of their history.

In order that the student may acquire as objective a picture as possible, our approach has been to examine the questions raised in these short stories in the light of reason rather than by appeal to prejudice and feelings. The French should be considered, first and foremost, as human beings sharing the weaknesses and virtues common to the human race as a whole; however, students should be made to discover the distinguishing traits that combine to make the typical Frenchman the product, through the centuries, of his race, time, and environment. Such is the essence, the *raison d'être*, of this book. Incomplete as this portrayal of French life may be, it will, it is hoped, contribute to a useful and social approach to the people, will enrich our teaching and enhance the academic heritage of our students.

While these few selections cannot give an exhaustive picture of the merits and shortcomings of the French social structure, they may, nevertheless, serve as an introduction to a more complete study of the country's social evolution. Building upon this modest foundation, the forward-looking teacher may suggest other stories and supply other data out of the wealth of material at hand which will help the objective value of the plan outlined.

In view of the fact that most freshmen and intermediate students struggle painfully with the language itself (grammar, idioms, vocabulary), they have little time and, perhaps, less inclination to search for the message the stories bring. With this in mind, it was thought that each story would become more meaningful and, therefore, more profitable if preceded by a brief sketch of the author's life and an indication of the place and time of the events. It was also deemed advantageous to suggest a meaning to the story. It may be argued that the students should find for themselves the leading idea of a given text. While this is no doubt true, the first-year student is so deeply involved in linguistic difficulties that he cannot spare much

time for analysis. A suggested interpretation may give the student
a needed help and provide him with a guide that will spur him to ex-
tract a meaning of his own, thereby enabling him to make a comparison between people who differ as fundamentally as the average
American and the average Frenchman. The suggested meanings
should by no means be accepted as final or absolute. The students
should be encouraged to find a meaning of their own, which may or
may not run parallel with the one indicated. Let us not forget that
a story, aside from its intrinsic worth, depends a great deal for its
value, meaning, and interest on the psychology of the reader. Anatole
France said once: "Anyone can find in a book what he, himself,
puts into it." The statement is true if we consider that an intelligent
reading is not just a comprehension; it is, in the etymological sense,
a re-creation, because the reader brings out for himself the substance
of his own intellectual experience and creates a new meaning. Further-
more, "le dénouement d'un conte ou d'une pièce est-il jamais une solution?" queried Anatole France. No. Scholars are still finding new
meanings in Hamlet, Macbeth, Don Quixote, Le Misanthrope, Faust,
etc. The meaning here presented is intended as a direction rather
than as the final word of a definitive solution.

I wish to express my deep gratitude to Dr. Vincenzo Cioffari of
D. C. Heath and Company for his intelligent encouragement, his wise
counsels, and admirable patience, to Professor Vincent Guilloton for
many valuable suggestions that have helped to clarify many points.
Thanks also are due to my colleague Dr. George Raymond, of South-
western at Memphis, for his practical guidance, linguistic aids, and
critical reading of the English part.

J.P.L.C.

Preface

The stories herein contained are well known and have been chosen not primarily for the literary school they represent, but rather for their human interest as well as their social and cultural values, in the hope that they may give our students a valuable insight into human nature in general and into the soul of the French in particular; for they are not only a picture of the present but, as Michelet put it, *"la résurrection du passé"*.

In the midst of the social upheaval and conflicting ideologies of today, many are confident that the cultural approach in teaching modern languages has definite merits which fill the needs of our contemporary society because they correspond to the social impulses of our time. With this as our guiding principle, we have made a serious attempt to select short stories suited to the level of intermediate classes and which, at the same time, are significant in cultural content.

Whatever the aims or the methods may be — reading, writing or speaking — the outstanding goal of language teaching should be to enable our students to understand the thoughts, customs, and traditions of a nation, the culture and civilization of a people. If we wish to contribute to the common cause of general education, we should give emphasis to the special developments of our contemporary world. True, we must neglect neither basic grammatical rules nor adequate vocabulary, but we should bear in mind that beyond skills there are ideas, and that our primary function is to cultivate liberal minds rather than prepare technicians.

Inasmuch as most students do not go beyond the second year in their linguistic studies, we are led to assume that the time element does not permit giving them sufficient skill or adequate command of the language to produce permanent results. Hence, our duty would seem to consist of offering something more substantial than mere skills, important as they may be. We must attempt, through the infusion of social ideas, to extend the general culture of the students, to fortify their liberal education, to stimulate their intellectual curiosity and help them to see the broad concepts of a foreign culture. In order to attain this objective, it is important that our young people have contact with thinkers who have shared in the advancement of civilization and given us a clear analysis of the many problems that have evolved along with the material and spiritual progress of the nation. By comparing a foreign culture with their own, students may derive valuable educational benefits. "Nothing is great or little otherwise than by comparison," said Jonathan Swift, in his *Gulliver's Travels*. We see ourselves more clearly, we appreciate our own culture more intelligently, we have a deeper understanding of our spiritual heritage if we compare it with the legacy of other peoples.

If we grant the validity of those premises, our aim should be to stress the cultural values of a foreign people, to show the evolution of their civilization and to study their virtues as well as their shortcomings so as to make some permanent contribution to the objectives of the present day.

Our philosophy of education must be a philosophy of values. If the study of languages is supposed to give the students intellectual discipline and help to build a solid background of general education, it must be done on something superior to the empty textbook phrases used to illustrate one or another point of grammar; otherwise the whole system will crumble without imparting either discipline or education. The implementation of such a program may be done in various ways, but the use of the short story has distinct advantages.

If we admit that the essence of the short story is conciseness, unity, clarity, and vividness, it should stimulate the interest of young people and drive home one of the distinguishing traits of the French people better than any other form of literature. The short story is particularly well adapted for early reading because, being short, it focuses the attention of the student on one phase and, therefore, gives a structural unity easy to discover.

Through the medium of these short stories we study and analyze French individualism, we perceive the sense of sociability, the seriousness of life hidden under the appearances of gaiety, the frank and sometimes caustic irony of the people, their sense of realism mitigated by their idealism, the meaning and manifestation of their patriotism, the essence of their religious life and their generosity tempered by their innate parsimoniousness. Appropriate selections from well-qualified literary representatives focus the students' attention on some essential trait of behavior and underline the main factors in French life and ideals together with the merits and weaknesses of the people. The cultural background and social outlook of the students will thereby be enriched because every story represents an aspect of the moral and material life of the French people, an echo of their deeds.

We see, if we look closely enough, that the French of today answer to a certain degree the description of the Gauls given by Polybius and Strabo. These authors present a broad outline of the physical traits of the Celts, ancestors of the French, and give us some useful data on their moral characteristics. They speak of the enthusiasm of the Celts and tell us how they manifest their impulsive exuberance or their sudden moods of depression. The French of today are not very different from their forebears of yesteryear.

The French, as seen through their literature, are not given to militant moralizing, rigorous asceticism or puritanism. French literature in general is also free from the stuffy atmosphere of Victorianism, but if it borders sometimes on Rabelaisian tradition, it has a serious character and always gives us some deep insight into human nature. *"Le rire est le propre de l'homme,"* said Rabelais, and it frequently happens that French gaiety conceals a very deep and serious thought. Bacon (*Essays* XXVI) said that "the French are graver than they seem." If we read Beaumarchais' *Le Mariage de Figaro,* we soon realize that the French Revolution was started by bursts of laughter, but this laughter bore a deadly poison of sarcasm that tore away privileges and revolutionized antiquated concepts of society.

Be that as it may, we should like to introduce reading material in our beginning classes that will enable us to reveal a nation as it is. We should like to familiarize ourselves with some of the basic virtues and defects of the French and present a nucleus of the life and ideals of a country whose long and brilliant history has so greatly influenced European social and political development.

J.P.L.C.

Contents

VIGNETTES LITTÉRAIRES

Alexandre Dumas fils

1824–1895

Alexandre Dumas, son of the popular novelist, was born in Paris in 1824 and died in 1895.

During his college days and later on, thanks to his father's social connections, he had a chance to observe at close range the weak spots of Parisian society. The frivolous life about him created in him an intense interest in moral and social problems. He decided to become a reformer, using the theater as his platform: "Let us inaugurate," he said, "the useful theater." Forthwith he proclaims the nobility of work asserting that "work is duty" and advocates social justice. In all the subjects treated by him he was actuated by the desire to depict the truth, as he saw it, in a realistic manner. His realism, however, is tempered by moral considerations: "The artist," he said, "does not truly merit that name unless he idealizes the real that he sees and realizes the ideal that he feels."

According to him, the central point of interest in the society in which he lived was the money question. The following story lends plausibility to his point of view.

READING SUGGESTIONS

PLAYS   *La Dame aux camélias*   1852

La Question d'argent   1857

Les Idées de Madame Aubray   1867

Francillon   1887

LE PRIX DE PIGEONS

TIME   September 15, 1837.

PLACE   Paris, rue Meslay.

QUALI-   Lively dialogue done with simplicity and clarity. There
TIES   is a comical current of subdued criticism that reaches a
           climax toward the end. The father's deep concern is,
           throughout the story, the material welfare of his daughter.
           Dumas, in this sketch, reveals his tendencies and qualities
           as a dramatist with a strong bent to moralize.

MEAN-   Dumas jokingly says, at the end of the story, that: "elle
ING   ne prouve rien." We may conclude, therefore, that there
           is no specific intended meaning beyond the scope of mere
           entertainment. Whatever it may be, the reader is not
           satisfied with the statement and, in spite of the author's
           affirmation, one clearly discovers a central idea, namely,
           the power of money. This idea branches out into two
           points: First, money is the road to success and, second,
           society considers that education alone without money is
           a useless appanage. *Chatterton* by Vigny (1835) expresses
           the same idea.

Le Prix de pigeons

Alexandre Dumas fils

I

Si vous êtes fils,[1] votre père vous a dit ceci: Travaille, un homme instruit arrive à tout.[2] Si vous êtes père, vous avez dit à votre fils: Étudie, une bonne instruction vaut une fortune.

Soit!

Le 15 septembre 1837, à huit heures du matin, un facteur entra   5
dans une maison de la rue Meslay, une de ces rues les plus silencieuses de Paris, quoiqu'elle traverse un des quartiers les plus bruyants du monde, et déposant une lettre sur la table du portier, il dit en tendant la main pour recevoir le prix de ladite lettre:[3]

— Monsieur Lebrun? trois sous.   10

— Voilà vos trois sous, fit la portière en plaçant la lettre dans le casier du locataire à qui elle était adressée.

Avez-vous quelquefois médité sur le contenu d'une lettre que vous ne pouviez ouvrir, sur ce sphinx de papier plié en quatre et qui va porter d'un point à un autre de la terre, la joie, la tristesse, l'espérance   15
de quelqu'un, en restant silencieux pour ceux entre les mains de qui il passe avant d'arriver à sa destination? Avez-vous apprécié le bienfait de la lettre? Vous vous êtes dit: la lettre, c'est le rapprochement momentané des distances, c'est une poignée de main par-dessus les montagnes, c'est l'invisible chaîne qui lie les mondes entre eux.[4]   20
La lettre a deux visages, comme Janus;[5] elle est bavarde et muette, renferme tout et ne dit rien; elle est pleine d'intérêt, de cœur ou d'esprit[6] pour celui ou celle à qui elle est adressée; est absurde ou inintelligible pour le tiers qui la lit par accident. Prenez vingt lettres au hasard, et lisez-les; l'une sera une lettre d'affaires; celle-ci une   25
provocation, celle-là une invitation à dîner, et cependant toutes, avant

---

[1] *Si vous êtes fils,* If you are a son.   [2] *arrive à tout,* succeeds in everything.
[3] *le prix de ladite lettre,* the postage due on said letter.   [4] *entre eux,* together.
[5] *Janus* (old divinity represented with two faces).   [6] *de cœur ou d'esprit,* of love or of wit.

d'être ouvertes, avaient la même physionomie, étaient pliées de la même façon, portaient le même cachet, c'est-à-dire, le même masque. N'est-ce pas l'image de la vie ? Que d'émotions différentes sous cette enveloppe qu'on appelle l'homme et qui est toujours la même ! sous
5 ce cachet qu'on nomme le cœur et qui ne varie pas. Puis un jour, la lettre qui vous a causé le plus d'émotion quand vous l'avez reçue, vous la jetez au feu, ses caractères se tordent et grimacent quelques instants sous le baiser mortel de la flamme, et tout est fini: il ne reste même pas des cendres de ce passé brûlé. Ainsi va de votre cœur.[7]
10 Un jour, en l'ouvrant avec curiosité, vous avez trouvé dedans un nom et vous avez été heureux, puis ce nom a disparu, et vous êtes devenu indifférent. Mais pour détruire ce nom, vous n'avez pas eu besoin de brûler votre cœur comme une lettre; le nom s'est effacé tout seul,[8] et la page écrite est redevenue une page blanche, mais qui tomberait
15 peut-être en poussière si vous vouliez écrire quelque chose dessus.

Donc, le 15 septembre 1837, on apporta une lettre pour M. Lebrun, rue Meslay.

Qu'était-ce M. Lebrun et que contenait cette lettre ? Voilà la question. M. Lebrun était un gros homme de quarante-cinq ans
20 environ, qui avait fait une petite fortune dans les toiles, avait eu une femme et avait une fille. Voyez déjà que de raisons [9] pour qu'il reçût une lettre. M. Lebrun était laid, mais sa fille était jolie; M. Lebrun était bête, mais sa fille était spirituelle; M. Lebrun était gros mais sa fille était bien faite; enfin, M. Lebrun était égoïste, mais sa fille
25 avait du cœur.[10] Aussi, malgré tous ces défauts, mademoiselle Lebrun menait-elle M. Lebrun par le bout du nez,[11] comme on dit vulgairement.

Quand la bonne de M. Lebrun descendit pour aller faire les emplettes du matin,[12] la portière lui remit la lettre qu'elle venait de
30 recevoir, et celle-ci, de retour, la remit à son maître, lequel, assis devant son bureau et vêtu d'une robe de chambre à palmes en imitation de cachemire,[13] écrivait des lettres, lui aussi. M. Lebrun avait été longtemps dans le commerce comme nous l'avons dit tout à l'heure, et tout le temps qu'il y avait été, il avait eu l'habitude de
35 faire son courrier et d'écrire dès huit heures du matin à ses corres-

---

[7] *Ainsi va de votre cœur*, Thus it is with your heart.   [8] *le nom s'est effacé tout seul*, the name disappeared of its own accord.   [9] *que de raisons*, how many reasons there were.   [10] *avait du cœur*, was kindhearted.   [11] *mademoiselle ... par le bout du nez*, Miss Lebrun led Mr. Lebrun by the nose.   [12] *faire ... matin*, do the morning shopping.   [13] *robe de chambre ... cachemire*, dressing gown in imitation cashmere, with a palm pattern.

pondents de la province et de l'étranger. Il y avait quatre ans que
M. Lebrun ne faisait plus d'affaires avec personne, mais il était con-
vaincu qu'il en faisait, et il n'eût pas laissé passer une matinée sans
écrire au moins quatre ou cinq lettres. Ce qu'il mettait dans cette
correspondence, nul n'eût pu le dire, pas même lui; mais il écrivait,   5
il avait l'air affairé, c'était tout ce qu'il lui fallait.

M. Lebrun avait même trouvé à ce propos une phrase dont il était
content et qu'il répétait souvent en l'accompagnant de son rire de
rentier.[14]

— Je sais bien quand je mourrai, moi, disait-il.   10

— Quand mourrez-vous?

— Je mourrai la veille du jour où je n'écrirai plus.

M. Lebrun était donc à son bureau, et pour mieux voir ce qu'il
écrivait, il avait relevé ses lunettes sur son front, car, comme vous
l'avez sans doute remarqué, quand un homme qui porte des lunettes   15
veut voir distinctement une chose, il lève ses lunettes jusqu'à la
moitié de son front ou les baisse jusqu'au bout de son nez afin de voir
par-dessus ou par-dessous.

J'ai fait si souvent cette remarque, que je suis arrivé à croire qu'il
n'y a que les gens poursuivis par la police et qui veulent défigurer   20
leur signalement [15] qui continuent à porter des lunettes et à s'abîmer
les yeux en se forçant de voir à travers un verre.

Par le plus grand des hasards, Julie était à côté de son père quand
la bonne apporta la lettre que la portière lui avait remise. Il va sans
dire que Julie ne se levait pas avant dix heures et demie, pour déjeuner   25
à onze heures. Une légère rougeur qui colora ses joues quand elle
vit l'écriture de cette lettre que son père allait ouvrir, eût peut-être
indiqué à un observateur, s'il s'en fût trouvé un là, que cette lettre
matinale n'était pas étrangère au hasard qui faisait que Julie se trouvait levée à huit heures.[16]   30

Nous avons dit que Julie était charmante: nous allons le prouver.
Elle était de taille moyenne, avait les cheveux noirs et les yeux bleus,
le teint rose et les dents blanches, les épaules arrondies et la taille
mince, les bras bien faits, les mains effilées et le pied petit.

— Tiens![17] dit M. Lebrun en étudiant l'adresse de la lettre en   35
question, je ne connais pas cette écriture-là.

Et M. Lebrun, se renversant sur le dos de son fauteuil recouvert de

[14] *rire de rentier*, self-satisfied laughter (peculiar to a well-to-do man).
[15] *défigurer leur signalement*, change their appearance.   [16] *qui faisait . . .*
à huit heures, which caused Julie to be up at eight o'clock.   [17] *Tiens!*
Well!

maroquin, se mordit le bout de l'index de la main droite, et continua
d'étudier l'écriture de la lettre.

— Ouvre-la, mon père, tu verras bien de qui elle est, dit Julie, en
posant son bras sur le dos du fauteuil, et en se penchant vers son père
5 avec un grand battement de cœur.

— Tu as raison, fit le père, et il détacha le cachet. Nous appuyons
sur le mot détacha parce que M. Lebrun était de ces hommes qui,
convaincus que tous les mots d'une lettre sont de la plus grande importance, n'en brisent pas, mais en détachent doucement le cachet,
10 pour ne pas enlever, par trop de précipitation, un mot de la missive,
lequel mot pourrait, par son absence, faire perdre à la lettre, ou tout
au moins à la phrase à laquelle il aurait été ravi, une partie de son
sens, même son sens tout entier.

— Ah! c'est de M. Léon, fit M. Lebrun en passant tout de suite à
15 la signature.

— Ah! vraiment, fit Julie.

— Que peut-il avoir à me dire ce charmant jeune homme? Voyons.
Et M. Lebrun lut à haute voix:

« Monsieur,

20 « Vous allez trouver ma lettre bien étrange et ma demande bien
hardie. »

— Quelle jolie écriture il a, le gaillard![18] interrompit M. Lebrun;
quelle main pour un teneur de livres![19] Malheureusement pour lui,
il ne l'est pas. Continuons.

25 « Et ma demande bien hardie, reprit M. Lebrun en traînant sur les
mots. Mais je ne puis résister plus longtemps aux désirs de mon
cœur, et si je dois mourir j'aime mieux mourir de votre refus que du
doute. »

— Qu'est-ce que tout cela veut dire?

30 — Continuez, mon père.
Le marchand de toile poursuivit sa lecture.

« J'aime votre fille, et mademoiselle Julie m'aime, je le crois. »
M. Lebrun fit un bond sur sa chaise [20] en lisant cette phrase.

— Il t'aime et tu l'aimes? s'écria-t-il. Ai-je bien lu?

35 — Oui, mon père.

— Ainsi tu l'avoues?

— Ma mère vous aimait bien, je puis bien aimer M. Léon.

— C'est vrai; mais moi j'étais dans le commerce.

[18] *le gaillard*, the young fellow.   [19] *quelle main pour un teneur de livres*,
what a fine handwriting for a bookkeeper.   [20] *fit un bond sur sa chaise*, sat
up with a start.

— Eh bien! mon père, répliqua Julie avec le plus grand sang-froid, si c'est pour cela que ma mère vous aimait, c'est pour la raison contraire que j'aime M. Léon.

— Mais que veut-il?

— Il veut ma main. 5

— Je crois bien [21] que sa demande est hardie! Mais comment sais-tu qu'il veut ta main?

— Parce qu'il m'a dit hier qu'il vous écrivait pour vous la demander.

— Ainsi vous vous parliez en cachette?

— Oui, mon père. 10

— Souvent?

— Très souvent.

— Oh!

— Il me disait qu'il m'aimerait toute la vie.

— Et tu lui répondais? 15

— Que je l'aimerais jusqu'à la fin de mes jours.

— Et quand parliez-vous ainsi?

— Quand je vous servais du thé.

— Et cela se passait sous mes yeux?

— Toujours. 20

— Et je ne voyais rien?

— Vous ne pouviez rien voir, papa, vous aviez toujours vos lunettes.

— C'est bien, dit M. Lebrun en se levant et en pliant la lettre sans continuer de la lire, c'est bien mademoiselle, vous retournerez à votre pension. 25

— Qu'y ferai-je? demanda Julie d'un ton qui prouvait qu'elle ne redoutait pas le moins du monde les menaces de son père, et qu'elle était sûre d'en avoir bon marché.[22]

— Vous y attendrez que je vous aie trouvé un mari.

— De votre choix, mon père? 30

— De mon choix.

— Ah! je ne l'épouserai pas, alors.

— Vous ne l'épouserez pas?

— Non, mon père.

— Parce que . . . 35

— Parce que ce ne serait pas M. Léon.

— Ainsi c'est M. Léon qu'il vous faut?

— Oui, papa.

— Et vous croyez que je consentirai à ce mariage?

[21] *Je crois bien*, I rather think.   [22] *elle était . . . bon marché*, she was sure to settle the matter to her advantage.

— Oui, papa.

— Je vais écrire à M. Léon de ne plus remettre les pieds chez moi.

— Oh! je le verrai tout de même.

5 — Et où cela, s'il vous plaît?

— Par ma fenêtre, et je lui écrirai.

— Tu lui écriras! Et que lui diras-tu?

— Que je l'aime, que vous êtes un tyran, et que quand je serai majeure, je l'épouserai malgré vous.

10 — Et où as-tu pris ces beaux principes-là?

— Je les ai lus.

— Dans quels livres?

— Dans le Code.

— Dans le Code! Qui croirait jamais que ce tabernacle des droits
15 de l'homme et des lois de la société renferme de pareilles choses!

— Article 227, chapitre des Droits des enfants majeurs.

— Sais-tu ce que tu auras en dot en te mariant?

— Oui, mon père, soixante mille francs.

— Je te supprimerai ta dot.

20 — Vous ne pouvez pas. C'est la fortune de ma mère. A ma majorité,[23] il faudra que vous me rendiez mes comptes. Article 86, chapitre des Tutelles.

— Et qui t'a dit que toutes ces choses-là étaient dans le Code?

— M. Léon; vous savez bien qu'il sait tout, mon père.

25 — Et qu'il n'a rien en revanche.

— Peu importe, il fera sa fortune.

— Jamais.

— C'est vous-même qui le lui avez dit.

— Moi!

30 — Vous; je vous ai entendu vingt fois le complimenter sur sa grande instruction et ajouter qu'avec cela il était sûr de l'avenir. Voyons, mon petit père, rasseyez-vous et causons.

M. Lebrun se rassit, et Julie sur ses genoux.

— Vous m'aimez bien, n'est-ce pas? reprit la jeune fille en ar-
35 rangeant les nœuds de la cravate de son père.

— Oui, et c'est seulement . . .

— Parce que vous m'aimez que vous ne voulez pas que j'épouse M. Léon, n'est-ce pas? Eh bien, moi, je vous dis, mon petit père, qu'il faut que ce mariage se fasse.

40 — Non; M. Léon n'a rien. Tu ne peux pas être heureuse en

[23] *A ma majorité*, When I become of age.

ménage [24] avec trois mille livres de rente, en admettant encore [25] que
tu places tes soixante mille francs à cinq pour cent, ce qui est difficile
par le temps qui court; [26] tu n'auras les cent vingt mille francs qui
sont ma fortune qu'à ma mort, et grâces à Dieu, je me porte bien;
par conséquent, il te faut un mari qui t'apporte au moins ce que tu   5
lui apporteras, une soixantaine de mille francs.

— M. Léon les gagnera.

— Qu'il les gagne, nous verrons après.

— Si vous aviez continué la lecture de sa lettre, vous ne vous seriez
pas tant mis en colère, et nous nous serions entendus tout de   10
suite.

— Tu sais donc ce qu'il y a à la fin de cette lettre?

— Certainement, puisque j'en ai la copie dans ma poche.

— Oh! les petites filles! quels démons!

M. Lebrun reprit la lettre.   15

« Être le mari de votre fille, voilà la seule ambition, l'unique but
de ma vie. Mais je veux la rendre heureuse, et elle ne peut l'être
qu'à la condition de ne manquer de rien et de pouvoir satisfaire tous
ses besoins, tous ses caprices même.[27] Vous savez combien je suis
instruit et combien l'instruction et les arts offrent de ressources à qui   20
les a cultivés.[28] Accordez-moi un an. Pendant cette année je me
mettrai à l'œuvre, soutenu par l'espérance du résultat, et au bout de
cette année, je viendrai vous demander mademoiselle Julie; car pendant ce temps dussé-je ne pas dormir,[29] dussé-je vivre de pain et
d'eau, j'aurai amassé [30] cinquante mille francs au moins, et ce sera   25
un commencement. *Omnia labor vincit improbus.* » [31]

— Qu'est-ce que veut dire cette phrase?

— Un travail opiniâtre triomphe de tout, fit Julie.

— Tu sais donc le latin?

— Oui, mon père.   30

— Tu sais le latin?

— Oui, c'est M. Léon qui me l'a appris pour pouvoir correspondre
avec moi dans une langue que vous ne compreniez pas. Mais achevez
de lire cette lettre:

« Si dans un an, reprit M. Lebrun, qui n'en revenait pas que sa   35

---

[24] *être heureuse en ménage,* lead a happy married life.   [25] *en admettant
encore,* granting even.   [26] *par le temps qui court,* nowadays.   [27] *tous ses
caprices même,* even all her whims.   [28] *à qui les a cultivés,* to those who
have studied them.   [29] *dussé-je ne pas dormir,* were I to go without sleep.
[30] *j'aurai amassé,* I will have saved.   [31] *Omnia ... improbus,* Lat., hard
work conquers everything.

fille sût le latin,[32] je n'ai pas réussi, alors, Monsieur, vous pourrez disposer de la main de mademoiselle Julie et il ne me restera plus qu'à mourir. »

— Eh bien! que dites-vous, mon père?

5 — C'est assez raisonnable.

— A la bonne heure![33] Ainsi vous consentez.

— Il le faut bien puisque tu le veux.

— Dans un an vous accorderez ma main à M. Léon.

— Si dans un an M. Léon a gagné et m'apporte cinquante mille
10 francs.

— Et il les gagnera. Ainsi je puis lui annoncer cette bonne nouvelle et lui dire de monter vous en remercier.

— Comment?

— Il attend en bas, dans la rue, votre réponse.

15 — Tu l'y as vu?

— Je le sais. Il m'a dit hier qu'il serait dans la rue à neuf heures ce matin et voici que neuf heures sonnent.

Julie s'approcha de la fenêtre, l'ouvrit, en ramenant rapidement deux ou trois fois de suite son doigt dans la direction de ses yeux.
20 Elle se trouva avoir fait le geste qui dans tous les pays de la terre signifie: Venez — et celui à qui elle avait fait le geste et qui en le voyant avait bondi de joie, s'élança dans la maison.

II

— Remerciez mon père, fit la jeune fille en poussant Léon vers M. Lebrun; il accepte votre proposition.

25 — Que de reconnaissance! s'écria Léon en prenant les mains du père.

— Vous aimez donc bien ma fille?

— De toute mon âme, monsieur.

— Et vous croyez arriver à votre but?

30 — J'en suis sûr.

— Que possédez-vous déjà?

— Rien . . .

— Cependant vous avez une place, vous me l'avez dit plusieurs fois.

35 — Oui, monsieur, au Ministère des Finances.

[32] *qui n'en revenait pas . . . le latin,* who could not get over his daughter's accomplishments.   [33] *A la bonne heure!* Good!

— Combien gagnez-vous par mois?

— Cent treize francs soixante-quinze centimes.

— Ce n'est pas assez.

— Aussi vais-je quitter cette place.

— Prenez garde! vous ne gagnerez peut-être pas tant avec toute 5
votre instruction.

— Détrompez-vous, monsieur. Nous vivons heureusement dans
un siècle où le travail trouve sa récompense.

— Cependant jusqu'à présent vous n'avez trouvé que cent treize
francs soixante-quinze centimes par mois. 10

— Jusqu'à présent je n'avais pas aimé, monsieur, et cette faible
somme suffisait à mes goûts simples.

— Ainsi vous savez beaucoup de choses, reprit M. Lebrun avec
l'admiration de l'homme qui n'a jamais rien su que sa langue, juste
ce qu'il en faut pour vendre de la toile, et l'arithmétique, tout ce 15
qu'il en faut pour gagner vingt-cinq ou trente pour cent.

— Oui, monsieur, je sais beaucoup de choses.

— L'anglais, vous le parlez?

— Couramment.

— L'allemand? 20

— Comme le français.

— L'italien?

— Sur le bout du doigt.³⁴

— L'espagnol?

— A merveille. 25

— Le latin, le grec?

— A fond.³⁵ Je sais même l'arabe.

— L'arabe? hein! mon père, voilà qui est beau.³⁶ Si vous saviez
l'arabe, vous, comme vous seriez content!

— Comment, monsieur, vous lisez ces lettres longues, maigres et 30
tordues et qui ressemblent à du vermicelle?

— A livre ouvert.³⁷

— Vous dessinez aussi?

— Oui. Je pourrais faire une bonne copie d'un grand maître. Je
fais un peu d'architecture, je suis très fort en chimie, je sais l'histoire 35
universelle, l'histoire naturelle; j'ai fait mon droit.³⁸ Et vous croyez
qu'en un an je ne tirerai pas cinquante mille francs de tout cela!

— Cinquante mille francs! c'est beaucoup d'argent; mais je ne me

---

³⁴ *Sur le bout du doigt*, perfectly; at my finger's tip.   ³⁵ *A fond*,
Thoroughly.   ³⁶ *voilà qui est beau*, isn't that fine.   ³⁷ *A livre ouvert*, At
sight.   ³⁸ *j'ai fait mon droit*, I have studied law.

dédis pas,[39] et je tiendrai ma promesse. Revenez le 15 septembre 1838. Cependant je vous donnerais tout de suite ma fille, si vous aviez l'argent que vos parents ont dépensé pour vous faire apprendre tout ce que vous savez quand bien même vous seriez un ignorant.[40]
5 Oui, mon ami, je vous le jure.

— Allons, monsieur, au 15 septembre 1838, fit Léon en se retirant après avoir serré la main de celle qu'il aimait.

— Monsieur, j'ai l'honneur de vous saluer,[41] répliqua M. Lebrun, aux lèvres duquel cette phrase, qu'il avait répétée pendant vingt
10 années, chaque fois qu'il avait pris congé d'un client ou d'une pratique, revenait sans cesse, parée d'une intonation prétentieuse ou d'un sourire insignifiant.

III

Dix mois et demi après cette scène, un homme pâle, à la barbe longue, aux joues creuses, presque en haillons, était assis dans une
15 chambre basse,[42] sombre et malsaine d'un mauvais hôtel de Londres. Il avait laissé tomber sa tête sur sa poitrine, et tenait de la main gauche un pistolet dont il faisait jouer la gachette et le chien avec la main droite. Cet homme pâle, maigre, en haillons, qui n'avait pas mangé depuis deux jours, c'était bien Léon, qui allait se brûler la
20 cervelle.[43]

Une lettre était déposée sur la table. Cette lettre portait le nom et l'adresse de Julie.

Elle ne contenait que ces mots:

« J'ai tout fait pour gagner la somme que demandait votre père.
25 Je suis plus pauvre que lorsque je vous ai vue pour la dernière fois, et je n'ai pas mangé depuis deux jours. Quand vous recevrez cette lettre, je serai mort en pensant à vous. La balle d'un pistolet aura fait ce qu'aurait fait la faim si j'avais osé espérer encore.

« Soyez heureuse, Julie, ce sera mon dernier vœu avant de mourir.
30 « 18 juillet 1838. »

« Léon. »

Léon relut une dernière fois cette lettre et la cacheta.

— Allons, se dit-il, faisons-nous grâce des six semaines qui me

---

[39] *je ne me dédis pas*, I do not retract. [40] *quand bien même . . . ignorant*, even if you did not know a thing. [41] *Monsieur, j'ai l'honneur de vous saluer*, good-by, sir. [42] *chambre basse*, poor room, room with low ceiling. [43] *qui allait se brûler la cervelle*, who was about to blow his brains out.

séparent encore du 15 septembre 1838; et il arma le pistolet qu'il
tenait à la main, s'apprêtant à se l'appuyer sur la tempe; car, lui,
qui savait tout, il savait que c'est à la tempe et non dans la bouche
qu'il faut se tirer un coup de pistolet quand on veut mourir sûrement
et instantanément.   5

Au moment où il allait lâcher la détente,[44] sa porte s'ouvrit brusquement, donnant passage à un gros homme, à la mine bourgeonnée,
vêtu d'une veste de drap et d'un tablier blanc retroussé et formant
l'angle. Ce mastodonte humain était maître de l'hôtel où Léon vivait,
si l'on peut appeler cela vivre.   10

Le premier mouvement de Léon, ce mouvement dont on n'est
jamais le maître, fut non pas de lâcher la détente, mais de retirer sa
main de la position où elle était et de cacher son arme derrière son
dos.

Mais ce mouvement n'échappa pas au tavernier, qui, s'approchant   15
du jeune homme, lui dit :

— Qu'est-ce que vous avez donc là, vous?

Et il amenait à lui la main et le pistolet.

— Vous allez vous brûler la cervelle?

Léon lui fit signe que oui.   20

— Et les quarante schellings que vous me devez?

— Je ne les ai pas.

— Ainsi, non seulement vous ne me payez pas, mais encore vous
vous tuez chez moi, c'est-à-dire, que vous discréditez ma maison et
m'embarrassez d'un homme mort! Donnez-moi votre pistolet.   25

— Pourquoi?

— Vous le demandez! Pour vous empêcher de vous tuer avant
que vous ne m'ayez payé. Après, ce me sera parfaitement indifférent,
mais encore faudra-t-il que vous vous tuiez hors d'ici.

— Ainsi, je n'ai pas même la liberté de mourir! murmura Léon,   30
que la misère, le désespoir, la faim et l'émotion qui précède le suicide,
avaient jeté dans un affaissement complet, et qui, sachant à peine ce
qu'il faisait, tendit son arme à son hôte.

Après tout, fit-il, je vous dois de l'argent, je vous appartiens, faites
de moi ce que vous voudrez. Faites-moi arrêter si bon vous semble.[45]   35

— Vous êtes donc bien malheureux?

— Ah! oui, je le suis!

— Vous ne savez donc rien faire?

— Je sais tout.

— Tout?   40

---

[44] *lâcher la détente*, to pull the trigger.   [45] *si bon vous semble*, if you see fit.

— Oui, tout, depuis l'arabe et le grec jusqu'au moyen de faire du savon économique. Eh bien, je meurs de faim.

— Parbleu! rien de tout cela ne fait vivre,[46] et vous n'êtes pas le premier.

5 — J'ai voulu donner des leçons; on m'a offert douze cents francs pour passer toutes mes journées à essayer d'instruire un tas de crétins [47] de huit à douze ans, plus ignares, plus désagréables, plus laids les uns que les autres.

— Ensuite?

10 — Ensuite, j'ai fait une traduction de chants arabes, des chants magnifiques, complètement inconnus en Europe et capables de transformer toute la littérature du Nord.

— Eh bien?

— Eh bien! l'éditeur m'a demandé deux mille francs pour imprimer 15 ma traduction.

— Il fallait essayer d'autre chose.

— C'est ce que j'ai fait. J'ai demandé des travaux au gouvernement français, une copie de tableau.

— Vous l'avez obtenue tout de suite? On dit qu'en France les 20 gouvernements ne sont occupés qu'à encourager les arts.

— On m'a offert huit cents francs pour copier un Vélasquez, et il y avait un an de travail.

— Ah! c'est fort amusant! Continuez, fit l'hôte en se posant les mains sur ses hanches et en paraissant prendre le plus grand intérêt 25 à tout ce qu'il entendait.

— Ah! cela vous amuse, vous?

— Beaucoup.

Et le maître d'hôtel s'asseyait, car il venait de réfléchir qu'il serait encore mieux assis que debout.

30 — Je me suis adressé à un journal, reprit Léon, pour traduire les nouvelles étrangères et faire des articles scientifiques. Au bout d'un mois, j'avais gagné quatre-vingts francs, et reçu l'ordre de ne plus écrire sur les sciences, les abonnés ayant écrit que c'était ennuyeux.

— Ah! oui. Ces articles scientifiques, c'est insupportable! fit 35 l'aubergiste avec un gros rire.

— Alors j'ai réuni mes dernières ressources, et je suis venu en Angleterre.

— Vous avez bien fait.

— Parlant purement l'anglais, je comptais donner des leçons de

---

[46] *rien de tout cela ne fait vivre*, nothing of that supports a man.   [47] *un tas de crétins*, a bunch of idiots.

français à de jeunes gentlemen; mais j'ai eu l'imprudence de prononcer le mot chemise devant une lady, mère d'un de vos compa-
triotes, et le jour même on m'a congédié.

— Et depuis?

— Depuis, je n'ai rien fait. Je suis venu demeurer chez vous et je   5
vous dois quarante schellings.

— Il fallait vous contenter de la première place que vous avez
trouvée, celle de douze cents francs.

— Me contenter? J'aimais mieux mourir.

— Je me contente bien de ce que j'ai, moi, fit le maître d'hôtel avec   10
orgueil, et il y a vingt ans que je fais la cuisine!

— Je m'en serais peut-être contenté si je n'avais été amoureux.

— Vous êtes amoureux?

— Oui. Et pour obtenir celle que j'aimais, il fallait que je gagnasse
cinquante mille francs en un an.   15

— Cinquante mille francs en un an, quand moi, je n'ai encore que
mille livres sterling, la moitié de ce que vous vouliez, et en vingt ans!
Vous étiez fou, mon cher!

— Et dans six semaines expire l'année. Voilà pourquoi j'aimais
autant mourir aujourd'hui que d'attendre cette époque.   20

L'hôtelier parut réfléchir profondément.

— Il me vient une idée, s'écria-t-il tout à coup.

— A vous?

— A moi. Il vous faut cinquante mille francs?

— Oui.   25

— Si je vous en procure soixante mille, m'en donnerez-vous dix
mille?

Léon regarda l'aubergiste comme on regarde un fou.

— Je parle sérieusement.

— Vous pouvez me procurer soixante mille francs?   30

— D'ici à un mois.[48]

Léon se leva et sauta au cou de son hôte,[49] qui, repoussant de la
main cette familiarité, continua:

— Avez-vous un bon estomac?

— Excellent! Mais qu'importe mon estomac?   35

— Avez-vous fait des excès?

— Jamais.

— Vous épouserez celle que vous aimez.

— Comment?

[48] *D'ici à un mois*, Within a month.   [49] *sauta au cou de son hôte*, leaped to
embrace his host.

— Ayez du courage, c'est tout ce qu'il faut.

— Que voulez-vous dire?

— Habillez-vous.

— Je n'ai pas d'autres habits que ceux que j'ai sur moi.

5 — Je vous en prêterai un alors, et je vais faire monter un barbier pour qu'il coupe votre barbe. Nous allons chez un grand seigneur, chez un lord, chez un pair d'Angleterre.

— Qui me donnera soixante mille francs?

— Qui vous les fera gagner, si vous avez un bon estomac.

10 — Je n'y comprends rien.

— Vous n'avez pas besoin de comprendre. Avez-vous un bon estomac?

— Oui, je vous le répète.

— Aimez-vous le pigeon?

15 — Qu'est-ce que le pigeon a à faire dans tout ceci?

— Répondez-moi. Aimez-vous le pigeon?

— Je l'adore!

— Vous êtes sauvé, et je gagne dix mille francs. Attendez-moi, je reviens dans un instant.

20 Vingt minutes après cette conversation, Léon, vêtu d'un habit quatre fois trop large pour lui, mais plus propre que celui qu'il portait depuis un mois, sortait de son hôtel, accompagné de son hôtelier, sans avoir encore pu faire dire à son compagnon où il le menait et quel rapport les pigeons pouvaient avoir avec l'amour et les cinquante

25 mille francs dont il avait besoin.

IV

Maître Peters conduisait Léon dans un des plus riches hôtels de Piccadilly.

— Lord Lenisdale est-il visible? [50] demanda l'hôtelier en restant respectueusement le chapeau à la main, devant le laquais galonné

30 auquel il s'adressait et en faisant signe à Léon d'en faire autant.

— Non, répondit le laquais, milord ne reçoit pas.

— Veuillez dire à son Excellence, reprit Peters, que c'est quelqu'un pour les pigeons.

— Ah! si c'est pour les pigeons, dit le laquais, vous pouvez entrer.

35 Peters regarda Léon d'un air triomphant.

— Tout va bien, dit-il.

[50] *Lord Lenisdale est-il visible?* Is Lord Lenisdale at home?

Léon croyait rêver.

Le laquais introduisit les deux visiteurs dans un salon tout ruisselant d'or et de soie, et leur dit avec une déférence qu'il n'avait pas montrée jusqu'alors:

— Je vais prévenir son Excellence.   5

Au bout de dix minutes son Excellence parut.

C'était un homme de soixante ans environ, grand, maigre, ayant les cheveux blancs, l'air distingué et le regard d'un homme habitué à protéger des solliciteurs et à leur répondre.

— Milord, dit Peters en se levant ainsi que Léon et en faisant trois   10 ou quatre saluts des plus humbles, je viens proposer à votre Excellence, monsieur [51] qui désire concourir pour le prix des pigeons.

Lord Lenisdale regarda Léon comme un naturaliste regarderait un insecte qu'il verrait pour la première fois.

— Vous êtes Français? demanda le lord en se servant de la langue   15 française pour parler à Léon.

— Oui, milord, répondit celui-ci en anglais, ce qui flatta le fils d'Albion.[52]

— Et vous voulez concourir pour le prix des pigeons?

— J'ignore ce que c'est que ce prix, milord; mais il y a un quart   20 d'heure, j'étais au moment de me brûler la cervelle, quand M. Peters, mon hôte, est entré dans ma chambre et m'a, ému par le récit de mes malheurs, proposé de me faire gagner soixante mille francs en un mois; seulement je n'ai pas encore pu lui faire dire par quel moyen.

— Voici ce dont il s'agit,[53] monsieur, reprit l'Anglais du ton grave   25 d'un diplomate qui traite les plus importantes questions politiques: il y a à Londres une société de savants dont je suis le président. Cette société, jalouse d'éclaircir tous les points de la science, a proposé un prix de soixante mille francs à celui qui mangerait pendant un mois, tous les jours, un pigeon rôti à son dîner. Cela semble bien   30 facile au premier abord,[54] mais personne n'a encore pu réussir, et cependant beaucoup de gens ont tenté l'épreuve. Les uns ont renoncé au dixième jour, les autres sont tombés malades au quinzième, et nous avons vu mourir trois candidats au vingt-deuxième et vingt-cinquième. Le prix n'était alors que de trente mille francs. La   35 difficulté qu'il y avait à le gagner nous l'a fait augmenter de la même somme. Vous sentez-vous, monsieur, dans les dispositions nécessaires?

Nous renonçons à peindre l'étonnement de Léon.

[51] *monsieur,* this gentleman.   [52] *le fils d'Albion,* the Englishman.   [53] *Voici ce dont il s'agit,* Here is the point.   [54] *au premier abord,* at first sight.

— Oui, monseigneur, répondit-il sans trop savoir ce qu'il répondait et ne songeant qu'aux soixante mille francs, mais vous fournirez les pigeons.

— Bien entendu.[55]

5 — Car mes moyens ne me permettraient pas de faire cette dépense.

— Et quand commencerez-vous?

— Dès aujourd'hui.[56]

— Veuillez me dire votre nom, fit le lord en s'asseyant et en ouvrant un grand régistre aux armes d'Angleterre.

10 — Léon...

— Votre âge?

— Trente ans.

— Votre profession?

— Je n'en ai pas; j'étais employé dans un Ministère et j'ai quitté
15 ma place pour utiliser ce que je savais d'une autre façon.

— Vous êtes donc un savant?

— J'ai reçu une assez bonne instruction.

— Nous avons dans notre société un helléniste distingué, lord Bourlam.

20 — J'ai entendu parler de lui, mais il a fait bien des fautes dans sa traduction d'Orphée.[57]

— Nous avons lord Gastrouck, l'orientaliste.

— Qui a commis bien des erreurs dans ses Études sur le poète Sadi.[58]

25 — Vous parlez donc l'arabe?

— Oui, monsieur.

— Nous avons ensuite un grand archéologue.

— Lord Storley. Si j'avais l'honneur de le connaître, je lui démontrerais qu'il s'est trompé deux ou trois fois dans les dates qu'il assigne
30 aux monuments égyptiens.

— Connaissez-vous aussi lord Galby?

— L'astronome?

— Oui.

— Parfaitement, par les ouvrages, du moins.

35 — A-t-il aussi commis des erreurs?

— Plus que les autres, attendu que [59] moi, j'ai découvert une étoile qu'il n'a jamais soupçonnée, et que je lui ferai voir quand il voudra, étoile qui a quatre fois la circonférence de la terre.

[55] *Bien entendu*, Of course. [56] *Dès aujourd'hui*, This very day.
[57] *Orphée* (Orpheus, legendary Greek character, son of Apollo and Calliope).
[58] *Sadi* (Persian poet, 12th century A.D.) [59] *attendu que*, inasmuch as.

— Ah ça! [60] monsieur, vous savez donc tout?

— A peu près, milord.

— Et vous voulez maintenant savoir si vous pourrez manger trente pigeons en un mois?

— Non, milord; je veux gagner, par quelque moyen que ce soit,   5
pourvu que ce soit un moyen honnête, cinquante mille francs d'ici à un mois, parce qu'à cette condition seule je pourrai épouser la femme que j'aime.

— Eh bien! monsieur, je ferai mieux pour vous; si vous gagnez le prix, je vous présenterai moi-même au roi, et je vous ferai admettre   10
dans notre société.

— Oui, milord.

— Vous êtes né?

— A Paris.

— Et vous demeurez maintenant?   15

— A l'hôtel du Lion noir, Horrible street.

— Très bien. Voici maintenant les clauses du traité. Vous serez libre de manger et de boire tout ce que vous voudrez mais tous les jours, pendant un mois, à six heures, vous mangerez un pigeon rôti. Deux d'entre nous assisteront à votre repas et dresseront un   20
procès-verbal [61] de la façon dont il sera passé. Il faut que le pigeon soit mangé intégralement. Si vous renoncez à l'épreuve, vous ne pourrez pas concourir de nouveau; si vous êtes malade par suite de cette nourriture, il vous sera alloué vingt livres pour les frais de maladie; si vous succombez, comme les trois candidats dont je vous   25
parlais tout à l'heure, vous serez enterré aux frais de la société, et l'on gravera sur votre tombe la cause de votre mort.

— Merci de tous ces renseignements, milord; mais veuillez me permettre de vous faire une question.

— Parlez.   30

— Votre société n'a pas proposé de prix pour quelque problème scientifique à résoudre, soit en agriculture, soit en histoire, soit en astronomie, soit en langues?

— Non. Tout cela nous intéresse peu. Nous tenons par-dessus toutes choses à nous rendre compte des capacités du corps humain.   35

— C'est que vous comprenez, milord, que j'eusse mieux aimé utiliser mon intelligence que mon estomac.

— N'avez-vous pas besoin de cinquante mille francs?

— Oui, milord.

— Eh bien! c'est le seul moyen de les gagner. Les positions où   40

[60] *Ah ça!* Gracious!   [61] *dresseront un procès-verbal*, will make a report.

sont arrivés nos savants sont des positions purement honorifiques et auxquelles leur amour-propre seul gagne quelque chose.   Ainsi, voici qui est bien convenu, trente pigeons rôtis, fit le lord en appuyant sur cette clause, d'aujourd'hui 31 juillet au premier septembre prochain.

5   — Où devrai-je prendre le repas?

— Où vous voudrez.

— Chez moi, dit Peters.

— Oui, dit lord Lenisdale.

— Et milord me permettrait-il, demanda Peters, si monsieur gagne
10 le prix, de faire des prospectus de mon établissement et de consigner dedans ce fait extraordinaire?

— Je consulterai la société à ce sujet.

— Que milord est bon!

— Adieu, monsieur, continua le pair d'Angleterre; puissiez-vous
15 réussir! Je le souhaite ardemment dans votre intérêt et dans l'intérêt de la science, et comme je crois vous l'avoir déjà dit, si vous réussissez, la faveur du roi vous sera acquise et les plus grandes maisons de Londres vous seront ouvertes.

— Allons! se dit Léon en se retirant, toujours accompagné de
20 Peters, c'était bien la peine d'apprendre le latin, le grec, l'arabe, l'italien, l'espagnol, l'anglais, l'allemand, l'histoire, la géométrie, l'astronomie, l'agriculture, l'histoire naturelle, la physique, la chimie et la moldo-valaque, pour en être réduit à manger trente pigeons en un mois si je veux épouser celle que j'aime et gagner cinquante mille
25 francs.   O science! tu n'es qu'un mot!

V

Le soir même Léon se mit à l'œuvre.[62]

Huit jours après, lord Bourlam et lord Storley, qui avaient voulu être les témoins des dîners pendant le mois entier, revenaient à sept heures du soir chez lord Lenisdale.

30   — Eh bien! leur disait celui-ci.

— Eh bien, il a encore mangé son pigeon aujourd'hui.

— Entièrement?

— Entièrement.

— Quel gaillard!

35 Le 15 août, lord Lenisdale dit aux témoins:

— Et notre parieur, est-il mort?

[62] *se mit à l'œuvre*, went to work.

— Non.

— Il mange toujours son pigeon?

— Toujours.

— Rôti?

— Rôti.   5

— Tout entier?

— Tout entier.

— Allons, il a franchi la seconde période.

Le 25, il alla voir lui-même Léon, qu'il reconnut à peine. Notre
héros avait les yeux en feu et une fièvre de cheval.[63]   10

— Comment vous trouvez-vous? lui dit le président de la société.

— Très mal, répondit Léon.

— Et vous persévérez?

— Oui.

— Vous êtes le Wellington du pigeon!   15

— Merci de cet encouragement, milord.

Lord Lenisdale voulut assister aux trois derniers repas que Léon
ne pouvait plus faire qu'en se bouchant le nez, tant il trouvait infecte
l'odeur du pigeon.

Qui croirait jamais que ce volatile renommé pour sa fidélité soit 20
si mauvais à la longue![64]

Le 30 août, le peuple de Londres se pressait à la porte de l'hôtel de
maître Peters. On eut peine à soustraire Léon aux marques d'enthousiasme qu'il avait inspiré.

Après avoir mangé le dernier pigeon, il lui fallut,[65] tout ému de son 25
triomphe et suffoqué par le mal de cœur, se mettre à la fenêtre et
saluer la populace du quartier, à laquelle maître Peters faisait chaque
jour des allocutions.

Plusieurs savants étaient venus d'Écosse pour voir Léon; mais ils
n'avaient pu le voir que par le trou de la serrure, et encore il leur avait 30
fallu donner au moins une livre à Peters.

Le 2 septembre le pari était gagné.

Maître Peters vendit à un touriste anglais, qui avait acheté la
deux-cent-trentième canne de Voltaire, l'habit que Léon avait porté
le temps qu'avait duré l'expérience. Il vendit cet habit cent guinées, 35
et le collectionneur ne l'eût pas donné pour mille.

Enfin le 3 septembre 1838, on lisait dans le *Times:*

« Nos lecteurs ont, sans doute, entendu parler de ce jeune Français
qui s'est présenté, il y a un mois, comme candidat au prix des pigeons

[63] *les yeux en feu . . . de cheval,* bloodshot eyes and a high fever.   [64] *à la
longue,* in the long run.   [65] *il lui fallut,* he was compelled.

proposé par lord Lenisdale et par tous les membres de la société
scientifique de Londres.

« Nous avons le bonheur de pouvoir annoncer que ce prix a été
enfin remporté par ce jeune Français, sous les fenêtres duquel se presse
5   depuis huit jours et en ce moment encore une foule curieuse et enthousiaste.

« Les trente pigeons ont été mangés intégralement, et les os ont
été conservés pour être offerts et déposés avec un rapport constatant
le fait au cabinet d'histoire naturelle.[66]

10   « On se rappelle qu'avant ce jeune homme, plus de cent cinquante
candidats avaient renoncé à concourir, après avoir lutté huit ou quinze
jours, et que même trois d'entre eux sont morts . . .

« Il faut donc que ce jeune homme soit doué d'un bien bon estomac
et d'une bien grande énergie. C'est hier qu'on a décerné le prix et

15   une médaille d'or à ce jeune Français, M. Léon . . . Voilà donc un
problème important résolu pour l'avenir. Un fort beau discours a
été prononcé à cette occasion par lord Bourlam, notre grand helléniste.
Lord Lenisdale a répondu lui-même à ce discours par une fort belle
théorie sur l'origine des cultes et la naissance des langues. Nous

20   sommes heureux de pouvoir apprendre à nos lecteurs que M. Léon . . .
n'est pas un homme ordinaire que l'espoir du gain a poussé à cette
expérience ; c'est un savant, c'est un lettré de premier ordre. Aussi
n'a-t-il fait cette expérience que par pure curiosité. Ce qui le prouve,
c'est qu'il a donné dix mille francs à l'hôtelier qui lui faisait rôtir les

25   pigeons. Le soir même il a été présenté au roi. S.M. lui a fait don
d'une tabatière enrichie de diamants, et l'a longtemps questionné sur
les différentes impressions que le pigeon souvent répété peut produire
sur l'organisation humaine. L'ambassadeur d'Espagne a écrit immédiatement à la reine pour lui demander la croix d'Isabelle la Catho-

30   lique [67] pour M. Léon . . . Le prince Kourzof a proposé cinquante
mille roubles au lauréat, s'il voulait venir renouveler cette expérience
en Russie ; mais M. Léon . . . que sa famille et ses intérêts rappellent
à Paris, a refusé cette offre avec regret, en ajoutant, du reste, qu'une
seconde épreuve lui serait impossible, ce qu'il a eu à souffrir pendant

35   ce mois de pigeons étant au-dessus de toute expression. »

Le 15 septembre 1838, Léon se présenta chez M. Lebrun, qu'il
trouva avec sa fille dans la chambre même où un an auparavant il
avait pris congé de lui.

— Eh bien ? lui dit le père.

---

[66] *cabinet d'histoire naturelle*, Museum of Natural History.   [67] *Isabelle
la Catholique* (Isabella, queen of Spain, 1451–1504).

— Voici soixante-quinze mille francs, répondit Léon tirant soixante-
quinze billets de banque de sa poche.

— Vingt-cinq mille francs de plus, s'écria M. Lebrun émerveillé,
tandis que Julie pâlissait d'émotion et rougissait de joie.

— Oui, fit Léon, non seulement j'ai gagné de l'argent, mais on m'a   5
fait des cadeaux que j'ai vendus et que représentent ces vingt-cinq
mille francs.

— Et c'est à votre instruction que vous devez cela?

— Oui, répondit Léon avec un soupir, car il ne voulait pas avouer
la source de sa fortune.   10

— Alors, fit M. Lebrun, si vous avez des fils, il faudra en faire des
savants.

— Que le diable m'emporte si je leur apprends seulement à lire! se
dit Léon à lui-même. — Et il épousa Julie, et il fut très heureux, et
il eut deux enfants qui, malgré le serment que le père s'était fait, sont   15
déjà deux prodiges et sont entrés dans le chemin qui mène à l'Académie des Inscriptions et Belles-Lettres.[68]

Maintenant que Léon n'a plus besoin de sa science pour vivre, il
trouve à l'utiliser. Il a déjà publié sa traduction des chants arabes,
qui lui a fait un nom parmi les traducteurs, et rapporté trente-deux   20
francs cinquante centimes, le traité qu'il a fait avec l'éditeur portant [69] qu'il partagerait les bénéfices avec lui, et le livre ayant déjà
produit un bénéfice de soixante-cinq francs.

Cette histoire prouve-t-elle qu'il faille mépriser la science? Non.
Elle prouve seulement qu'il ne faut lui demander que ce qu'elle   25
doit donner, le travail toujours, la renommée quelquefois, l'obscurité
souvent, la fortune jamais.

Prouve-t-elle qu'il faille mépriser les eccentricités des Anglais?
Non. Car, comme on le voit, les eccentricités des uns peuvent servir
au bonheur des autres, et toutes routes qu'on prend pour arriver au   30
bonheur sont bonnes pourvu qu'on y arrive.

Qu'est-ce qu'elle prouve alors?

Elle ne prouve rien.

Ah! si! elle prouve que le pigeon est une viande lourde, et que la
Providence emploie tous les moyens pour venir au secours de ceux   35
qui n'ont rien à se reprocher.

[68] *l'Académie des Inscriptions et Belles-Lettres* (one of the five French
Academies founded by Colbert in 1663; the aim of this Academy was to
study history and archeology).   [69] *portant*, stipulating.

Guy de Maupassant

1850–1893

Guy de Maupassant was born in Normandy, near the summer resort of Étretat, into an old and respectable family. He was sent to college, but he rebelled against the strong discipline imposed upon the students. After the outbreak of the Franco-Prussian war in 1870, Maupassant enlisted in the army and, shortly after the war, he secured a position in the Navy Department. Later on, he became a clerk in the Ministry of Public Instruction and, finally, secretary to the Minister Bardoux.

Maupassant died young, worn out by excesses due, in part, to his exuberant vitality. His short stories are, in many ways, an echo of his own experiences, but they portray also the life of the people around him.

Under the literary and artistic tutelage of the poet Louis Bouilhet (1821–1869) and the novelist Gustave Flaubert (1821–1880), Maupassant sharpened his mind and developed a definite talent for precise observation and accurate expression. His ideal was not to delve into deep philosophy but to portray life as it is, without commentary. His field of interest is particularly the French middle class, which he attempts to depict objectively. Maupassant is one of the world's outstanding short story tellers.

READING SUGGESTIONS

SHORT STORIES	*Deux amis*	1881
	La Ficelle	1883
	La Parure	1884
	L'Infirme	1888
NOVELS	*Une Vie*	1883
	Bel ami	1883
	Pierre et Jean	1888
	Fort comme la mort	1889

LE PARAPLUIE

TIME   1870.

PLACE   Paris, Ministry of War.

QUALI–
TIES   Interesting analysis of the money-saving propensities so common in French middle-class families. As a true artist, Maupassant follows the logical development of an idea with a strict economy of words and spares the reader all unnecessary details. We get the impression of reality told with jovial irony.

The aim of Maupassant was to expose the foibles of the Norman people and laugh at their expense. He may have had in mind the precept of Horace who taught that the purpose of comedy was "to chastize the vices of society by laughing at them."

MEAN–
ING   Thrift is a virtue; carried too far, it sometimes becomes a defect.

Le Parapluie

Guy de Maupassant

Mme Oreille était économe. Elle savait la valeur d'un sou et possédait un arsenal de principes sévères sur la multiplication de l'argent. Sa bonne, assurément, avait grand'peine à faire danser l'anse du panier;[1] et M. Oreille n'obtenait sa monnaie de poche qu'avec une extrême difficulté. Ils étaient à leur aise[2] pourtant, et sans enfants; mais Mme Oreille éprouvait une vraie douleur à voir les pièces blanches[3] sortir de chez elle. C'était comme une déchirure pour son cœur et, chaque fois qu'il lui avait fallu faire une dépense de quelque importance,[4] bien qu'indispensable, elle dormait mal la nuit suivante.

Oreille répétait sans cesse à sa femme:

— Tu devrais avoir la main plus large,[5] puisque nous ne mangeons jamais nos revenus.[6]

Elle répondait:

— On ne sait jamais ce qui peut arriver. Il vaut mieux avoir plus que moins.

C'était une petite femme de quarante ans, vive, ridée, propre et souvent irritée.

Son mari à tout moment se plaignait des privations qu'elle lui faisait endurer. Il en était certaines qui lui devenaient particulièrement pénibles, parce qu'elles atteignaient sa vanité.

Il était commis principal au Ministère de la Guerre, demeuré là uniquement pour obéir à sa femme, pour augmenter les rentes inutilisées de la maison.

Or, pendant deux ans il vint au bureau avec le même parapluie rapiécé qui donnait à rire à ses collègues.[7] Las enfin de leurs quolibets,

---

[1] *faire danser l'anse du panier,* make a profit by falsifying household expenses. [2] *à leur aise,* well off. [3] *les pièces blanches,* silver money. [4] *qu'il lui avait fallu . . . importance,* when she had to spend a certain amount. [5] *Tu devrais avoir la main plus large,* You ought to be more generous. [6] *nous ne mangeons jamais nos revenus,* we never spend our income. [7] *donnait à rire à ses collègues,* amused his fellow-workers.

il exigea que Mme Oreille lui achetât un nouveau parapluie. Elle en prit un de dix-huit francs cinquante, article de réclame [8] d'un grand magasin. Les employés en apercevant cet objet jeté dans Paris par milliers, recommencèrent leurs plaisanteries, et Oreille en souffrit
5 horriblement. Le parapluie ne valait rien. En trois mois il fut hors de service, et la gaieté devint générale dans le Ministère. On fit même une chanson qu'on entendait du matin au soir, du haut en bas de l'immense monument.

Oreille, exaspéré, ordonna à sa femme de lui choisir un nouveau
10 riflard,[9] en soie fine, de vingt francs, et d'apporter une facture justificative.

Elle en acheta un de dix-huit francs et déclara, rouge d'irritation, en le remettant à son époux:

— Tu en as là pour cinq ans au moins.
15 Oreille, triomphant, obtint un vrai succès au bureau.

Lorsqu'il rentra le soir, sa femme, jetant un regard inquiet sur le parapluie, lui dit:

— Tu ne devrais pas le laisser serré avec l'élastique, c'est le moyen de couper la soie. C'est à toi d'y veiller,[10] parce que je ne t'en achèterai
20 pas un de sitôt.

Elle le prit, dégrafa l'anneau et secoua les plis. Mais elle demeura saisie d'émotion. Un trou rond, grand comme un centime lui apparut au milieu du parapluie. C'était une brûlure de cigare!

Elle balbutia:
25 — Qu'est-ce qu'il y a?

Son mari répondit tranquillement, sans regarder:

— Qui, quoi? que veux-tu dire?

La colère l'étranglait maintenant; elle ne pouvait plus parler:

— Tu ... tu ... tu as brûlé ... ton ... ton ... parapluie. Mais
30 tu ... tu ... es fou! ... Tu veux nous ruiner!

Il se retourna se sentant pâlir:

— Tu dis?

— Je dis que tu as brûlé ton parapluie. Tiens ...[11]

Et, s'élançant vers lui comme pour le battre, elle lui mit violemment
35 sous le nez la petite brûlure circulaire.

Il restait éperdu devant cette plaie, bredouillant:

— Ça, ça ... qu'est-ce que c'est? Je ne sais pas, moi! Je n'ai rien fait, rien, je te le jure. Je ne sais pas ce qu'il a, moi, ce parapluie!

---

[8] *article de réclame*, advertised bargain.   [9] *riflard*, umbrella (*slang*).
[10] *C'est à toi d'y veiller*, It is up to you to keep it in good shape.   [11] *Tiens*, Look.

Elle criait maintenant:

— Je parie que tu as fait des farces [12] avec lui dans ton bureau,
que tu as fait le saltimbanque,[13] que tu l'as ouvert pour le
montrer.

Il répondit: 5
— Je l'ai ouvert une seule fois pour montrer comme il était beau.
Voilà tout, je te le jure.

Mais elle trépignait de fureur, et elle lui fit une de ces scènes con-
jugales qui rendent le foyer familial plus redoutable pour un homme
pacifique qu'un champ de bataille où pleuvent les balles.   10

Elle ajusta une pièce avec un morceau coupé sur l'ancien parapluie,
qui était de couleur différente; et, le lendemain Oreille partit, d'un
air humble, avec l'instrument raccommodé. Il le posa dans son
armoire et n'y pensa plus que comme on pense à quelque mauvais
souvenir.   15

Mais à peine fut-il rentré, le soir, sa femme lui saisit son parapluie
dans les mains, l'ouvrit pour constater son état et demeura suffoquée
devant un désastre irréparable. Il était criblé de petits trous prove-
nant évidemment de brûlures, comme si on eût vidé dessus la cendre
d'une pipe allumée. Il était perdu, perdu sans remède.   20

Elle contemplait cela sans dire un mot, trop indignée pour qu'un
son pût sortir de sa gorge. Lui aussi il constatait le dégât et il restait
stupide, épouvanté, consterné.

Puis ils se regardèrent; puis il baissa les yeux; puis elle cria, retrou-
vant sa voix dans un emportement de fureur: 25
— Ah! canaille![14] Tu en as fait exprès![15] Mais tu me le paieras!
Tu n'en auras plus!

Et la scène recommença. Après une heure de tempête, il put enfin
s'expliquer. Il jura qu'il n'y comprenait rien; que cela ne pouvait
provenir que de malveillance ou de vengeance.   30

Un coup de sonnette le délivra. C'était un ami qui devait dîner
avec eux.

Mme Oreille lui soumit le cas. Quant à acheter un nouveau parapluie, c'était fini, son mari n'en aurait plus.

L'ami argumenta avec raison: 35
— Alors, madame, il perdra ses habits [16] qui valent certes d'avantage.

La petite femme, toujours furieuse, répondit:

---

[12] *tu as fait des farces,* you have played tricks.   [13] *tu as fait le saltim-*
banque, you acted silly.   [14] *canaille,* rascal.   [15] *Tu en as fait exprès,* You
did it purposely.   [16] *il perdra ses habits,* he will spoil his suits.

— Alors il prendra un parapluie de cuisine,¹⁷ je ne lui en donnerai pas un nouveau en soie.

A cette pensée, Oreille se révolta.

— Alors je donnerai ma démission, moi! Mais je n'irai pas au
5 Ministère avec un parapluie de cuisine.

L'ami reprit:

— Faites recouvrir celui-là, ça ne coûte pas très cher.

Mme Oreille exaspérée, balbutiait:

— Il faut au moins huit francs pour le recouvrir. Huit francs et
10 dix-huit cela fait vingt-six! Vingt-six francs pour un parapluie, mais c'est de la folie! c'est de la démence!

L'ami, bourgeois pauvre, eut une inspiration.

— Faites-le payer par votre Assurance. Les compagnies paient les objets brûlés, pourvu que le dégât ait eu lieu dans votre domicile.

15 A ce conseil, la petite femme se calma net; puis, après une minute de réflexion, elle dit à son mari:

— Demain, avant de te rendre à ton Ministère, tu iras dans les bureaux de la Maternelle ¹⁸ faire constater l'état de ton parapluie et réclamer le payement.

20 M. Oreille eut un soubresaut.

— Jamais de la vie ¹⁹ je n'oserai! C'est dix-huit francs de perdus, voilà tout. Nous n'en mourrons pas.

Et il sortit le lendemain avec une canne. Il faisait beau heureuse- ment.

25 Restée seule à la maison, Mme Oreille ne pouvait se consoler de la perte de ses dix-huit francs. Elle avait le parapluie sur la table de la salle à manger, et elle tournait autour, sans parvenir à prendre une décision.

La pensée de l'Assurance lui revenait à tout instant, mais elle
30 n'osait pas non plus affronter les regards railleurs des messieurs qui la recevraient, car elle était timide devant le monde, rougissant pour un rien, embarrassée dès qu'il lui fallait parler à des inconnus.

Cependant le regret des dix-huit francs la faisait souffrir comme une blessure. Elle n'y voulait plus songer, et sans cesse le souvenir de
35 cette perte la martelait douloureusement. Que faire cependant? Les heures passaient; elle ne se décidait à rien. Puis, tout à coup, comme les poltrons qui deviennent crânes, elle prit sa résolution:

— J'irai et nous verrons bien!

Mais il lui fallait d'abord préparer le parapluie pour que le désastre

---

¹⁷ *parapluie de cuisine*, big, common umbrella.   ¹⁸ *la Maternelle* (insurance company).   ¹⁹ *Jamais de la vie*, Never in my life.

fût complet et la cause facile à soutenir. Elle prit une allumette sur la cheminée et fit, entre les baleines, une grande brûlure, large comme la main; puis elle roula délicatement ce qui restait de la soie, la fixa avec le cordelet élastique, mit son châle et son chapeau et descendit d'un pied pressé [20] vers la rue de Rivoli où se trouvait l'Assurance. 5
Mais à mesure qu'elle approchait, elle ralentissait le pas. Qu'allait-elle dire? Qu'allait-elle lui répondre?
Elle regardait les numéros des maisons. Elle en avait encore vingt-huit. Très bien! Elle pouvait réfléchir. Elle allait de moins en moins vite. Soudain elle tressaillit. Voici la porte, sur laquelle brille 10 en lettres d'or: La Maternelle, Compagnie d'Assurance contre l'Incendie. Déjà! Elle s'arrêta une seconde, anxieuse, honteuse, puis passa, puis revint encore.
Elle se dit enfin:
— Il faut y aller pourtant! Mieux vaut plus tôt que plus tard. 15
Mais en pénétrant dans la maison, elle s'aperçut que son cœur battait.
Elle entra dans une vaste pièce avec des guichets tout autour; et par chaque guichet on apercevait une tête d'homme dont le corps était caché par un treillage.
Un monsieur parut, portant des papiers. Elle l'arrêta et d'une 20 petite voix timide:
— Pardon, monsieur, pourriez-vous me dire où il faut s'adresser pour se faire rembourser les objets brûlés?
Il répondit avec un timbre sonore:
— Premier, à gauche. Au bureau des sinistres. 25
Ce mot l'intimida davantage encore; et elle eut envie de se sauver, de ne rien dire, de sacrifier ses dix-huit francs. Mais à la pensée de cette somme, un peu de courage lui revint et elle monta essoufflée, s'arrêtant à chaque marche.
Au premier, elle aperçut une porte; elle frappa. Une voix claire cria: 30
— Entrez!
Elle entra et se vit dans une grande pièce où trois messieurs, debout, décorés, solennels, causaient.
Un d'eux lui demanda:
— Que désirez-vous madame? 35
Elle ne trouva plus ses mots, elle bégaya:
— Je viens ... je viens ... pour un sinistre. Le monsieur, poli, montra un siège.
— Donnez-vous la peine de vous asseoir; je suis à vous [21] dans une minute. 40

[20] *d'un pied pressé*, hurriedly.   [21] *je suis à vous*, I shall be with you.

Et retournant vers les deux autres, il reprit la conversation.

— La Compagnie, messieurs, ne se croit pas engagée envers vous pour plus de quatre cent mille francs que vous prétendez nous faire payer en plus, l'estimation d'ailleurs . . .

5 Un des deux autres l'interrompit:

— Ceci suffit, monsieur, les tribunaux décideront. Nous n'avons plus qu'à nous retirer.

Et ils sortirent avec plusieurs saluts cérémonieux.

Oh! si elle avait osé partir avec eux, elle l'aurait fait; elle aurait 10 fui, abandonnant tout! mais le pouvait-elle? Le monsieur revint et, s'inclinant:

— Qu'y a-t-il pour votre service,²² madame?

Elle articula péniblement:

— Je viens pour ceci.

15 Le directeur baissa les yeux, avec un étonnement naïf, vers l'objet qu'elle lui tendait.

Elle essayait d'une main tremblante de détacher l'élastique. Elle y parvint après quelques efforts, et ouvrit brusquement le squelette loqueteux du parapluie.

20 L'homme prononça d'un ton compatissant:

— Il me paraît bien malade.

Elle déclara avec hésitation:

— Il m'a coûté vingt francs.

Il s'étonna:

25 — Vraiment? Tant que ça?

— Oui, il était excellent. Je voulais vous faire constater son état.

— Fort bien;²³ je vois. Fort bien. Mais je ne saisis pas en quoi cela peut me concerner.

Une inquiétude la saisit. Peut-être cette compagnie-là ne payait-30 elle pas les menus objets, et elle dit:

— Mais . . . il est brûlé . . .

Le monsieur ne nia pas:

— Je le vois bien.

Elle restait bouche béante, ne sachant plus que dire; puis, soudain, 35 comprenant son oubli, elle prononça avec précipitation:

— Je suis Mme Oreille. Nous sommes assurés à la Maternelle; et je viens vous réclamer le prix de ce dégât.

Elle se hâta d'ajouter dans la crainte d'un refus positif:

— Je demande seulement que vous le fassiez recouvrir.

²² *Qu'y a-t-il pour votre service,* What can I do for you? ²³ *Fort bien,* Very well.

Le directeur embarrassé, déclara:

— Mais... madame... nous ne sommes pas marchands de parapluies. Nous ne pouvons pas nous charger de ces genres de réparations.

La petite femme sentit l'aplomb lui revenir. Il fallait lutter. Elle lutterait donc! Elle n'avait plus peur; elle dit: 5

— Je demande seulement le prix de la réparation. Je le ferai bien faire moi-même.

Le monsieur semblait confus:

— Vraiment, madame; c'est bien peu. On ne nous demande jamais d'indemnité pour des accidents d'une si minime importance. Nous   10 ne pouvons rembourser, convenez-en, les mouchoirs, les gants, les balais, les savates, tous les petits objets qui sont exposés chaque jour à subir les avaries de la flamme.

Elle devint rouge, sentant la colère l'envahir.

— Mais, monsieur, nous avons eu au mois de décembre dernier un   15 feu de cheminée qui nous a causé au moins pour cinq cents francs de dégâts; M. Oreille n'a rien réclamé à la compagnie; aussi il est bien juste qu'elle me paye mon parapluie!

Le directeur, devinant le mensonge, dit en souriant:

— Vous avouerez, madame, qu'il est bien étonnant que M. Oreille,   20 n'ayant rien demandé pour un dégât de cinq cents francs, vienne réclamer une réparation de cinq ou six francs pour un parapluie.

Elle ne se troubla point et répliqua:

— Pardon, monsieur, le dégât de cinq cents francs concernait la bourse de M. Oreille tandis que le dégât de dix-huit francs concerne la   25 bourse de Mme Oreille, ce qui n'est pas la même chose.

Il vit qu'il ne s'en débarrasserait pas et qu'il allait perdre sa journée,²⁴ et il demanda avec résignation:

— Veuillez me dire alors comment l'accident est arrivé.

Elle sentit la victoire et se mit à raconter: 30

— Voilà, monsieur! J'ai dans mon vestibule une espèce de chose en bronze où l'on pose les parapluies et les cannes. L'autre jour donc, en rentrant, je plaçai dedans celui-là. Il faut vous dire qu'il y a juste au-dessus une planchette pour mettre les bougies et les allumettes. J'allonge le bras, je prends quatre allumettes. J'en frotte une; elle   35 rate. J'en frotte une autre; elle s'allume et s'éteint aussitôt. J'en frotte une troisième; elle en fait autant.

Le directeur l'interrompit pour placer un mot d'esprit:

— C'étaient donc des allumettes du gouvernement.

Elle ne sourit pas et continua: 40

²⁴ *perdre sa journée*, waste his time.

— Ça se peut bien. Toujours est-il que la quatrième prit feu et j'allumai ma bougie; puis je rentrai dans ma chambre pour me coucher. Mais au bout d'un quart d'heure, il me sembla qu'on sentait le brûlé.[25] C'est probablement une allumette qui était tombée dedans. Vous
5 voyez dans quel état ça l'a mis . . .

Le directeur en avait pris son parti; il demanda:

— A combien estimez-vous le dégât?

Elle demeura sans parole, n'osant pas fixer un chiffre. Puis elle dit voulant être large:
10 — Faites-le réparer vous-même. Je m'en rapporte à vous.[26]

Il refusa.

— Non, madame, je ne peux pas. Dites-moi combien vous demandez.

— Mais il me semble . . . que . . . Tenez, monsieur, je ne veux pas
15 gagner sur vous, moi . . . nous allons faire une chose. Je porterai mon parapluie chez un fabricant qui le recouvrira en bonne soie, en soie durable, et je vous apporterai la facture . . . Ça vous va-t-il?

— Parfaitement, madame: c'est entendu. Voici un mot pour la caisse,[27] qui vous remboursera votre dépense.
20 Et il tendit une carte à Mme Oreille qui la saisit, puis se leva et sortit en remerciant, ayant hâte d'être dehors, de crainte qu'il ne changeât d'avis.[28]

Elle allait maintenant d'un pas gai sur la rue, cherchant un marchand de parapluies qui lui parût élégant. Quand elle eut trouvé une
25 boutique, d'ailleurs riche, elle entra et dit d'une voix assurée:

— Voici un parapluie à recouvrir en soie, en très bonne soie. Mettez-y ce que vous avez de meilleur. Je ne regarde pas au prix.

[25] *sentait le brûlé*, smelled something burning.   [26] *Je m'en rapporte à vous*, I leave it to you.   [27] *pour la caisse*, for the cashier's desk.   [28] *de crainte qu'il ne changeât d'avis*, for fear he would change his mind.

Jules Lemaître

1853–1914

Jules Lemaître was born in the province of Touraine in 1853 and died in Paris in 1914. He was educated in private schools under Catholic influences and, later on, passed through the École Normale Supérieure and the University.

In his writings Lemaître blends happily a certain aroma of poetry with objectivity. As a critic he avoided dogmatism thinking that, after all, our judgments depend a great deal on our impressions. He contributed many articles in the *Journal des Débats* and the *Revue bleue*. His writings show a wide range of interest and a solid foundation of learning and judgment.

READING SUGGESTIONS

SHORT STORIES		
	L'Imagination	
	Hermengarde	
	Nausicaa	all taken from the collection *Myrrha* 1894
	La Cloche	
	Une Conscience	

Les Contemporains	1885–1889 (8 volumes)	
Impressions de théâtre	1888–1898 (10 volumes)	
J.-J. Rousseau	1907	
Racine	1908	
Fénelon	1910	
Chateaubriand	1912	

UNE CONSCIENCE

TIME   1894.

PLACE   A private home in Paris.

QUALI-
TIES   The striking quality of this story is its simplicity. The style is reminiscent of the best classic tradition of the golden age. The author reveals himself at his best as a "conteur."

MEAN-
ING   The exaggerated love of money brings unhappiness to the individual himself and to his family. The story also shows us a deep sense of individualism, which is one of the main traits of the French.

Une Conscience

Jules Lemaître

Nous parlions ce soir-là de la souveraineté de l'argent et de sa puissance corruptrice. On disait que les plus sages mêmes et les plus vertueux ont pour lui des égards; on citait des traits; on racontait les indulgences étranges, les petites lâchetés voilées, mais certaines, où le respect de l'argent a pu parfois incliner tel homme d'ailleurs   5 irréprochable et connu pour son austérité. Ces récits nous donnaient peu à peu une joie mauvaise, comme si nous n'étions pas entièrement sûrs d'être nous-mêmes à l'abri de la tentation universelle et comme si la constatation de tant de bassesses nous était une sorte de revanche. Et la conversation prenait ce tour de facile pessimisme et de misan-   10 thropie d'atelier,[1] qui nous plaît tant aujourd'hui.

Mais un de nous, qui n'avait pas dit grand'chose jusque-là, prit tout à coup la parole:

— Ne vous excitez donc pas tant. Comme la somme totale des forces est toujours la même dans l'univers physique, je suis tenté de   15 croire que la quantité de vertu ne varie pas davantage dans le monde moral. Il n'y a que la distribution des forces qui change. Le développement d'un vice amène l'accroissement de la vertu contraire. C'est peut-être au temps des Néron et des Héliogabale [2] qu'on a vu les plus beaux exemples de pureté. Je suis persuadé de même que   20 dans notre siècle, qui est le siècle de la banque, nous découvririons, si nous connaissions toutes les âmes, les plus beaux exemples de « pauvreté en esprit ».[3]

« Quand l'amour de l'argent va communément jusqu'à la plus honteuse folie, le dédain de l'argent, d'autant plus méritoire et plus   25 renseigné, peut aller jusqu'à la plus sublime délicatesse. — Où ça? me demandez-vous. — Je ne sais pas, car les âmes qui ont vraiment

[1] *misanthropie d'atelier*, cynicism.   [2] *Néron ... Héliogabale* (Roman emperors well known for their cruelty and debauchery).   [3] *pauvreté en esprit* (a reference to the Beatitudes, Matt. V. 3: "Blessed are the poor in spirit: for theirs is the kingdom of heaven.")

ce dédain ne cherchent point la lumière. J'avoue, au surplus, qu'elles doivent être rares.

« Je crois pourtant en avoir connu au moins une. Oui, il y a quel-ques mois, j'ai rencontré une personne qui avait le mépris, la haine,
5 la terreur de l'argent, très sincèrement et très profondément, et dans des conditions qui donnaient à ce désintéressement quelque chose d'extravagant et d'inouï.

« J'habitais, l'été dernier, une maisonnette au bas de Nogent,[4] non loin de l'île de Beauté. Je me promenais souvent sur les bords de la
10 Marne, un peu encombrés le dimanche, mais solitaires, frais et char-mants le reste de la semaine.

« J'y rencontrais presque chaque fois une dame de quarante ou quarante-cinq ans, très simplement mise,[5] un pliant au bras pour les haltes au bord de l'eau, avec un livre ou une broderie.

15 « J'avais l'impression que sa figure ne m'était point inconnue, mais sans pouvoir dire où je l'avais déjà rencontrée.

« Un jour, ma bonne m'apprit, par hasard, le nom de cette dame. Elle s'appelait Mme Durantin. Elle ne devait pas être riche, car elle habitait, avec une servante, un petit appartement meublé à
20 Nogent, mais elle recevait assez souvent des visites de « gens très bien, de gens à équipage », et passait pour une dame « très comme il faut ».[6]

« Tout à coup je me souvins. Quatre ans auparavant, j'avais été présenté à la baronne Durantin, la femme du richissime [7] financier;
25 j'étais allé, avec « tout Paris », à deux ou trois de ses soirées et lui avais rendu quelques visites. Puis, ayant fait une assez longue absence, j'avais négligé de retourner dans la maison.

« Or, la promeneuse des bords de la Marne ressemblait à la baronne et portait le même nom. La seule similitude des noms ou la seule
30 ressemblance des visages n'aurait rien prouvé. Mais les deux à la fois?

« Je voulus en avoir le cœur net.[8] La première fois que je la croisai sur le chemin de halage, je m'approchai d'elle et, bravement, avec un très profond salut, j'interrogeai:

35 « — Madame la baronne Durantin, je crois?

« Elle eut une seconde d'hésitation, puis répondit tranquillement:

« — Oui, monsieur.

---

[4] *Nogent* (a town southeast of Paris on the Marne). [5] *simplement mise,* simply dressed. [6] *comme il faut,* well-bred. [7] *richissime,* very rich (this is a form of the superlative absolute). [8] *en avoir le cœur net,* to get to the bottom of it; to settle my doubts.

« Je me nommai; elle me reconnut et se mit à causer avec moi, gaiement, de l'air le plus naturel du monde.

« Elle n'était ni très belle, ni supérieurement intelligente. Mais toute sa personne respirait une parfaite sérénité. C'est par là [9] qu'elle attirait. Sa compagnie était douce et apaisante. On sentait chez   5 elle une âme qui a trouvé le repos.

« Nous devînmes vite assez bons amis. Pendant la dernière quinzaine de ma villégiature, je la voyais presque tous les jours. J'entrai même une fois chez elle, je dois le dire. L'appartement était tout à fait modeste; l'un des côtés du salon formait alcove et servait, la   10 nuit, de chambre à coucher.

« Et je revoyais [10] la baronne Durantin, debout en robe de bal et toute ruisselante de diamants, dans les somptueux salons de son hôtel [11] de l'avenue de Friedland, et tendant au défilé des habits rouges la main gantée d'une des femmes les plus démesurément millionnaires   15 de France.

« Mais elle semblait, elle, si peu s'en souvenir que, en dépit de la plus féroce démangeaison de curiosité que j'aie jamais sentie, je n'osai point la questionner, même de la façon la plus détournée, sur un si extraordinaire changement.   20

« De retour à Paris, je m'informai. J'appris que Durantin continuait à faire fructifier ses millions et qu'il avait marié sa fille, l'autre hiver, à un duc espagnol. Quant à Mme Durantin, on ne savait pas, on la croyait en voyage ou dans une de ses propriétés de province.   25

« Un jour enfin, j'eus la chance de découvrir, parmi mes connaissances, une dame qui se trouvait être depuis longtemps l'amie presque intime de Mme Durantin. Je l'interrogeai avidement, et voici ce qu'elle me répondit:

« — Je vais vous dire ce que je sais, mais je ne me charge pas de   30 vous l'expliquer. Mon amie avait dix-sept ans quand on la maria. Fille d'un très honnête industriel, elle n'apportait qu'une dot modeste, cent cinquante mille francs, je crois. On m'a assuré que Durantin l'avait épousée par amour. C'est possible. Il est vrai aussi que, dans ce temps-là, Durantin ne faisait que débuter dans les affaires.[12]   35

« Le ménage ressemblait à beaucoup d'autres. Les premiers mois écoulés, Durantin eut des maîtresses et se montra, dit-on, assez brutal et dur avec sa femme. Mais cela avait fini par s'arranger, et, dans

[9] *C'est par là*, It is on account of that.   [10] *je revoyais*, I pictured in my mind.   [11] *hôtel*, mansion, house.   [12] *ne faisait . . . les affaires*, was just starting out in business.

les dernières années, les deux époux semblaient vivre en bonne intelligence.[13]

« Maintenant, une chose que je puis vous affirmer, c'est que, tandis que Durantin brassait des millions, faisait bâtir un magnifique hôtel, y entassait des merveilles — un peu pêle-mêle et à coups d'argent [14] — et menait un train [15] quasi royal, sa femme, parmi tout ce luxe, continuait à s'habiller comme une petite bourgeoise,[16] ne dépensait rien pour elle, et, à ce que j'ai pu voir, employait intégralement en aumônes la très grosse pension que son mari lui servait. Il y avait chez elle comme un parti pris [17] de ne point profiter elle-même de cette immense fortune.

« Tout cela, nullement affecté ni étalé. Dans les grandes circonstances, par exemple aux quatre ou cinq bals que Durantin donnait chaque hiver, elle se résignait à porter la toilette qui convenait à la situation et à montrer ses admirables diamants. Mais je vous le répète, le reste du temps, n'était un certain air qu'elle a naturellement, on l'eût prise pour sa femme de chambre.

« Elle eut une fille. Elle l'éleva dans les mêmes habitudes de simplicité. Elle la fit d'ailleurs travailler beaucoup et exigea que cet enfant eût tous ses diplômes. Et cela, non point par vanité ni pour suivre une mode, qui, d'ailleurs, commence à passer. Non; elle avait une autre idée; elle me disait une fois:

« — Je veux que Lucie ait les moyens d'être pauvre un jour, si cela lui plaît. »

« On eût dit que, au rebours de toutes les mères sensées, elle s'était donné pour tâche de développer chez sa fille les idées romanesques . . . Elle s'était mis en tête que Lucie ferait un mariage d'amour ou, pour parler avec précision, qu'elle n'épouserait jamais qu'un homme dont elle serait aimée, qu'elle aimerait, et qui ne serait ni riche ni grand seigneur.

« C'était là bien des affaires! [18] Il n'est pas si facile que cela à la fille d'un millionnaire de se marier uniquement par amour. Ajoutez que Lucie n'avait aucune pente. Au fond, la petite personne tenait de son père. Pourtant elle essaya successivement, par obéissance, de se monter l'imagination sur trois ou quatre petits jeunes gens sans le sou, vaguement artistes ou hommes de lettres.

[13] *en bonne intelligence,* on friendly terms. [14] *à coups d'argent,* by lavish expenditure. [15] *menait un train,* led a life. [16] *comme une petite bourgeoise,* like one who belongs to the shopkeeping class (in opposition to *la haute bourgeoisie,* the most wealthy class). [17] *parti pris,* determined decision. [18] *C'était là bien des affaires!* That was no easy matter!

« Mais toujours, au moment décisif, Mme Durantin s'avisait que, si sa fille faisait un mariage d'amour, rien ne lui prouvait que le prétendant ne fît pas un mariage d'argent. Il est, en effet, radicalement impossible de savoir si une fille qui aura un jour cent millions est aimée pour elle-même.

« Mon amie se décida donc, après bien des expériences inutiles, à laisser sa fille s'abandonner à sa nature et épouser un duc décavé.

« J'assistais au mariage, Mme Durantin était fort calme. Aussitôt après la cérémonie, elle prit congé de sa fille, fit charger une malle sur un fiacre à galerie [19] qui attendait à la porte de l'hôtel, se jeta dans le fiacre et partit . . .

« Depuis, elle habite le petit appartement que vous avez vu. Elle n'a gardé que les six mille francs de rente de sa dot. C'est de cela qu'elle vit. Elle n'a même pas apporté ses bijoux.

« Ce qu'elle a fait et qui nous paraît si étrange, elle l'a fait discrètement, sans bruit, sans emphase, comme une chose résolue depuis longtemps, comme une chose qu'elle se sentait obligée de faire, qu'elle ne pouvait ne pas faire et où, par conséquent, elle ne se croit aucun mérite. Son attitude signifie clairement qu'elle désire qu'on ne lui en parle jamais, qu'on ne s'en étonne même pas et qu'on fasse comme si on ne s'en était pas aperçu.

« Elle n'affecte point de se cacher, de s'enfermer dans une solitude mystérieuse. Elle va très souvent voir sa fille, et déjeune quelquefois chez elle. Elle n'a point rompu avec ses anciennes connaissances. Elle vient même, de temps en temps, dîner chez nous, dans l'intimité, comme autrefois. Seulement, aujourd'hui, elle a un cache-poussière ou un parapluie, et s'en va par l'omnibus.

« Elle est très gaie, d'humeur très égale, de plus en plus indulgente aux autres; très bonne pour sa fille et pour son gendre.

« Pas une fois elle m'a demandé des nouvelles de son mari. Il lui a fait offrir une pension considérable, qu'elle a refusée. Ma conviction est qu'il ne la reverra jamais.

« Je me suis souvent demandé: « Est-ce à la suite de quelque drame intime qu'elle l'a ainsi quitté? » Mais j'ai acquis la certitude que s'il a pu y avoir des difficultés entre eux, cela n'a jamais été jusqu'au drame et que, dans tous les cas, cela remonte aux premiers temps de leur mariage.

« J'avais fait une autre proposition. Peut-être a-t-elle découvert, dans les affaires de son mari, quelque acte de brigandage financier et a-t-elle voulu répudier un argent malpropre, pour n'être pas la

---

[19] *fiacre à galerie*, taxi with a railed roof.

complice du voleur. J'ai questionné là-dessus des gens com-
pétents.

« Or, Durantin a, paraît-il, une audace incroyable et une veine tout
à fait singulière; mais les spéculations qui l'ont enrichi sont de celles
5 que pratiquent tous les hommes de Bourse; [20] sa femme n'a donc rien
à lui reprocher de ce chef.

« Bref, je m'y perds. » [21]

— Voilà fidèlement rapportés, les propos de l'amie de Mme Durantin. Comprenez-vous, vous autres ? »

10 Quelqu'un dit:

— Pour moi, rien de plus clair. C'est un beau cas, et très noble, de
haine de femme. Sans doute un de ces froissements intimes et irrépa-
rables de la première heure. Elle a dû, à un certain moment, souffrir
affreusement par son mari, peut-être sans qu'il s'en soit douté et
15 sans qu'il ait rien cru faire de particulièrement odieux. Mais elle
était blessée à fond, et elle s'est souvenue. Elle a attendu vingt ans,
à cause de sa fille, et nul, pendant ces vingt ans n'a soupçonné sa
pensée. Puis, dès la minute où elle a pu, sans manquer à aucun devoir,
fuir l'homme qu'elle méprisait, elle est partie.

20 « La longueur de cette attente, la rapidité et la sérénité de cette
fuite, cette haine poussée jusqu'à trouver, elle, cent fois millionnaire,
des délices dans la pauvreté, cela est tout à fait remarquable.
Mme Durantin est un caractère ! »

Un autre répliqua:

25 — Mme Durantin est, à mon sentiment, quelque chose de plus
grand encore: une conscience. Au fond, c'est une âme qui a pris
l'Évangile au sérieux, et qui a agi selon l'Évangile. Mais cela est si
rare aujourd'hui, si invraisemblable, si exorbitant, surtout, dans le
monde où elle vivait, que personne ne s'est avisé d'une explication si
30 simple.

« Mme Durantin ne s'est point occupée de savoir si les opérations
de son mari étaient légitimes au regard du Code; elle n'a vu qu'une
chose, c'est que, par une sorte de jeu dont elle ignorait le fonctionnement — par un abominable jeu où le plus riche est toujours sûr de
35 gagner à la fin — ce butor, sans produire par lui-même rien de bienfaisant, ajoutait par an plusieurs millions aux millions entassés, et
que ces millions étaient, *nécessairement,* faits de l'épargne et du travail
des pauvres. Elle a vu que son mari était *trop riche,* et elle a eu peur
de cet argent, précisément parce qu'elle *ne comprenait pas* comment
40 il était gagné.

[20] *Bourse,* Stock Exchange. [21] *je m'y perds,* I give up.

« Il lui a paru que, rester près de son mari, c'était consentir et, par suite, contribuer pour sa part à des souffrances imméritées, à de monstrueuses injustices, à un mal dont l'idée angoissait d'autant plus qu'il était loin de ses yeux, qu'elle ne pouvait le concevoir exactement ni en déterminer la quantité... En s'en allant, elle a délivré son 5 âme.»

A ces mots, un des rédacteurs les plus distingués de la presse financière qui se trouvait avec nous, fut saisi d'un long accès de gaieté...

Jean-Jacques Rousseau

1712–1778

Jean-Jacques Rousseau was born in Geneva, Switzerland, in 1712. His mother, a pious woman, died in childbirth. The young Jean-Jacques was raised by his somewhat romantic father who forgot to instill in him intellectual and moral discipline. Hereditary influences played a large part in the shaping of his life, but the spirit of the Republic of Geneva and the religious teachings of the church of Calvin seem to have been equally strong in determining his thoughts and actions. His early misdirected readings awakened his senses as well as his imagination. At the age of 16, he left Geneva after an escapade. A good lady, Madame de Warens, took him under her wing and sent him to Turin where, for a time only, he was converted to Catholicism. In 1741 he went to Paris, associated himself with various writers and wrote two *Discours*, 1750 and 1755, that helped him on the road to fame. Rousseau died at Ermenonville, near Paris, in 1778.

READING SUGGESTIONS

Le Discours sur l'origine et les fonde-ments de l'inégalité parmi les hommes	1755
Lettre à d'Alembert sur les spectacles	1758
La nouvelle Héloïse	1761
Le Contrat social	1762
Émile; ou de l'Éducation	1762
Les Confessions	1765–1770

UN MARIAGE DE RAISON

TIME 1756.

PLACE Ermitage, a six-room cottage placed at the disposal of Rousseau by Mme d'Épinay, April 1756.

QUALI- Natural epistolary style, a trifle romantic but quite in
TIES harmony with the period and generation for which it was written.

MEAN- Marriage must be built on reason and not on romantic
ING love only. Reason, respect, emotional stability, and strong character are the prerequisites for a durable marriage. This is one of the points the French have constantly emphasized in their literature.

Un Mariage de raison?

Jean-Jacques Rousseau

(Extrait de *La nouvelle Héloïse*, IIIe partie, Lettre II; de Julie à Saint-Preux.) *In this letter, Julie tells her former lover, Saint-Preux, why she has married M. de Wolmar; she has yielded to the forces of reason rather than to the impulses of feelings. Love, she said, is necessary for a happy marriage, but there must be something else. "We do not marry for each other alone but to fulfill the duties of citizens and raise a family." The happiness of married life is built on reason.*

Vous me demandez si je suis heureuse. Cette question me touche, et en la faisant vous m'aidez à y répondre: car, bien loin de chercher l'oubli dont vous parlez, j'avoue que je ne saurais être heureuse si vous cessiez de m'aimer; mais je le suis à tous égards,[1] et rien ne manque à mon bonheur que le vôtre. Si j'ai évité dans ma lettre 5
précédente de parler de M. de Wolmar, je l'ai fait par ménagement pour vous. Je connaissais trop votre sensibilité pour ne pas craindre d'aigrir vos peines; mais votre inquiétude sur mon sort m'obligeant à vous parler de celui dont il dépend, je ne puis vous en parler que d'une manière digne de lui, comme il convient [2] à son épouse et à une 10
amie de la vérité.

M. de Wolmar a près de cinquante ans; sa vie unie, réglée, et le calme des passions, lui ont conservé une constitution si saine et un air si frais qu'il paraît à peine en avoir quarante; et il n'a rien d'un âge avancé que l'expérience et la sagesse. Sa physionomie est noble et 15
prévenante,[3] son abord [4] simple et ouvert; ses manières sont plus honnêtes qu'empressées; [5] il parle peu et d'un [6] grand sens, mais sans affecter ni précision ni sentences.[7] Il est le même pour tout le monde, ne cherche et ne fuit personne, et n'a jamais d'autres préférences que celles de la raison. 20

Malgré sa froideur naturelle, son cœur, secondant les intentions

[1] *à tous égards*, in every way. [2] *comme il convient*, as it is suitable (that is, as it is proper). [3] *prévenante*, attractive. [4] *abord*, manners. [5] *plus honnêtes qu'empressées*, well-bred rather than eager. [6] *d'un*, with. [7] *sentences*, moralizing.

de mon père, crut sentir que je lui convenais, et pour la première fois de sa vie il prit un attachement. Ce goût modéré, mais durable, s'est si bien réglé sur les bienséances [8] et s'est maintenu dans une telle égalité qu'il n'a pas eu besoin de changer de ton en changeant d'état [9]
5 et que, sans blesser la gravité conjugale, il conserve avec moi les mêmes manières qu'il avait auparavant. Je ne l'ai jamais vu ni gai ni triste, mais toujours content; jamais il ne parle de lui, rarement de moi; il ne me cherche pas mais il n'est pas fâché que je le cherche, et ne me quitte pas volontiers. Il ne rit point; il est sérieux sans
10 donner envie de l'être; au contraire, son abord serein semble m'inviter à l'enjouement; et comme les plaisirs que je goûte sont les seuls auxquels il paraît sensible, une des attentions que je lui dois est de chercher à m'amuser. En un mot, il veut que je sois heureuse; il ne le dit pas, mais je le vois; et vouloir le bonheur de sa femme,
15 n'est-ce pas l'avoir obtenu?

Sur ce tableau vous pouvez d'avance vous répondre à vous-même, et il faudrait me mépriser beaucoup pour ne pas me croire heureuse avec tant de sujets [10] de l'être. Ce qui m'a longtemps abusée,[11] et qui peut-être vous abuse encore, c'est la pensée que l'amour est néces-
20 saire pour former un heureux mariage. Mon ami, c'est une erreur; l'honnêteté, la vertu, de certaines convenances,[12] moins de condi- tions et d'âge que de caractère et d'humeurs, suffisent entre deux époux; ce qui n'empêche point qu'il ne résulte de cette union un at- tachement très tendre, qui, pour n'être pas précisément de l'amour,
25 n'en est pas moins doux et n'en est que plus durable.

L'amour est accompagné d'une inquiétude continuelle de jalousie ou de privation, peu convenable au mariage, qui est un état de jouis- sance et de paix. On ne s'épouse point pour penser uniquement l'un à l'autre, mais pour remplir conjointement les devoirs de la vie civile,
30 gouverner prudemment la maison, bien élever les enfants. Les amants ne voient jamais qu'eux, ne s'occupent incessamment que d'eux, et la seule chose qu'ils sachent faire est de s'aimer. Ce n'est pas assez pour des époux qui ont tant d'autres soins à remplir. Il n'y a pas de passion qui nous fasse une si forte illusion que l'amour;
35 on prend sa violence pour un signe de sa durée, le cœur surchargé d'un sentiment si doux, l'étend pour ainsi dire sur l'avenir, et tant que cet amour dure, on croit qu'il ne finira point. Mais, au contraire, c'est son ardeur même qui le consume; il s'use avec la jeunesse, il s'efface avec la beauté, il s'éteint avec les glaces de l'âge; et depuis

[8] *bienséances*, proprieties.   [9] *état*, status (married or single).   [10] *sujets*, reasons.   [11] *abusée*, led in error.   [12] *convenances*, compatibility.

que le monde existe on n'a jamais vu deux amants en cheveux blancs soupirer l'un pour l'autre. On doit donc compter qu'on cessera de s'adorer tôt ou tard; alors l'idole qu'on servait détruite,[13] on se voit réciproquement tel qu'on est.

On cherche avec étonnement l'objet qu'on aima; ne le trouvant 5 pas, on se dépite contre celui qui reste, et souvent l'imagination le défigure autant qu'elle l'avait paré. « Il y a peu de gens, dit La Rochefoucauld, qui ne soient honteux de s'être aimés quand ils ne s'aiment plus.» Combien alors il est à craindre que l'ennui ne succède à des sentiments trop vifs; que leur déclin, sans s'arrêter à l'indiffé- 10 rence, ne passe jusqu'au dégoût; qu'on ne se trouve enfin rassasiés l'un de l'autre, et que, pour s'être trop aimés amants, on ne s'en vienne à se haïr époux.

Mon cher ami, vous m'avez toujours paru bien aimable,[14] beaucoup trop pour mon innocence et pour mon repos, mais je ne vous ai jamais 15 vu qu'amoureux; que sais-je ce que vous seriez devenu, cessant de l'être? L'amour éteint vous eût toujours laissé la vertu, je l'avoue; mais est-ce assez pour être heureux dans un lien que le cœur doit serrer? et combien d'hommes vertueux ne laissent pas d'être [15] des maris insupportables! Sur tout cela vous pouvez en dire autant de 20 moi.

Pour M. de Wolmar, nulle illusion ne nous prévient l'un pour l'autre; nous nous voyons tels que nous sommes; le sentiment qui nous joint n'est donc pas l'aveugle transport des cœurs passionnés, mais l'immuable et constant attachement de deux personnes honnêtes 25 et raisonnables, qui, destinées à passer ensemble le reste de leurs jours, sont contentes de leur sort et tâchent de se le rendre doux l'une à l'autre. Il semble que, quand on nous eût formés exprès pour nous unir, on n'aurait pu réussir mieux. S'il avait le cœur aussi tendre que moi, il serait impossible que tant de sensibilité de part et d'autre [16] 30 ne se heurtât [17] quelquefois, et qu'il n'en résultât des querelles. Si j'étais aussi tranquille que lui, trop de froideur régnerait entre nous et rendrait la société moins agréable et moins douce. S'il ne m'aimait point, nous vivrions mal ensemble; s'il m'eût trop aimée, il m'eût été importun. Chacun des deux est précisément ce qu'il faut à l'autre; 35 il m'éclaire, et je l'anime; nous en valons mieux réunis, et il semble que nous soyons destinés à ne faire entre nous qu'une seule âme, dont il est l'entendement et moi la volonté. Il n'y a pas jusqu'à son âge

---

[13] *l'idole qu'on servait détruite,* the idol that was worshiped being destroyed.
[14] *aimable,* worthy of love.   [15] *ne laissent pas d'être,* are nevertheless.   [16] *de part et d'autre,* in both of us.   [17] *ne se heurtât,* might not clash.

un peu avancé qui ne tourne au commun avantage; car avec la
passion dont j'étais tourmentée, il est certain que s'il eût été plus
jeune je l'aurais épousé avec plus de peine encore, et cet excès de
répugnance eût peut-être empêché l'heureuse révolution qui s'est faite
5 en moi.

Mon ami, le ciel éclaire la bonne intention des pères et récompense
la docilité des enfants. A Dieu ne plaise [18] que je veuille insulter à
vos déplaisirs! Le seul désir de vous rassurer pleinement sur mon
sort me fait ajouter ce que je vais vous dire. Quand avec les senti-
10 ments que j'eus ci-devant [19] pour vous et les connaissances que j'ai
maintenant, je serais libre encore et maîtresse [20] de me choisir un
mari, je prends à témoin de ma sincérité ce Dieu qui daigne m'éclairer
et qui lit au fond de mon cœur, ce n'est pas vous que je choisirais,
c'est M. de Wolmar.

[18] *A Dieu ne plaise!* God forbid! [19] *ci-devant*, previously. [20] *maîtresse*,
free.

Anatole France

1844-1924

Jacques Thibault, known as Anatole France, was born in Paris on the sixteenth of April, 1844. His father, quite a conservative man, was a bookseller and a passionate collector of books, etchings, and historical documents. His mother was a refined and pious woman who gave the young child a strong religious training. This double source of heredity and environment exerted a profound influence on the young boy.

He studied at the Collège Stanislas, a Catholic institution, where classical studies stood foremost in the curriculum. He enjoyed Vergil, Livy, and Homer. He shows, in his writings, the subtle influence of the great models of Greece and Rome and confesses that "to form a mind, nothing is better than the study of the two ancient literatures according to the methods of the old French Humanists."

Some of his critics have contended that he was not a thinker; all agree that he was an artist. That which impresses the reader in Anatole France's writings is the evocation of beauty which becomes the outstanding reality in our existence. His genius is more artistic than creative. For him "Truth is Beauty; Beauty is Truth."

In 1896 the French Academy gave him the seat of Ferdinand de Lesseps. He died in 1924.

READING SUGGESTIONS

Le Crime de Sylvestre Bonnard	1881
Abeille (a short story)	1883
Le Livre de mon ami	1883
Crainqueville (a short story)	1885
L'Étui de nacre	1892

LE JONGLEUR DE NOTRE-DAME

TIME   Probably during the reign of Louis IX or Saint Louis, 1226–1270.

PLACE   Notre-Dame de Paris, a magnificent church of Gothic architecture, begun in 1163.

QUALI-TIES   This story, whose prototype seems to be an old French *fabliau Del Tombeor Notre-Dame*, reflects the intense and simple faith of the Middle Ages. Anatole France himself said: "J'aime l'ascétisme des grands siècles chrétiens;" ... "Il n'y a pas de philosophie plus profonde que celle des âmes ignorantes, comme il n'y a pas d'art plus exquis que celui des âmes naïves." There is, nevertheless, throughout the story, a light but hidden irony and pity that reveals the author's psychology. "Irony," he said, "and pity are two great counselors: one, smiling, makes life lovable for us; the other, weeping, makes life sacred for us. The irony I invoke is not cruel; it mocks neither love nor beauty. It is gentle and kindly."

MEAN-ING   The essence of religion is the love of God and of our fellow men.

French religious thought has always been characterized by an attitude more heavily weighted with realism than with mysticism.

Le Jongleur de Notre-Dame

Anatole France

I

Au temps du roi Louis,[1] il y avait en France un pauvre jongleur,
natif de Compiègne,[2] nommé Barnabé, qui allait par les villes, faisant
des tours de force et d'adresse.[3]

Les jours de foire, il étendait sur la place publique un vieux tapis
tout usé, et, après avoir attiré les enfants et les badauds par des 5
propos plaisants qu'il tenait [4] d'un très vieux jongleur et auxquels il
ne changeait jamais rien, il prenait des attitudes [5] qui n'étaient pas
naturelles et il mettait une assiette d'étain en équilibre sur son nez.
La foule le regardait d'abord avec indifférence.

Mais quand, se tenant sur les mains la tête en bas,[6] il jetait en l'air 10
et ratrappait avec ses pieds six boules de cuivre qui brillaient au soleil,
ou quand, se renversant jusqu'à ce que sa nuque touchât ses talons,
il donnait à son corps la forme d'une roue parfaite et jonglait, dans
cette posture, avec douze couteaux, un murmure d'admiration
s'élevait dans l'assistance et les pièces de monnaie pleuvaient sur le 15
tapis.

Pourtant, comme la plupart de ceux qui vivent de leurs talents,
Barnabé de Compiègne avait grand'peine à vivre.[7]

Gagnant son pain [8] à la sueur de son front, il portait plus que sa
part des misères attachées à la faute d'Adam, notre père. 20

Encore ne pouvait-il travailler autant qu'il aurait voulu. Pour
montrer son beau savoir, comme aux arbres pour donner des fleurs et
des fruits, il lui fallait la chaleur du soleil et la lumière du jour. Dans

---

[1] *Louis* (Louis IX or Saint Louis, who reigned 1226–1270).   [2] *Compiègne*
(a town northeast of Paris, where Joan of Arc was taken prisoner by the
English).   [3] *faisant . . . et d'adresse*, performing feats of strength and skill.
[4] *qu'il tenait*, which he learned.   [5] *attitudes*, postures.   [6] *la tête en bas*,
head downward.   [7] *avait grand'peine à vivre*, had a hard time making a living.
[8] *Gagnant son pain* (Biblical reference. Cf. King James version: Genesis III,
19. "In the sweat of thy face shalt thou eat bread.")

l'hiver, il n'était plus qu'un arbre dépouillé de ses feuilles et quasi mort. La terre gelée était dure au jongleur. Et, comme la cigale dont parle Marie de France,[9] il souffrait du froid et de la faim dans la mauvaise saison. Mais comme il avait le cœur simple, il prenait ses maux en patience.[10]

Il n'avait jamais réfléchi à l'origine des richesses, ni à l'inégalité des conditions humaines. Il comptait fortement que, si ce monde est mauvais, l'autre ne pourrait pas manquer d'être bon, et cette espérance le soutenait. Il n'imitait pas les baladins, larrons et mécréants, qui ont vendu leur âme au diable. Il ne blasphémait jamais le nom de Dieu; il vivait honnêtement, et, bien qu'il n'eût pas de femme, il ne convoitait pas celle du voisin, parce que la femme est l'ennemie des hommes forts, comme il apparaît par l'histoire de Samson,[11] qui est rapportée dans l'Écriture.

A la vérité, il n'avait pas l'esprit tourné aux désirs charnels, et il lui en coûtait plus[12] de renoncer aux brocs qu'aux dames. Car, sans manquer à la sobriété, il tenait à boire quand il faisait chaud. C'était un homme de bien, craignant Dieu et très dévot à la sainte Vierge.

Il ne manquait jamais, quand il entrait dans une église, de s'agenouiller devant l'image de la mère de Dieu, et de lui adresser cette prière:

« Madame, prenez soin de ma vie jusqu'à ce qu'il plaise à Dieu que je meure, et quand je serai mort, faites-moi voir les joies du Paradis. »

II

Or, un certain soir, après une journée de pluie, tandis qu'il s'en allait, triste et courbé, portant sous son bras ses boules et ses couteaux cachés dans son vieux tapis, et cherchant quelque grange pour s'y coucher sans souper, il vit sur la route un moine qui suivait le même chemin, et le salua honnêtement. Comme ils marchaient du même pas,[13] ils se mirent à échanger des propos.

— Compagnon, dit le moine, d'où vient que vous êtes habillé tout

---

[9] *Marie de France* (a XIIth century woman writer of fables and poems called *Lais*. Read La Fontaine's fable *La Cigale et la fourmi*, Book I–1 for a modern imitation.) [10] *il prenait ses maux en patience*, he suffered with patience. [11] *Samson* (The story of Samson's betrayal by Delilah is found in Judges XVI.) [12] *il lui en coûtait plus*, it was harder for him. [13] *marchaient du même pas*, walked at the same gait.

de vert ? Ne serait-ce point pour faire le personnage d'un fol dans
quelque mystère ? [14]

— Non point, mon Père, répondit Barnabé, et je suis jongleur de
mon état. Ce serait le plus bel état du monde si on y mangeait tous
les jours.   5

— Ami Barnabé, reprit le moine, prenez garde à ce que vous dites.
Il n'y a pas de plus bel état que l'état monastique. On y célèbre les
louanges de Dieu, de la Vierge et des saints, et la vie du religieux est
un perpétuel cantique au Seigneur.

Barnabé répondit :   10

— Mon Père, je confesse que j'ai parlé comme un ignorant. Votre
état ne peut se comparer au mien et, quoiqu'il y ait du mérite à
danser en tenant au bout du nez un denier en équilibre sur un bâton,
ce mérite n'approche pas du vôtre. Je voudrais bien comme vous,
mon Père, chanter tous les jours l'office, et spécialement l'office de la 15
très sainte Vierge, à qui j'ai voué une dévotion particulière. Je
renoncerais bien volontiers à l'art dans lequel je suis connu, de Soissons
à Beauvais,[15] dans plus de six cents villes et villages, pour embrasser
la vie monastique.

Le moine fut touché de la simplicité du jongleur, et, comme il ne   20
manquait pas de discernement, il reconnut en Barnabé un de ces
hommes de bonne volonté de qui Notre Seigneur a dit : « Que la
paix soit avec eux sur la terre ! » [16] C'est pourquoi il lui répondit :

— Ami Barnabé, venez avec moi, et je vous ferai entrer dans le
couvent dont je suis prieur. Celui qui conduisit Marie l'Égyptienne [17] 25
dans le désert m'a mis sur votre chemin pour vous mener dans la voie
du salut.

C'est ainsi que Barnabé devint moine. Dans le couvent où il fut
reçu, les religieux célébraient à l'envi [18] le culte de la sainte Vierge, et
chacun employait à la servir tout le savoir et toute l'habileté que Dieu 30
lui avait donnés.

Le prieur, pour sa part, composait des livres qui traitaient, selon
les règles de la scolastique, des vertus de la mère de Dieu.

---

[14] *mystère* (a religious drama in the Middle Ages.   In the representation
of *Mystère* the *fol* or buffoon played an important part.   The abuse of
buffoonery led to the official interdiction of *Mystères* in 1548.)   [15] *Soissons,
Beauvais* (two historical towns north of Paris, sixty miles apart).   [16] *Que la
paix . . . terre* (Luke II, 14, in the Vulgate edition).   [17] *Marie l'Égyptienne*
(Saint Mary the Egyptian, a sinner who repented her sins and spent her last
years as a hermit near Jerusalem).   [18] *célébraient à l'envi,* vied with one
another in celebrating.

Le Frère Maurice copiait, d'une main savante, ces traités sur une feuille de velin.

Le Frère Alexandre y peignait de fines miniatures. On y voyait la Reine du ciel, assise sur le trône de Salomon,[19] au pied duquel veillent 5 quatre lions; autour de sa tête nimbée voltigeaient sept colombes, qui sont les sept dons du Saint-Esprit;[20] dons de crainte, de piété, de science, de force, de conseil, d'intelligence et de sagesse. Elle avait pour compagnes six vierges aux cheveux d'or: l'Humilité, la Prudence, la Retraite, le Respect, la Virginité et l'Obéissance.

10 A ses pieds, deux petites figures nues et toutes blanches se tenaient dans une attitude suppliante. C'étaient des âmes qui imploraient, pour leur salut et non, certes, en vain, sa toute-puissante intercession.

Le Frère Alexandre représentait sur une autre page Ève en regard 15 de Marie, afin qu'on vît en même temps la faute et la rédemption, la femme humiliée et la vierge exaltée. On admirait encore dans ce livre le Puits des eaux vives, la Fontaine, le Lis, la Lune, le Soleil et le Jardin clos [21] dont il est parlé dans le Cantique,[22] la Porte du Ciel et la Cité de Dieu, et c'étaient là des images de la Vierge.

20 Le Frère Marbode était semblablement un des plus tendres enfants de Marie.

Il taillait sans cesse des images de pierre, en sorte qu'il avait la barbe, les sourcils et les cheveux blancs de poussière, et que ses yeux étaient perpétuellement gonflés et larmoyants; mais il était plein de 25 force et de joie dans un âge avancé et, visiblement, la Reine du Paradis protégeait la vieillesse de son enfant. Marbode la représentait assise dans une chaire, le front ceint d'un nimbe à orbe perlé. Et il avait soin que les plis de la robe couvrissent les pieds de celle dont le prophète a dit: « Ma bien-aimée est comme un jardin clos. »

30 Parfois aussi il la figurait sous les traits d'un enfant plein de grâce, et elle semblait dire: « Seigneur, vous êtes mon Seigneur! — *Dixi de ventre matris meae: Deus meus es tu.* » (Psalm 21, 11.)

Il y avait aussi, dans le couvent, des poètes, qui composaient, en latin, des proses et des hymnes en l'honneur de la bienheureuse Vierge 35 Marie, et même il s'y trouvait un Picard qui mettait les miracles de Notre-Dame en langue vulgaire [23] et en vers rimés.

---

[19] *trône de Salomon* (Kings I, X, 18–20). [20] *sept dons du Saint-Esprit* (Isaiah XI, 2). [21] *le Jardin clos* (taken from the Song of Solomon). [22] *le Cantique*, the Song of Songs. [23] *en langue vulgaire*, in popular French.

III

Voyant un tel concours de louanges et une si belle moisson d'œuvres, Barnabé se lamentait de son ignorance et de sa simplicité.

— Hélas, soupirait-il en se promenant seul dans le petit jardin sans ombre du couvent, je suis bien malheureux de ne pouvoir, comme mes frères, louer dignement la Sainte Mère de Dieu à laquelle j'ai voué   5
la tendresse de mon cœur. Hélas! hélas! je suis un homme rude et sans art, et je n'ai pour votre service, madame la Vierge, ni sermons édifiants, ni traités bien divisés selon les règles, ni fines peintures, ni statues exactement taillées, ni vers comptés par pieds et marchant en mesure. Je n'ai rien, hélas!   10

Il gémissait de la sorte et s'abandonnait à la tristesse. Un soir que les moines se récréaient en conversant, il entendit l'un d'eux conter l'histoire d'un religieux qui ne savait réciter autre chose qu'*Ave Maria*.[24] Ce religieux était méprisé pour son ignorance; mais, étant mort, il lui sortit de la bouche cinq roses en l'honneur des   15
cinq lettres du nom de Marie, et sa sainteté fut ainsi manifestée.

En écoutant ce récit, Barnabé admira une fois de plus la bonté de la Vierge; mais il ne fut pas consolé par l'exemple de cette mort bienheureuse, car son cœur était plein de zèle et il voulait servir la gloire   20
de sa dame qui est aux Cieux.

Il en cherchait le moyen sans pouvoir le trouver et il s'affligeait [25]
chaque jour davantage, quand un matin, s'étant réveillé tout joyeux, il courut à la chapelle et y demeura seul pendant plus d'une heure. Il y retourna l'après-dîner.[26]   25

Et, à compter de ce moment, il allait chaque jour dans cette chapelle, à l'heure où elle était déserte, et il y passait une grande partie du temps que les autres moines consacraient aux arts libéraux et aux arts mécaniques. Il n'était plus triste et ne gémissait plus.

Une conduite si singulière éveilla la curiosité des moines.   30

On se demandait, dans la communauté, pourquoi le frère Barnabé faisait des retraites [27] si fréquentes.

Le prieur dont le devoir est de ne rien ignorer de la conduite de ses religieux, résolut d'observer Barnabé pendant ses solitudes. Un jour donc que celui-ci était renfermé, comme à son ordinaire,[28] dans la   35

---

[24] *ne savait . . . qu'Ave Maria,* did not know any other prayer but *Ave Maria,* Hail Mary.   [25] *il s'affligeait,* he grieved.   [26] *l'après-dîner,* in the afternoon.   [27] *faisait des retraites,* went into seclusion.   [28] *comme à son ordinaire,* as was his custom.

chapelle, dom [29] prieur vint, accompagné de deux anciens du couvent, observer, à travers les fentes de la porte, ce qui se passait à l'intérieur.

Ils virent Barnabé qui, devant l'autel de la sainte Vierge, la tête en bas, les pieds en l'air, jonglait avec six boules de cuivre et douze
5 couteaux. Il faisait en l'honneur de la sainte Mère de Dieu, les tours qui lui avaient valu le plus de louanges. Ne comprenant pas que cet homme simple mettait ainsi son talent et savoir au service de la sainte Vierge, les deux anciens criaient au sacrilège.[30]

Le prieur savait que Barnabé avait l'âme innocente; mais il le
10 croyait tombé en démence.[31] Ils s'apprêtaient[32] tous trois à le tirer vivement de la chapelle, quand ils virent la sainte Vierge descendre les degrés de l'autel pour venir essuyer d'un pan de son manteau bleu la sueur qui dégouttait du front de son jongleur.

Alors le prieur, se prosternant le visage contre la dalle, récita ces
15 paroles:

— Heureux les simples, car ils verront Dieu!

— Amen! répondirent les anciens en baisant la terre.

---

[29] *dom* (abbreviation of the Latin word *dominus*, master, sir; title given to monks). [30] *criaient au sacrilège*, cried out against sacrilege. [31] *il le croyait tombé en démence*, he believed he had gone insane. [32] *Ils s'apprêtaient*, They were getting ready.

Émile Zola

1840–1902

Émile Zola, son of an Italian father and French mother, was born and died in Paris.

In spite of strained financial circumstances, after the untimely death of his father, the young Zola continued his education. In the meantime, the publishing house Hachette et Compagnie gave him a position that allowed him to be in contact with the press. As a result, he was given an opportunity to write, for the *Figaro* and other newspapers, articles that brought him recognition.

As a novelist, he came under the influence of the Naturalist School and, from 1871 to 1893, he set out to demonstrate his scientific theories in a series of twenty volumes, *Les Rougon-Macquart.*

Zola, however, was not a scientist and, in spite of the tremendous success of his books, the net result was more interesting than convincing. Zola's success has been even greater outside of France than in France.

Zola's bold defence of Dreyfus, a Jewish officer found guilty of treason and later exonerated in an affair that profoundly stirred France, involved him in difficulties with the courts and forced him into exile and financial ruin. He returned to France a hero only to be accidentally asphyxiated in 1902.

READING SUGGESTIONS

SHORT STORIES	*Contes à Ninon*	1864
	Nouveaux contes à Ninon	1874
NOVELS	*Les Rougon-Macquart*	1871–1893 (a series of 20 novels)
	L'Assommoir	1877
	Germinal	1885
	La Débâcle	1892
	Les trois villes: Lourdes	1894
	Rome	1896
	Paris	1898

LE FORGERON

TIME   1860.

PLACE   A country village near Paris.

QUALI-
TIES   A fine piece of realistic writing whose charm rests in the vivid, imaginative manner in which it is told. The story reminds us of the age-old philosophy of the French, namely, the nobility of work. Rabelais insists that work is the prime mover of progress; it is, he said, "the greatest factor of the physical and moral growth of man." Rousseau recommends to his pupil to learn a trade and work. Beaumarchais tells us that man must earn a living by the sweat of his brow.

MEAN-
ING   Work is a duty, a source of happiness, and the key to progress.

Le Forgeron

Émile Zola

Le Forgeron était un grand, le plus grand du pays, les épaules
noueuses, la face et les bras noirs des flammes de la forge et de la
poussière de fer des marteaux. Il avait dans son crâne carré, sous
l'épaisse broussaille de ses cheveux, de gros yeux bleus d'enfant, clairs
comme de l'acier. Sa mâchoire large roulait avec des rires, des bruits   5
d'haleine qui ronflaient, pareille à la respiration et aux gaietés géantes
de son soufflet ; et, quand il levait les bras, dans un geste de puissance
satisfaite, — geste dont le travail de l'enclume lui avait donné l'habitude, — il semblait porter ses cinquante ans plus gaillardement
encore qu'il ne soulevait « la Demoiselle, »[1] une masse[2] pesant vingt-   10
cinq livres, une terrible fillette qu'il pouvait seul mettre en danse,[3]
de Vernon à Rouen.

J'ai vécu une année chez le Forgeron, toute une année de convales-
cence. J'avais perdu mon cœur, perdu mon cerveau, j'étais parti,
allant devant moi, me cherchant un coin de paix et de travail, où je   15
pusse retrouver ma virilité. C'est ainsi qu'un soir, sur la route,
après avoir dépassé le village, j'ai aperçu la forge, isolée, toute flam-
bante, plantée de travers à la croix des Quatre-Chemins.[4] La lueur
était telle, que la porte charretière,[5] grande ouverte, incendiait le carrefour,[6] et que les peupliers, rangés en face, le long du ruisseau, fumaient   20
comme des torches. Au loin, au milieu de la douceur du crépuscule,
la cadence des marteaux sonnait à une demi-lieue, semblable au galop
de plus en plus rapproché de quelque régiment de fer.[7] Puis, là, sous
la porte béante, dans la clarté, dans le vacarme, dans l'ébranlement
de ce tonnerre, je me suis arrêté, heureux, consolé déjà, à voir ce   25

---

[1] *la Demoiselle*, the paving beetle.   [2] *masse*, sledge.   [3] *une terrible
fillette ... mettre en danse*, a huge weight that he alone could manipulate.
(Notice the play on words in referring to the "*Demoiselle*" as a "young lady.")
[4] *plantée de travers ... Quatre-Chemins*, put up carelessly at the crossroads
of Quatre-Chemins.   [5] *porte charretière*, entrance door.   [6] *incendiait le
carrefour*, flooded the crossroad with light.   [7] *régiment de fer*, artillery regiment.

travail, à regarder ces mains d'homme tordre et aplatir des barres rouges.

J'ai vu, par ce soir d'automne, le Forgeron pour la première fois. Il forgeait le soc d'une charrue. La chemise ouverte, montrant sa
5 rude poitrine, où les côtes, à chaque souffle, marquaient leur carcasse de métal éprouvé, il se renversait, prenait un élan, abattait le marteau.[8] Et cela, sans un arrêt, avec un balancement souple et continu du corps, avec une poussée implacable des muscles. Le marteau tournait dans un cercle régulier, emportant des étincelles, laissant
10 derrière lui un éclair. C'était « la Demoiselle » à laquelle le Forgeron donnait ainsi le branle, à deux mains;[9] tandis que son fils, un gaillard de vingt ans, tenait le fer enflammé au bout de la pince, et tapait de son côté, tapait des coups sourds qu'étouffait la danse éclatante de la terrible fillette du vieux. Toc, — toc, toc,[10] on eût dit la voix
15 grave d'une mère encourageant les premiers bégayements d'un enfant. « La Demoiselle » valsait toujours,[11] en secouant les paillettes de sa robe,[12] en laissant ses talons marqués dans le soc qu'elle façonnait chaque fois qu'elle rebondissait sur l'enclume.[13] Une flamme saignante[14] coulait jusqu'à terre, éclairant les arêtes saillantes des
20 deux ouvriers, dont les grandes ombres s'allongeaient dans les coins sombres et confus de la forge. Peu à peu, l'incendie pâlit, le Forgeron s'arrêta. Il resta noir, debout, appuyé sur le manche du marteau, avec une sueur au front qu'il n'essuyait même pas. J'entendais le souffle de ses côtes encore ébranlées, dans le grondement du soufflet
25 que son fils tirait, d'une main lente.

Le soir, je couchais chez le Forgeron, et je ne m'en allais plus.[15] Il avait une chambre libre, en haut,[16] au-dessus de la forge, qu'il m'offrait et que j'acceptai. Dès cinq heures, avant le jour, j'entrais dans la besogne de mon hôte.[17] Je m'éveillais au rire de la maison
30 entière, qui s'animait jusqu'à la nuit de sa gaieté énorme. Sous moi, les marteaux dansaient. Il semblait que « la Demoiselle » me jetât hors du lit, en tapant au plafond, en me traitant de fainéant.[18] Toute

---

[8] *abattait le marteau*, let the hammer fall.   [9] *à laquelle le Forgeron . . . , à deux mains*, which the smith swung around with both hands.   [10] *Toc, — toc, toc* (sounds giving the impression of the hammer blows on the red hot iron).
[11] *valsait toujours*, always swung around.   [12] *en secouant . . . de sa robe*, tossing out sparks.   [13] *en laissant ses talons marqués . . . l'enclume*, leaving its marks in the ploughshare to which it gave form every time it bounced upon the anvil.   [14] *Une flamme saignante*, A red flame.   [15] *et je ne m'en allais plus*, and I decided to stay.   [16] *en haut*, upstairs.   [17] *j'entrais dans la besogne de mon hôte*, I understood my host's trade.   [18] *en me traitant de fainéant*, calling me lazy.

la pauvre chambre, avec sa grande armoire, sa table de bois blanc,
ses deux chaises, craquait, me criait de me hâter. Et il me fallait
descendre. En bas, je trouvais la forge déjà rouge. Le soufflet ron-
ronnait, une flamme bleue et rose montait du charbon, où la rondeur
d'un astre semblait luire, sous le vent qui creusait la braise. Ce-   5
pendant, le Forgeron préparait la besogne du jour. Il remuait du fer
dans les coins, retournait des charrues, examinait des roues. Quand
il m'apercevait, il mettait les poings aux côtés,[19] le digne homme, et
il riait, la bouche fendue jusqu'aux oreilles. Cela l'égayait, de m'avoir
délogé du lit à cinq heures. Je crois qu'il tapait pour taper,[20] le matin, 10
pour sonner le réveil avec le formidable carillon de ses marteaux. Il
posait ses grosses mains sur mes épaules, se penchait comme s'il eût
parlé à un enfant, en me disant que je me portais mieux, depuis que
je vivais au milieu de sa ferraille. Et tous les jours, nous prenions le
vin blanc ensemble, sur le cul d'une vieille carriole renversée.[21]   15

Puis, souvent, je passais ma journée à la forge. L'hiver surtout,
par les temps de pluie, j'ai vécu toutes mes heures là. Je m'intéressais
à l'ouvrage. Cette lutte continue du Forgeron contre ce fer brut
qu'il pétrissait à sa guise,[22] me passionnait comme un drame puissant.
Je suivais le métal du fourneau sur l'enclume, j'avais de continuelles   20
surprises à le voir se ployer, s'étendre, se rouler, pareil à une cire molle,
sous l'effort victorieux de l'ouvrier. Quand la charrue était terminée,
je m'agenouillais devant elle, je ne reconnaissais plus l'ébauche de
la veille, j'examinais les pièces, rêvant que des doigts souverainement
forts les avaient prises et façonnées ainsi sans le secours du feu. Par-   25
fois je souriais en songeant à une jeune fille que j'avais aperçue,
autrefois, pendant des journées entières, en face de ma fenêtre, tordant de ses mains fluettes des tiges de laiton,[23] sur lesquelles elle
attachait, à l'aide d'un fil de soie, des violettes artificielles.

Jamais le Forgeron ne se plaignait. Je l'ai vu, après avoir battu   30
le fer pendant des journées de quatorze heures, rire le soir de son bon
rire, en se frottant les bras d'un air satisfait. Il n'était jamais triste,
jamais las. Il aurait soutenu la maison sur son épaule, si la maison
avait croulé. L'hiver, il disait qu'il faisait bon dans la forge. L'été,
il ouvrait la porte toute grande et laissait entrer l'odeur des foins.   35
Quand l'été vint, à la tombée du jour, j'allais m'asseoir à côté de lui,

---

[19] *les poings aux côtés*, his arms akimbo. [20] *il tapait pour taper*, he
pounded just to make noise. [21] *sur le cul ... renversée*, on the back of an
old overturned cart. [22] *fer brut ... à sa guise*, rough iron which he worked
at will. [23] *tordant ... des tiges de laiton*, twisting with her delicate hands
brass wires.

devant la porte. On était à mi-côte; [24] on voyait de là toute la largeur de la vallée. Il était heureux de ce tapis immense de terres labourées, qui se perdait à l'horizon dans le lilas clair du crépuscule.

Et le Forgeron plaisantait souvent. Il disait que toutes ces terres
5 lui appartenaient, que la forge, depuis plus de deux cents ans, fournissait des charrues à tout le pays. C'était son orgueil. Pas une moisson ne poussait sans lui. Si la plaine était verte en mai et jaune en juillet, elle lui devait cette soie changeante. Il aimait les récoltes comme ses filles, ravi des grands soleils, levant le poing contre les
10 nuages de grêle qui crevaient. Souvent, il me montrait au loin quelque pièce de terre qui paraissait moins large que le dos de sa veste, et il me racontait en quelle année il avait forgé une charrue pour ce carré d'avoine ou de seigle. A l'époque du labour, il lâchait parfois ses marteaux; il venait au bord de la route; la main sur les yeux, il
15 regardait. Il regardait la famille nombreuse de ses charrues mordre le sol, tracer leurs sillons, en face, à gauche, à droite. La vallée en était toute pleine. On eût dit, à voir [25] les attelages filer lentement, des régiments en marche. Les socs des charrues luisaient au soleil, avec des reflets d'argent. Et lui levait les bras, m'appelait, me criait
20 de venir voir quelle « sacrée besogne » [26] elles faisaient.

Toute cette ferraille retentissante qui sonnait au-dessous de moi, me mettait du fer dans le sang. Cela me valait mieux que les drogues des pharmacies. J'étais accoutumé à ce vacarme, j'avais besoin de cette musique des marteaux sur l'enclume pour m'entendre vivre.
25 Dans ma chambre tout animée par les ronflements du soufflet, j'avais retrouvé ma pauvre tête. Toc, toc, — toc, toc, — c'était là comme le balancier joyeux qui réglait mes heures de travail. Au plus fort de l'ouvrage,[27] lorsque le Forgeron se fâchait, que j'entendais le fer rouge craquer sous les bonds des marteaux endiablés, j'avais une
30 fièvre de géant dans les poignets, j'aurais voulu aplatir le monde d'un coup de ma plume. Puis, quand la forge se taisait, tout faisait silence dans mon crâne; je descendais, et j'avais honte de ma besogne, à voir tout ce métal vaincu et fumant encore.

Ah! que je l'ai vu superbe, parfois, le Forgeron, pendant les
35 chaudes après-midi! Il était nu jusqu'à la ceinture, les muscles saillants et tendus, semblable à une de ces grandes figures de Michel-Ange,[28] qui se redressent dans un suprême effort. Je trouvais, à le

---

[24] *On était à mi-côte,* We were located half-way up the hill.   [25] *à voir,* on seeing.   [26] *quelle sacrée besogne,* what a wonderful job.   [27] *Au plus fort de l'ouvrage,* In the thick of work, at the busiest moment.   [28] *Michel-Ange,* Michelangelo (celebrated Italian artist, 1475-1564).

regarder, la ligne sculpturale moderne, que nos artistes cherchent
péniblement dans les chairs mortes [29] de la Grèce. Il m'apparaissait
comme le héros grandi du travail, l'enfant infatigable de ce siècle,
qui bat sans cesse sur l'enclume l'outil de notre analyse, qui façonne
dans le feu et par le fer la société de demain. Lui, jouait avec ses   5
marteaux. Quand il voulait rire, il prenait « la Demoiselle », et, à
toute volée,[30] il tapait. Alors il faisait le tonnerre chez lui, dans
l'halètement rose du fourneau.[31] Je croyais entendre le soupir du
peuple à l'ouvrage.

C'est là, dans la forge, au milieu des charrues, que j'ai guéri à jamais   10
mon mal de paresse et de doute.

[29] *chairs mortes*, dead figures.   [30] *à toute volée*, with all his might.   [31] *dans
l'halètement rose du fourneau*, in the fiery roaring of the furnace.

Colette Yver

1874-

Colette Yver * is the *nom de plume* of Mademoiselle de Bergerin, born at Segré (Maine-et-Loire) on the 29th of July, 1874.

Colette Yver has a special gift for describing the French woman whom she portrays faithfully and nearly always objectively. Colette Yver, with modern reason and wisdom, understands the present and is in sympathy with it. Although she believes in "women living their own lives," she recommends self-restraint and says that happiness is not obtained by lack of principles.

READING SUGGESTIONS

SHORT STORIES	*Un Coin du voile*	1920 (a collection from which the present story is taken)
NOVELS	*Princesse de science*	1908 (education of women)
	Dans le jardin du féminisme	1920 (inquiry on women's careers)
	Le Vote des femmes	1932
	La Chaleur du nid	1938

* In order to avoid confusion, we may mention that there are two prominent women writers of the same name — *Colette Yver* (1874–), the author of the present story *Le Passé* — and Colette Sidonie Gabrielle, born in 1873 and married to Willy in 1893. At the beginning the latter Colette wrote in collaboration with her husband a series of novels — *Claudine à l'école* (1900), *Claudine à Paris* (1901), *Claudine en ménage* (1902), and *Claudine s'en va* (1903). This explains why she signed Colette Willy at first. After separating from her husband, she continued to write under the name of *Colette*. She was a member of the Goncourt Academy from 1945–1954.

LE PASSÉ

TIME   Early part of the twentieth century.

PLACE   Small provincial county seat.

QUALI-   Simple narration of the most common and the most noble
TIES   virtue, love.   The story represents one of those silent
            dramas of daily life and describes the foundation upon
            which the ordinary family is built.   The events are re-
            lated with a vivid interest that moves and grows logically.
            The climax is well prepared.   This study of feminine
            psychology is typical of the author.   Being a woman, she
            shows a filial and sacrificial love with a great deal of
            objective reality.

MEAN-   The traditional closeness of the French family, as shown in
ING   literature and history.

Le Passé

Colette Yver

Ce fut au printemps que le jeune juge arriva dans la jolie sous-préfecture.[1] Elle le charma tout de suite avec sa ville haute et sa ville basse [2] où deux rivières se mêlaient. Le soleil dorait l'église d'en haut et la coupole romane de l'église d'en bas. Alentour la campagne verdoyait. Il confia ses bagages à l'omnibus et descendit à pied jusqu'à l'hôtel, place de la Sous-Préfecture. Ce jour-là même, pour la première fois, il rencontra Hélène.

C'était une belle fille mince et grande qui paraissait bien déjà ses vingt-huit ans.[3] Mais son allure avait tant de grâce, sa robe de drap noir l'habillait si parfaitement,[4] et ses yeux superbement intelligents possédaient tant de bonté que le jeune juge se dit sans songer: « Voilà une femme exquise. »

Elle soutenait à son bras un grand vieillard qui lui ressemblait. Il était beau comme elle, marchait péniblement. Elle en prenait mille soins.

Il la revit presque chaque jour promenant le vieillard, tantôt sur le quai de la petite rivière, tantôt sur la place de la Sous-Préfecture, qui était entourée de sycomores en rectangle.[5] Elle allait à petits pas. Le vieux monsieur demeurait toujours silencieux. La jeune fille regardait loin devant elle, les prunelles mélancoliques et désabusées. Le juge s'informa d'elle. C'était la fille de ce grand vieillard, un industriel ruiné que la perte de ses biens avait si cruellement atteint qu'il en était demeuré hémiplégique.[6] Ils habitaient un second étage près de l'ancien château, dans la ville basse. On les disait [7] dans une situation précaire.

Ces renseignements attristèrent le jeune homme. Il rêvait d'un

---

[1] *sous-préfecture,* county seat.   [2] *sa ville haute et sa ville basse,* its upper town and lower town.   [3] *qui paraissait . . . vingt-huit ans,* who already quite looked her age at twenty-eight.   [4] *l'habillait si parfaitement,* fitted her so perfectly.   [5] *sycomores en rectangle,* sycamores grown in a rectangle.   [6] *hémiplégique,* partially paralyzed.   [7] *On les disait,* They were said to be.

bel avenir, désirait un train de vie que seul un riche mariage lui permettrait, et regretta de ne pouvoir épouser une femme qui lui plaisait si fort.

Cependant, il continuait de rencontrer Hélène et son père. Il la
5 voyait le matin faire son marché en compagnie d'une jeune bonne en coiffe. Quand il se rendait au tribunal, à midi, il la croisait sous les sycomores. A l'heure du frais,[8] s'il sortait avec le greffier,[9] il apercevait le couple au bord de la rivière; les jours de grande chaleur, il le retrouvait sur la haute ville, après souper. Il saluait alors, avec
10 une sorte de gêne, mordu par le chagrin [10] de ne pouvoir fixer en cette belle fille tous ses rêves inassouvis d'homme de trente ans.

Un jour, il lui parla. Ce fut dans la rue, à l'occasion d'un attroupement formé autour d'un homme malade dont il s'informa près d'elle.[11] Il ne l'avait jamais si bien vue, ni de si près. Le charme nuageux de
15 la passante se précisait presque brutalement. Il lui sembla retrouver la réalisation d'un songe dans ce chignon noir pesant sur la nuque, dans ces beaux yeux qui posaient sur lui limpidement, avec cette ironie inconsciente des femmes supérieures que les hommes ont toujours dédaignées pour leur pauvreté.

20 — Ne vous tourmentez pas, monsieur, dit-elle en riant; c'est un paysan ivre que le garde va ramasser.

Il lui sembla que tout son air,[12] à cette minute, signifiait: « Je suis belle et noble comme une reine, je suis une intellectuelle raffinée, et je ferais une compagne très tendre; mais les joies de l'amour ne sont
25 pas pour moi, et, bravement, je m'y résigne. »

Pour quelques mots qu'elle avait dits, il la comprit souverainement spirituelle et belle. Il se laissait aller parfois à penser: « Quelle charmante épouse j'aurais eue! »

Il la revit en visite à la Sous-Préfecture, où elle conduisait son cher
30 vieux qu'elle appelait: « mon petit ». Celui-ci, ne s'exprimant qu'avec difficulté, écoutait les conversations et gardait le silence. Ç'avait été une très belle intelligence, disait-on. Aujourd'hui, sa fille parlait pour lui. Très Parisienne d'allures, avec un rien de [13] provincial qui retenait légèrement sa jovialité naturelle, elle éclipsait
35 tout le monde dans le salon, sans le savoir, à force de simplicité et de bonne humeur.

Et de ce jour-là, le jeune juge l'aima de toute sa jeunesse, de toutes

---

[8] *A l'heure du frais,* Toward evening.   [9] *greffier,* clerk of the court.   [10] *mordu par le chagrin,* troubled with the regret.   [11] *il s'informa près d'elle,* he asked her for information.   [12] *tout son air,* her whole countenance.   [13] *un rien de,* a shade of.

ses aspirations anciennes qui se satisfaisaient enfin dans cette délicieuse vision de femme.

Ce fut un roman exquis dont la jeune sous-préfète [14] fut chargée de tramer les fils légers. Elle alla trouver Hélène dans le modeste second étage voisin de l'ancien château, à la basse ville. Le salon y avait conservé le meuble des jours opulents. On y voyait des consoles précieuses, des canapés empire, des brocarts jaunes, des vases inestimables remplis de fleurs des champs.

En robe de chambre de toile grise, une main posée sur la tête d'une chimère,[15] à l'appui du fauteuil, très pâle et masquant son émoi sous son beau sourire de bravoure, Hélène écouta l'aveu. Depuis dix ans, confusément, avec des forces secrètes dont elle voulait ignorer la puissance, elle attendait cette minute. Elle l'attendait sans se l'avouer, sans le savoir, dans ses accès de gaieté et dans ses accès de mélancolie, dans ses vagues désirs de bonheur imprécis, et chaque fois qu'autour d'elle, parmi ses amies, avait fleuri l'amour. Et par raffinement, elle voulut entendre encore plus souvent le message. Il fallut lui redire qu'elle était aimée, que le beau garçon sympathique tant de fois rencontré par les rues rêvait d'elle, l'attendait, l'appelait, la choisissait entre toutes pour être l'amie de sa vie entière, sa compagne, sa femme. Alors elle ferma les yeux et dit sourdement:

— Je me croyais trop vieille pour cela.

Elle avait cessé de sourire. De son air de bravoure et d'énergie, rien ne lui restait plus; elle était infiniment grave et recueillie.

— Je m'étais toujours dit, prononça-t-elle très bas, que j'aimerais beaucoup celui qui m'aimerait.

Le moment vint d'expliquer la chose au cher papa. Hélène lui fit mille cajoleries au front: « Écoute, mon petit, je m'en vais te dire une grande nouvelle. » Et elle lui raconta tout au long son roman. Il comprit parfaitement, mais les mots lui manquèrent pour exprimer sa joie. Ses yeux, pleins encore du feu d'autrefois, disaient ce qui se passait au fond de son âme mystérieuse, tombeau de sa pensée, mais sa langue embarrassée ne put qu'articuler avec un accent d'enthousiasme indicible:

— Ah! voilà . . . voilà . . . petiote . . .

Et il contemplait sa fille orgueilleusement, lissait du doigt ses beaux bandeaux, l'admirait, fier qu'on l'aimât enfin.

Elle le regardait, glorieuse elle aussi.

— Tu es content, hein, mon petit?

[14] *la jeune sous-préfète,* the young subprefect's wife.   [15] *chimère,* gargoyle-like carving.

— Ah! voilà ... voilà!

Et une larme de joie sortit de sa paupière, coula lentement sur sa joue fripée, et vint se perdre dans sa grande barbe grise.

Un soir d'août, il vint. Elle le reçut dans le salon aux consoles
5 précieuses, aux canapés empire, parmi les chimères montrant partout, sur l'acajou des meubles, leurs ongles d'or. Les lourds rideaux de brocart jaune assombrissaient la pièce. Ils causèrent très bas. Hélène disait peu de chose; un souffle fort soulevait son corsage; ses yeux s'étaient faits [16] divinement doux.

10 Lui se montra très franc, dit ses défauts; il se sentait un peu lâche devant la vie; il se confiait à elle, la compagne forte qu'il admirait. Elle éprouvait comme il est bon d'être aimée pauvre. Sa belle main, faite aux gestes caressants et protecteurs, se posa sur celle de son fiancé, et il sentit tant de puissance dans cette tendresse qu'il en
15 frémit de bonheur.

Ils se revirent deux fois la semaine, puis trois fois, puis quatre. Lui, chérissait de plus en plus [17] cette belle promise. Mais elle, âme rêveuse et ardente, aimait en secret le plus fort. Toute sa jeunesse triste, sans espoir, murée dans le sacrifice, s'épanouissait soudain.
20 Elle avait vingt ans; elle en avait seize! Elle était si reconnaissante au Prince Charmant qui lui montrait enfin la vie et l'y conviait.

Selon la coutume de certaines petites villes, ils se voyaient à l'après-dînée. On allumait dans le salon une grosse lampe empire, au globe diaphane semblable à une lune. Tous deux dans la pénombre cau-
25 saient à voix basse, le plus souvent se taisaient. Et le vieux monsieur, rigide dans son fauteuil, les bras croisés, son beau visage très noble en pleine lumière, illisiblement suivait son rêve mystérieux.

Le jeune juge hasarda un jour, au milieu de leurs projets d'avenir, la question pénible:
30 — Et votre pauvre papa?

— Mon père? répéta Hélène vivement.

Puis elle se tut. Une angoisse affreuse lui serrait le cœur.

Elle n'avait pu imaginer jusqu'ici que son mari la prît sans son père; elle se sentait inséparable de son « vieux », trop nécessaire à
35 cette pauvre vie dévastée. En toute sincérité, elle aurait trouvé très simple de l'emmener avec elle dans son ménage, son grand enfant, son « petit ». Mais soudain, en rougissant, elle comprenait son erreur. Comment, ce garçon brillant, à l'avenir prometteur,[18] qui la prenait sans dot, assumant à lui seul les charges lourdes du foyer

---

[16] *s'étaient faits*, had become.   [17] *de plus en plus*, more and more.   [18] *à l'avenir prometteur*, with a promising future.

qu'on crée, devrait, en outre, recueillir un infirme. Qu'avait-elle pensé?

Lui, surprit les yeux de détresse qu'elle eut tout à coup:

— Je l'aime bien aussi, croyez-le, Hélène! Je veux lui faire une vie bien heureuse, bien tranquille.

Par délicatesse, Hélène, la fierté même, n'osa pas dire ce qu'elle avait espéré. Le fiancé esquissa plusieurs combinaisons.[19] On aurait pu conserver au vieux monsieur l'appartement, avec la jeune bonne, qui paraissait dévouée. Il y avait aussi la Maison de Santé.[20] Mais ce qui lui souriait le plus,[21] c'était la Pension de Famille, où un vieux ménage fort convenable, recevait les personnes âgées et leur prodiguait tous les soins requis.

Hélène ne répondit pas. Sa gorge se serrait. Les larmes lui montaient aux yeux. Une amertume lui vint contre ce fiancé qu'elle trouvait si cruel ... Elle crut cesser de l'aimer. Ces choses s'étaient dites imperceptiblement, et sous la lampe, là-bas, le grand vieillard placide poursuivait son rêve insondable.

Le jeune homme, trop intelligent pour ne pas discerner que sa fiancée souffrait beaucoup, comprit la raison de sa peine. Il partit fort troublé. En son absence, Hélène pleura. N'était-il pas de son devoir de briser ce mariage? Elle avait lu des exemples d'héroïsme pareil, mais ce qui la remplissait autrefois d'enthousiasme la glaçait de peur aujourd'hui, jusqu'à la racine des cheveux. Le lendemain, quand, à l'heure de la promenade, elle noua la cravate de son cher vieux, elle le prit aux épaules dans un geste de passion, et l'embrassa si longuement qu'il en riait de plaisir et d'orgueil paternel.

Elle sentait que dans sa vie une cassure nette allait se faire. Sous son voile de mariée s'ensevelirait pour toujours son passé, et une existence différente commencerait, distincte de celle d'autrefois, une vie nouvelle où l'attendraient une atmosphère nouvelle, une âme nouvelle, un cœur nouveau.

Alors, que ce passé de vingt-huit années fût pour elle une chose finie, elle n'y pouvait souscrire.[22] Trop de souvenirs chers, de réminiscences puériles et tendres habitaient son cœur, l'emplissaient encore de ce passé toujours vivant, pourqu'elle pût les rejeter à l'oubli. Changer d'être, devenir une femme nouvelle, sa personnalité de fille mûrie qui se voulait survivre s'y refusait. Aimer l'étranger à qui elle allait se donner, certes oui, éperdument et comme elle

---

[19] *esquissa plusieurs combinaisons*, outlined several plans. [20] *Maison de Santé*, Sanatorium. [21] *ce qui lui souriait le plus*, that which pleased him most. [22] *elle n'y pouvait souscrire*, she could not agree to it.

n'avait jamais aimé personne; mais comment se détacher de l'autre qui représentait toute son affectivité passée, ce vieux compagnon qui l'avait tant chérie,[23] jadis, dans sa belle lucidité d'homme supérieur, qui s'accrochait à elle aujourd'hui dans sa débilité d'infirme.

5   Le fiancé revint, l'enlaça doucement; elle fut reprise.

— Hélène, lui dit-il, trop loyal pour permettre une ombre entre eux deux, je sens en votre âme un grief contre moi. Je lis en vous, mon amie. Vous pensiez que nous aurions pris votre père chez nous. Il ne le faut pas. Je ne crois être un homme méchant, mais je veux
10   votre bonheur; j'ai le devoir de le construire avec tous les soins qu'on apporte à l'architecture la plus frêle, la plus menacée, la plus précieuse. En vérité, Hélène, je vous aime passionnément et vous ne devez pas me soupçonner de vous faire de gaieté de cœur[24] une grande peine. Mais celle-là, je vous l'inflige, souffrant terriblement d'y être
15   forcé. La loi, c'est que les jeunes bâtissent leur foyer seuls, s'arrachent au nid de l'enfance, sans mêler ce qui est ancien à ce qui est nouveau.

— Ah! gronda-t-elle oppressée, la poitrine gonflée de révolte, voilà ce que je pensais; vous voulez tuer mon passé.

20   — Non, mais je vous transplante dans l'avenir.

— Vous me déracinez cruellement.

— Avec l'amour, rien n'est cruel, Hélène. Si vous m'aimez, vous comprendrez. Nous devons être tout l'un pour l'autre. Je vous veux toute à moi. Certes, je me donne entièrement à vous, mais je
25   me demande ce qu'il adviendrait de ma constance si je vous voyais sans cesse occupée, dans notre propre maison, de celui qui vous était tout avant que je ne fusse dans votre vie. Vous ne voudriez pas lui diminuer votre tendresse. Je sens que je le jalouserais, et ce serait affreux. Puis il tomberait dans le rôle atroce du vieux parent gêneur.
30   Nous serions coupables. ... Croyez-moi, mon amie, il est plus décent et plus noble d'établir dès maintenant sa vie séparée de la nôtre. Nous le ferons avec toutes précautions possibles. Nous ne le délaisserons pas. Son bien-être sera notre souci. Nous l'aimerons ...

35   Et Hélène commença de sentir passer sur elle l'éternel et angoissant mystère de ce scalpel fatal qui ne recrée partout et à toute heure la famille humaine qu'en déchirant implacablement dans la substance des âmes. Éternellement le vieil arbre humain gémira de se sentir arracher ses rameaux, et les boutures, étourdies de sève nouvelle,

---

[23] *l'avait tant chérie,* had loved her so much.   [24] *de gaieté de cœur,* wittingly.

transplantées au loin, y pousseront leurs racines, sans pouvoir jamais revenir au vieux tronc où elles puisèrent la vie.

Indignée tout d'abord, la jeune fille cependant se laissa prendre aux puissances[25] de cette loi qui l'asservissait en la révoltant. Elle suivit la fatalité et crut celui qu'elle aimait.   5

— Mon petit père, dit-elle un matin, câlinement, maintenant que je vais être mariée, ne serais-tu pas content de vivre dans la maison de la bonne madame Lethuillier? Tu sais, dans la ville haute, ce jardin où l'on voit de si beaux espaliers, c'est là que tu te promènerais, mon petit père chéri, et j'irais te voir tous les jours.   10

Le vieillard avait un caractère exquis. Tout le satisfaisait. Qu'envisagea-t-il de précis[26] dans cette perspective? On ne le sut pas. Mais souriant, de bonne humeur, il prononça:

— Oui, oui, certainement.

Alors, libérée d'un grand poids, Hélène conclut dans la Pension de   15
Famille les arrangements définitifs. Le mariage aurait lieu à la fin d'octobre. Il fut convenu que le vieillard serait installé dès le commencement du mois pour s'habituer doucement à sa vie nouvelle avant le voyage de noces des jeunes gens.

Une fièvre brûlait les fiancés. L'angoisse sacrée de l'amour les   20
oppressait chaque jour davantage, à mesure qu'ils approchaient de l'union. Déjà Hélène était entrée dans son « avenir ».[27] La brisure était accomplie, son passé mort, et la pensée de celui qui le synthétisait s'atténuait en son esprit, comme un visage qui se ternit sur les vieux daguerréotypes. Elle s'arrangea fort bien[28] de la mise en pen-   25
sion du vieillard, et l'émotion qu'elle ressentit lors du départ fut toute superficielle. L'amour la possédait trop. L'être qu'elle aimait l'avait vraiment conquise: son cœur était plein de lui.

Dès que le sort du vieux monsieur fut ainsi établi et remis aux soins de la « bonne madame Lethuillier », Hélène alla passer quelques jours   30
au chef-lieu[29] pour les toilettes. Ce fut une période d'agitation et de hâte. Le satin blanc craquait en pièce, les dentelles moussaient; on aunait le tulle du voile. C'étaient des courses pour les pantoufles, les gants, le trousseau; puis, chez le tapissier, chez l'ébéniste. Les cadeaux arrivaient dans des écrins vert-olive, doublés de moire blanche   35
où des objets d'argenterie ciselaient leurs formes. Elle essayait des peignoirs de jeune mariée, les dessous[30] de broderies anciennes. Et

---

[25] *se laissa prendre aux puissances*, realized the power.   [26] *Qu'envisagea-t-il de précis*, What did he precisely foresee.   [27] *était entrée dans son avenir*, was realizing clearly her status.   [28] *Elle s'arrangea fort bien*, She adjusted herself very well.   [29] *chef-lieu*, county seat.   [30] *les dessous*, the lingerie.

vaguement, en une vision vaporeuse figée dans un brouillard au-dessus de ce tourbillon, elle voyait celui auquel bientôt elle allait être, et leur vie future qui semblait tenir toute dans une étreinte, un baiser éternel . . .

5   Quand elle revint à la petite ville, l'approche de l'hiver se faisait sentir. Des feuilles jaunes dansaient furieusement sous les sycomores en rectangle, place de la Sous-Préfecture. Un vent aigre soufflait sur le quai. Les collines lointaines prenaient des couleurs de brique et d'ocre confuses.

10   Hélène, à peine arrivée, gravit la grand-rue pour gagner la haute ville et voir son vieux.

    C'était un vrai jour d'hiver, humide et froid. Dans le jardin de madame Lethuillier, le long des espaliers mouillés, la chair des poires mûres embaumait. Les tomates rouges luisaient dans leur feuillage;

15 quelques-unes étaient demeurées vertes faute de soleil. Sous un parapluie, relevant leur jupe et montrant leurs bas blancs, deux vieilles dames suivaient les petites allées en déblatérant à voix basse contre la règle de la maison. La bonne conduisait Hélène par l'escalier de carreau rouge ciré,[31] à la chambre que le vieillard occupait au

20 second.

    En ouvrant la porte, elle l'aperçut.

    Par crainte du froid, les fenêtres étaient fermées, les rideaux clos; et il était assis, face à la porte, les bras croisés sur l'estomac, les pieds chaussant deux de ces petits tapis en forme de semelle, bordés de

25 rouge, qu'on place dans les chambres carrelées,[32] où manquent toutes carpettes. Il avait dû demander du feu, car un tison fumait encore dans la cheminée, vestige d'une flambée rapide attisée le matin. Et il était, immobile, infiniment morne et navré, sans qu'on pût savoir quel drame s'accomplissait secrètement dans le mystère de cette âme

30 muette.

    Hélène, arrêtée dans son élan joyeux, envisagea une seconde l'aspect de cette chambre d'hôtel, étrangère, banale, et l'image de désolation qu'y était ce vieillard tant choyé par elle jadis.

    A ce moment, les yeux du vieux se relevèrent sur elle, ternis, lassés,

35 pitoyables, et deux atroces larmes, sans paroles, sans plaintes, sortirent de ses yeux tristes, où toute gaieté semblait morte.

    Elle courut à lui, l'enlaça, couvrit de baisers ses beaux cheveux

[31] *l'escalier de carreau rouge ciré*, the red-tiled polished staircase.   [32] *chambres carrelées*, tiled rooms.

blancs, son grand front de penseur, ses yeux naguère encore si vivants. Mais il semblait avoir perdu dans l'ennui, la désespérance de ces huit jours de réclusion, le souvenir même des seuls mots qu'il sût encore balbutier. Il ne disait rien. Un froid intérieur l'avait envahi; aucune caresse ne pouvait plus le réchauffer.   5

Alors, à cette plongée dans son passé, Hélène comprit que la fin de tout avait été, pour son père, le renoncement à la vie exquise qu'elle lui faisait; les petits repas fins, la lecture du journal, et ses promenades à deux, ces promenades incessantes que réclamait la vitalité de ce vieux corps demeuré sain, en dépit du désarroi de la pensée.   10 L'ennui serait désormais son supplice, avec l'abandon et la solitude. Elle n'avait pas attendu qu'il fût mort pour lui préparer un tombeau. Prisonnier dans cette pension, trop usé pour s'habituer aux nouveaux usages, alors que l'été de sa fille s'ouvrait radieux, il s'ensevelissait pour toujours dans l'hiver de sa vie, cet hiver sans soleil et si bref   15 des infirmes solitaires ...

Et Hélène revécut tout son passé: son enfance et les tendresses de ce pauvre qui la faisait doucement danser sur ses genoux lorsqu'elle avait trois ans, cinq ans; les courses faites avec lui quand il quittait les bureaux de la filature pour l'entraîner par la main, dans la cam-   20 pagne, écoutant son babil, la portant dans ses bras, déjà lourde à faire peur,[33] si elle traînait trop visiblement ses petites jambes; et le labeur continu de l'industriel dans ces bureaux de la filature, d'où il sortait la tête alourdie de migraines, anxieux, inquiet, fiévreux, mais fier de lui gagner une dot pour la marier un jour bellement. Tout   25 ce dévouement secrètement passionné des pères s'évoquait en images poignantes. Et quand après vingt-huit années d'affection, vieux, débile, terrifié devant la solitude, il avait d'elle, de ses soins, de sa protection, un besoin éperdu, elle fermerait les yeux, le laisserait tout seul dans cette chambre froide et courrait au bonheur.   30

« Je ne ferais pas mal [34] pourtant! gémit en elle son égoïsme torturant; c'est la loi! »

Elle était haletante. Des perles de sueur naissaient à son front. Elle faisait des calculs implacables et durs comme ceux de la Nature même, supputant les années de sa vie qui restaient au vieillard et   35 celles qui s'ouvraient si joyeuses devant elle. Sacrifier le destin d'une existence à l'aurore d'une belle vie n'était que justice. Mais le passé rentrait en elle, la reprenait, lui devenait ineffablement cher, s'identifiait avec son *moi* dont elle était orgueilleuse. L'emprise de son amour

---

[33] *lourde à faire peur,* terribly heavy.   [34] *Je ne ferais pas mal,* I would do no wrong.

n'était pas encore la plus forte. Elle s'en libérait, reprenait la domination de son cœur. Un instant les délices auxquelles s'initiait depuis des semaines son âme amoureuse l'appelèrent. Elle revit son fiancé, sentit l'étreinte de ses bras, se rappela la suavité de leurs entretiens.
5 Elle revit la maison choisie, les meubles jolis, leur chambre; puis la robe des noces essayée la veille, les souliers de satin, et les peignoirs de jeune épousée et la vie à deux, et le rêve magnifique qu'ils avaient fait elle et *lui*.

Puis tout à coup, reprenant le masque brave et fermé [35] porté
10 durant les longues années passées, alors qu'elle promenait son vieux sans espoir ni songeries sous les sycomores de la place:

— Viens, va, mon petit, je t'emmène avec moi.

Il se réveilla de sa stupeur à ces seuls mots!

— Ah! oui, oui, certainement . . .

15 Et lui renouant sa cravate, l'aidant à enfiler son pardessus,[36] elle lui répétait, très pâle, les dents serrées:

— Sois tranquille; on ne se quittera plus.

[35] *le masque brave et fermé,* the brave and inscrutable mask.   [36] *à enfiler son pardessus,* to put on his overcoat.

François Coppée

1842–1908

François Coppée, called the "poète des humbles," was born in Paris in 1842, the youngest of eight children. His father's poor health forced Coppée to interrupt his schooling in order to support the family. Circumstances put him in close contact with the poor whose soul and aspirations he was to describe so well in his stories, discussing their problems and demanding for them love, justice, and sympathy.

In 1863, Coppée fell under the influence of Catulle Mendès and, in 1886, he published a volume of poems, *Le Reliquaire*. Success came to him almost overnight after the production, in 1869, of *Le Passant*, a one-act play in which Sarah Bernhardt starred.

A Parnassian poet, at first, he soon conceived of other artistic ideals realizing that pure art was less important than social betterment. Many of his stories show some sentimentality and sometimes are told with a touch of moralizing, but they are always expressed with deep feeling and effectiveness. From 1871 to 1887, Coppée wrote his *Romans et contes parisiens*. His *Contes en prose* represent a compact drama and a picture of reality. Coppée was elected a member of the French Academy in 1884. He died in Paris, in 1908.

READING SUGGESTIONS

SHORT STORIES	*Romans et contes parisiens*	1871–1887
	Contes en prose	1882
	Vingt contes nouveaux	1883
	Longues et brèves	1883
PLAYS	*Le Passant*	1869
	Le Luthier de Crémone	1876

L'ENFANT PERDU

TIME   1883.

PLACE   Paris.

QUALI–
TIES   Narrative in harmony with the subject. The story expresses a definite ideal of the French, the sentiment of equality. It was one of the essential points of the Revolution of 1789 and a vital point of the various Constitutions that followed. There is, in the story, a humanitarian point of view, characteristic of the nation from its beginnings. Montaigne once said that "it is preferable to fail in justice than in humanity."

MEAN–
ING   The idea of human equality begets charity, which is a social virtue that knows no class, titles or privileges; it results "from a profound feeling of justice and love of order." (Turgot)

L'Enfant perdu

François Coppée

CONTE DE NOËL   A Jules Claretie

I

Ce matin-là, qui était la veille de Noël, deux événements d'importance eurent lieu simultanément. Le soleil se leva et M. Jean-
Baptiste Godefroy aussi.

Sans doute, le soleil, au cœur de l'hiver, après quinze jours de
brume et de ciel gris, quand par bonheur le vent passe au nord-ouest   5
et ramène le temps sec et clair, le soleil, inondant tout à coup de
lumière le Paris matinal, est un vieux camarade que chacun revoit
avec plaisir. Il est d'ailleurs un personnage considérable. Jadis il a
été dieu; il s'est appelé Osiris,[1] Apollon,[2] est-ce que je sais? et il n'y
a pas deux siècles qu'il régnait en France sous le nom de Louis XIV.[3]   10
Mais Jean-Baptiste Godefroy, financier richissime, directeur du
Comptoir général de crédit, administrateur de plusieurs grandes
compagnies, député et membre du Conseil général [4] de l'Eure,[5] officier
de la Légion d'Honneur,[6] etc., etc., n'était pas non plus un homme à
dédaigner. Et puis l'opinion que le soleil peut avoir sur son propre   15
compte n'est pas certainement plus flatteuse que celle que M. Jean-
Baptiste Godefroy avait de lui-même. Nous sommes donc autorisés
à dire que, le matin en question, vers huit heures moins le quart, le
soleil et M. Jean-Baptiste Godefroy se levèrent.

Par exemple, le réveil de ces puissants seigneurs fut tout à fait   20
différent. Le bon vieux soleil, lui, commença par faire une foule de
choses charmantes. Comme le grésil, pendant la nuit, avait confit
dans du sucre en poudre les platanes dépouillés du boulevard Males-

[1] *Osiris* (Egyptian god, protector of the dead, husband and brother of Isis).
[2] *Apollon* (Greek and Roman god of art and poetry).   [3] *Louis XIV* (a
reference to the king as the *"roi soleil"*).   [4] *Conseil général*, Assembly (of a
Department).   [5] *l'Eure* (name of a French river and of a Department in
Normandy).   [6] *Légion d'Honneur* (Order established by Napoleon Bonaparte
in 1802 to reward merit).

herbes, où est situé l'hôtel Godefroy, ce magicien de soleil s'amusa
d'abord à les transformer en gigantesques bouquets de corail rose;
et, tout en accomplissant ce délicieux tour de fantasmagorie, il répandit avec la plus impartiale bienveillance, ses rayons sans chaleur,
5   mais joyeux, sur tous les humbles passants que la nécessité de gagner
leur vie forçait à être dehors de si bonne heure.   Il eut le même sourire
pour le petit employé en paletot trop mince se hâtant vers son bureau,
pour la grisette frissonnant sous sa « confection » [7] à bon marché,
pour l'ouvrier portant la moitié d'un pain rond sous son bras, pour
10   le conducteur de tramway faisant sonner son compteur, pour le marchand de marrons en train de griller sa première poêlée.   Enfin ce
brave homme de soleil fit plaisir à tout le monde.   M. Jean-Baptiste
Godefroy, au contraire, eut un réveil assez maussade.   Il avait
assisté la veille, chez le Ministre de l'Agriculture, à un dîner encombré
15   de truffes, depuis le relevé du potage jusqu'à la salade, et son estomac
de quarante-sept ans éprouvait la brûlante morsure du pyrosis.[8]
Aussi, à la façon dont M. de Godefroy donna son premier coup de
sonnette, Charles, le valet de chambre, tout en prenant de l'eau
chaude pour la barbe du patron, dit à la fille de cuisine:
20   « Allons, bon! [9] . . . Le « singe » est encore d'une humeur massacrante, ce matin . . . Ma pauvre Gertrude, nous allons avoir une sale
journée. »

Puis, marchant sur la pointe du pied, les yeux modestement baissés,
il entra dans la chambre à coucher, ouvrit les rideaux, alluma le feu
25   et prépara tout ce qu'il fallait pour la toilette, avec les façons dis-
crètes et les gestes respectueux d'un sacristain déposant les objets
du culte sur l'autel, avant la messe de M. le curé.

« Quel temps ce matin? » demanda d'une voix brève M. Godefroy
en boutonnant son veston de molleton gris sur son abdomen un peu
30   trop majestueux déjà.

— Très froid, monsieur, répondit Charles.   A six heures le thermomètre marquait sept degrés [10] au-dessous de zéro.   Mais monsieur
voit que le ciel s'est éclairci, et je crois que nous aurons une belle
matinée.

35   Tout en repassant son rasoir, M. de Godefroy s'approcha de la
fenêtre, écarta l'un des petits rideaux, vit le boulevard baigné de
lumière et fit une légère grimace qui ressemblait à un sourire.   Mon

---

[7] *confection*, ready-made suit.   [8] *brûlante morsure du pyrosis*, burning
pain in the epigastrium.   [9] *Allons, bon!* Gracious!   [10] *sept degrés* (that is
Centigrade.   The French use the Centigrade thermometer.)

Dieu, oui! On a beau [11] être plein de morgue et de retenue, et savoir
parfaitement qu'il est du plus mauvais genre de manifester quoi que
ce soit devant les domestiques, l'apparition du grand gueusard de
soleil, en plein mois de décembre, donne une sensation si agréable
qu'il n'y a guère moyen de la dissimuler. M. Godefroy daigna donc　　5
sourire. Si quelqu'un lui avait dit alors que cette satisfaction instinctive lui était commune avec l'apprenti typographe en bonnet de
papier qui faisait une glissade sur le ruisseau gelé d'en face, M. Godefroy eût été profondément choqué. C'était ainsi pourtant; et,
pendant une minute, cet homme écrasé d'affaires, ce gros bonnet [12] du　　10
monde politique et financier, fit cet enfantillage de regarder les
passants et les voitures qui filaient joyeusement dans la brume dorée.

Mais rassurez-vous, cela ne dura qu'une minute. Sourire à un
rayon de soleil, c'est bon pour les inoccupés, pas sérieux; c'est bon
pour les femmes, les enfants, les poètes, la canaille. M. Godefroy　　15
avait d'autres chats à fouetter,[13] et, précisément pour cette journée
qui commençait, son programme était très chargé. De huit heures et
demie à dix heures, il avait rendez-vous, dans son cabinet, avec un
certain nombre de messieurs très agités, tous habillés et rasés comme
lui dès l'aurore et comme lui sans fraîcheur d'âme, qui devaient　　20
venir lui parler de toutes sortes d'affaires, ayant tous le même but:
gagner de l'argent. Après déjeuner, — et il ne fallait pas s'attarder
aux petits verres [14] — M. Godefroy était obligé de sauter dans son
coupé et de courir à la Bourse [15] pour y échanger quelques paroles
avec d'autres messieurs qui s'étaient aussi levés de bonne heure et　　25
qui n'avaient pas non plus de petite fleur bleue dans l'imagination;
et cela toujours pour le même motif: gagner de l'argent. De là,
sans perdre un instant, M. Godefroy allait présider, devant une table
verte encombrée d'encriers, un nouveau groupe de compagnons
dépourvus de tendresse et s'entretenir avec eux de divers moyens de　　30
gagner de l'argent. Après quoi, il devait paraître, comme député,
dans trois ou quatre commissions et sous-commissions, toujours avec
tables vertes et encriers siphoïdes, où il rejoindrait d'autres personnages peu sentimentaux, tous incapables aussi, je vous prie de le
croire, de négliger la moindre occasion de gagner de l'argent, mais　　35
qui avaient pourtant la bonté de sacrifier quelques précieuses heures
de l'après-midi pour assurer, par-dessus le marché, la gloire et le
bonheur de la France.

[11] *On a beau,* In spite of.　　[12] *ce gros bonnet,* that important man (slang).
[13] *d'autres chats à fouetter,* other fish to fry.　　[14] *petits verres,* small glasses
of brandy.　　[15] *Bourse,* Stock Exchange.

Après s'être vivement rasé, en épargnant toutefois le collier de barbe poivre et sel qui lui donnait un air de famille avec les Auvergnats[16] et les singes de la grande espèce, M. Godefroy revêtit un « complet » du matin dont la coupe élégante et un peu jeunette
5 prouvait que ce veuf cinglant la cinquantaine, n'avait pas absolument renoncé à plaire. Puis il descendit, dans son cabinet, où commença le défilé des hommes peu tendres et sans rêverie uniquement préoccupés d'augmenter leur bien-aimé capital. Ces messieurs parlèrent de plusieurs entreprises en projet, également considérables, notam-
10 ment d'une nouvelle ligne de chemin de fer à lancer à travers un désert sauvage, d'une usine monstre à fonder aux environs de Paris, et une mine de n'importe quoi à exploiter dans je ne sais plus dans quelle République de l'Amérique du Sud. Bien entendu, on n'agita pas un seul instant la question de savoir si le futur railway aurait à
15 transporter un grand nombre de voyageurs et une grande quantité de marchandises, si l'usine fabriquerait du sucre ou des bonnets de coton, si la mine produirait de l'or vierge ou du cuivre de deuxième qualité. Non! les dialogues de M. Godefroy et de ses visiteurs matinaux roulèrent exclusivement sur le bénéfice plus ou moins gros à
20 réaliser, dans les huit jours qui suivraient l'émission, en spéculant sur les actions de ces diverses affaires, actions très probablement destinées, du reste, et dans un bref délai, à n'avoir plus d'autre valeur que le poids du papier et le mérite de la vignette.
Ces conversations nourries de chiffres durèrent jusqu'à dix heures
25 précises, et M. le directeur du Comptoir général de crédit, qui était honnête homme pourtant, autant qu'on peut l'être dans les « affaires », reconduisit jusque sur le palier, avec les plus grands égards, son dernier visiteur, vieux filou cousu d'or qui, par un hasard assez fréquent, jouissait de la considération générale, au lieu d'être
30 logé à Poissy[17] ou à Gaillon[18] aux frais de l'État, pendant un laps fixé par les tribunaux, et de s'y livrer à une besogne honorable et hygiénique telle que la confection des chaussons de lisière ou de la brosserie à bon marché.[19] Puis M. le directeur consigna sa porte impitoyablement — il fallait être à la Bourse à onze heures — et
35 passa dans la salle à manger.
Elle était somptueuse. On aurait pu constituer le trésor d'une

---

[16] *qui lui donnait . . . les Auvergnats*, that made him look like the Auvergnats (people from the Auvergne province). [17] *Poissy* (town on the Seine river, near Versailles). [18] *Gaillon* (village in the Eure Department in Normandy). [19] *chaussons . . . brosserie à bon marché*, shoes of cheap quality or the making of cheap brushes.

cathédrale avec les massives argenteries qui encombraient bahuts et
dressoirs. Néanmoins, malgré l'absorption d'un dose copieuse de
bicarbonate de soude, le pyrosis de M. Godefroy était à peine calmé,
et le financier ne s'était commandé qu'un déjeuner de dyspeptique.
Au milieu de ce luxe de table, devant le décor qui célébrait la bom-   5
bance, et sous l'œil impassible d'un maître d'hôtel à deux cents louis
de gage, qui s'en faisait deux fois autant par la vertu de l'anse du
panier,[20] M. Godefroy ne mangea donc, d'un air assez piteux, que
deux œufs à la coque et la noix d'une côtelette; et encore, l'un des
œufs sentait la paille. L'homme plein d'or chipotait son dessert, —   10
oh! presque rien, un peu de roquefort, à peine pour deux ou trois
sous, je vous assure, — lorsqu'une porte s'ouvrit, et soudain, gracieux
et mignon, bien qu'un peu chétif dans son costume de velours bleu et
trop pâlot sous son énorme feutre à plume blanche, le fils de M. le
directeur, le jeune Raoul, âgé de quatre ans, entra dans la salle à   15
manger, conduit par son Allemande.

Cette apparition se produisait chaque jour, à onze heures moins le
quart exactement, lorsque le coupé, attelé pour la Bourse, attendait
devant le perron, et que l'alezan brûlé, vendu à M. Godefroy, par
les soins de son cocher, mille francs de plus qu'il ne valait, grattait,   20
d'un sabot impatient, le dallage de la cour. L'illustre brasseur d'argent s'occupait de son fils de dix heures quarante-cinq à onze heures.
Pas plus, pas moins. Il n'avait qu'un quart d'heure, juste, à consacrer au sentiment paternel. Non qu'il n'aimât pas son fils, grand
dieu! il l'adorait à sa façon. Mais, que voulez-vous,[21] les affaires!...   25

A quarante-deux ans, plus que mûr et passablement fripé, il s'était
cru amoureux, par pur snobisme, de la fille d'un de ses camarades de
cercle, le marquis de Neufontaine, vieux chat teint, joueur comme
les cartes, qui, sans la compassion vaniteuse de M. Godefroy, eût été
plus d'une fois affiché au club. Ce gentilhomme effondré, mais tou-   30
jours très chic, et qui venait encore de « lancer » une casquette pour
bains de mer, fut trop heureux de devenir le beau-père d'un homme
qui paierait ses dettes, et livra sans scrupule au banquier fatigué une
ingénue de dix-sept ans d'une beauté suave et frêle, sortant d'un
couvent de province, et n'ayant pour dot que son trousseau de pen-   35
sionnaire et qu'un trésor de préjugés aristocratiques et d'illusions romanesques. M. Godefroy, fils d'un avoué grippe-sou des Andelys,
était resté « peuple » même fort vulgaire, malgré son fabuleux avance-

---

[20] *qui s'en faisait . . . l'anse du panier*, who doubled his salary thanks to the
profit on kitchen supplies (profit made by falsifying household expenses).
[21] *que voulez-vous*, what do you expect.

ment dans la hiérarchie sociale. Il blessa tout de suite sa jeune femme dans toutes ses délicatesses; et les choses allaient mal tourner, quand la pauvre enfant fut emportée, à sa première couche. Presque élégiaque quand il parlait de sa défunte épouse, avec laquelle il eût sans
5   doute divorcé si elle avait vécu six mois de plus, M. Godefroy aimait son petit Raoul pour plusieurs raisons; d'abord à titre de fils unique, puis comme produit rare et distingué d'un Godefroy et d'une Neufontaine, enfin et surtout par le respect qu'inspirait à cet homme d'argent l'héritier d'une fortune de plusieurs millions. Le bébé fit donc
10   ses premières dents sur un hochet d'or et fut élevé comme un dauphin.[22] Seulement, son père, accablé de besogne, débordé d'occupations, ne pouvait lui consacrer que quinze minutes par jour — comme aujourd'hui, au moment du roquefort, — et l'abandonnait aux domestiques.
15   « Bonjour, Raoul. »

— Bonzou, p'pa.

Et M. le directeur du Comptoir général de crédit ayant jeté sa serviette installa sur sa cuisse gauche le jeune Raoul, prit dans sa grosse patte la petite main de l'enfant et la baisa plusieurs fois,
20   oubliant, ma parole d'honneur! la hausse de vingt-cinq centimes sur le trois pour cent,[23] les tables couleur de pâturage et des encriers volumineux devant lesquels il devait traiter tout à l'heure de si grosses questions d'intérêt, et même son vote de l'après-midi pour ou contre le ministère, selon qu'il obtiendrait ou non, en faveur de son bourg
25   pourri, une place de sous-préfet, deux de percepteur, trois de garde-champêtre, quatre bureaux de tabac,[24] plus une pension pour le cousin issu de germain d'une victime du Deux Décembre.[25]

« P'pa, et le p'tit Noël . . . y mettra-ti tet' chose dans mon soulier?[26] » demanda tout à coup Raoul, dans son *sabir*[27] enfantin.

---

[22] *dauphin*, eldest son of a king. (When the province of Dauphiné was added to the French territory, the last ruler of Dauphiné, Humbert III, ceded the province on condition that the title of Dauphin be given to the eldest son of the French king. The province became a part of French territory in 1349.) [23] *trois pour cent*, three per cent (on government bonds). [24] *bureaux de tabac* (Tobacco is a government monopoly in France; politicians, therefore, often give the management of the stores to friends.) [25] *Deux Décembre* (refers to December 2, 1851. On that date, Louis Napoléon executed a *Coup d'État* by which he was elected President for ten years. The following year, he became Emperor with the title of Napoléon III, 1852–1870.) [26] *P'pa . . . dans mon soulier?* Will Santa put something in my shoe? (baby talk) [27] *sabir* (a mixture of Arabic, French, and Italian spoken in the East; jargon).

Le père, après un: « oui, si tu es sage », fort surprenant chez ce
député libre-penseur, qui, à la Chambre, appuyait d'un énergique:
« Très bien ! » toutes les propositions anticléricales, prit note, dans le
meilleur coin de sa mémoire, qu'il aurait à acheter deux joujoux.
Puis, s'adressant à la gouvernante: « Vous êtes toujours contente de   5
Raoul, mademoiselle Bertha ? »

L'Allemande qui se faisait passer pour Autrichienne, cela va sans
dire, mais qui était, en réalité, la fille d'un pasteur poméranien affligé
de quatorze enfants, devint rouge comme une tomate sous ses cheveux
blond albinos, comme si la question toute simple qu'on lui adressait   10
eût été de la pire indécence, et, après avoir donné cette preuve de
respect intimidé, répondit par un petit rire imbécile, qui parut satisfaire pleinement la curiosité de M. Godefroy sur la conduite de son fils.

« Il fait beau aujourd'hui, reprit le financier, mais froid. Si vous
menez Raoul au parc Monceau, mademoiselle, vous aurez soin,   15
n'est-ce pas, de le couvrir. »

La « Fräulein », par un second accès de rire idiot, ayant rassuré
M. Godefroy sur ce point essentiel, il embrassa une dernière fois le
bébé, se leva de table — onze heures sonnaient au cartel — et s'élança
vers le vestibule, où Charles, le valet de chambre, lui enfila sa pelisse   20
et referma sur lui la portière du coupé. Après quoi, ce serviteur
fidèle courut immédiatement au petit café de la rue Miromesnil, où
il avait un rendez-vous avec le groom de la baronne d'en face, pour
une partie de billard, en trente liés, avec défense de « queuter », bien
entendu.   25

II

Grâce au bai brun, — payé mille francs de trop, à la suite d'un
déjeuner d'escargots offert par le maquignon au cocher de M. Godefroy, — grâce à cet animal d'un prix excessif mais qui filait bien tout
de même, M. le directeur du Comptoir général de crédit put accomplir,
sans aucun retard, sa tournée d'affaires. Il parut à la Bourse, siégea   30
devant plusieurs encriers monumentaux, et même, vers cinq heures
moins le quart, il rassura la France et l'Europe inquiète des bruits
de crise, en votant pour le ministère; car il avait obtenu les faveurs
sollicitées, y compris la pension pour celui de ses électeurs dont
l'oncle, à la mode de Bretagne,[28] avait été révoqué d'un emploi de   35
surnuméraire non rétribué, à l'époque du Coup d'État.

Attendri, sans doute, par la satisfaction d'avoir contribué à cet

[28] *oncle, à la mode de Bretagne*, distant relative.

acte de justice tardive, M. Godefroy se souvint alors de ce que lui avait dit Raoul au sujet des présents du petit Noël, et jeta à son cocher l'adresse d'un grand marchand de jouets. Là, il acheta et fit transporter dans sa voiture un cheval fantastique en bois creux

5 monté sur roulettes, avec une manivelle dans chaque oreille; une boîte de soldats de plomb aussi semblables les uns aux autres que les grenadiers de ce régiment russe, du temps de Paul Ier, qui tous avaient les cheveux noirs et le nez retroussé; vingt autres joujoux éclatants et magnifiques. Puis, en rentrant chez lui, doucement bercé sur les

10 coussins de son coupé bien suspendu, l'homme riche qui, après tout, avait des entrailles de père, se mit à penser à son fils avec orgueil.

L'enfant grandirait, recevrait l'éducation d'un prince, en serait un, parbleu! puisque grâce aux conquêtes de '89, il n'y avait plus d'aristocratie que celle de l'argent, et que Raoul aurait, un jour, vingt,

15 vingt-cinq, qui sait? trente millions de capital. Si son père, petit provincial, fils d'un méchant noircisseur de papier timbré; son père, qui avait dîné à vingt sous jadis au Quartier Latin, et se rendait bien compte chaque soir, en mettant sa cravate blanche, qu'il avait l'air d'un marié du samedi; [29] si ce père, malgré sa tache originelle, avait

20 pu accumuler une énorme fortune, devenir fraction de roi sous la République parlementaire et obtenir en mariage une demoiselle dont un ancêtre était mort à Marignan, [30] à quoi donc ne pouvait pas prétendre Raoul, dès l'enfance beau comme un gentilhomme, Raoul au sang affiné par l'atavisme maternel, Raoul de qui l'intelligence serait

25 cultivée comme une fleur rare, qui apprenait déjà les langues étrangères dès le berceau, qui, l'an prochain, aurait le derrière sur une selle de poney, Raoul, qui serait un jour autorisé à joindre à son nom celui de sa mère, et s'appellerait Godefroy de Neufontaine, Godefroy le prénom, et quel prénom! royal, moyenâgeux, sentant

30 à plein nez [31] la croisade?... Avec des millions, quel avenir! quelle carrière!... et le démocrate — il y en a plus d'un comme celui-ci, n'en doutez pas!... imaginait naïvement la monarchie restaurée, — en France, tout arrive, — voyait son Raoul, non! son Godefroy de Neufontaine marié au Faubourg, [32] bien vu au château, puis, qui

35 sait? tout près du trône, avec une clef de chambellan dans le dos et un blason tout battant neuf sur son argenterie et sur les panneaux

---

[29] *marié du samedi,* week-end bridegroom. (The working people often marry on Saturday.) [30] *Marignan* (Italian town Malegnano, near Milan, where the French defeated the Swiss in 1515). [31] *sentant à plein nez,* strongly reminiscent. [32] *Faubourg* (Faubourg St. Germain, Parisian quarter of the old aristocracy).

de son carrosse!... O sottise, sottise! Ainsi rêvait le parvenu
gorgé d'or, dans sa voiture qu'encombraient tous ces joujoux achetés
pour la Noël, — sans se rappeler, hélas! que c'était ce soir-là, la fête
d'un très pauvre petit enfant, fils d'un couple vagabond, né dans une
étable, où on avait logé ses parents par charité.   5

Mais le cocher a crié: « Port'siou p'ait ».[33] On rentre à l'hôtel; et
en franchissant les degrés du perron, M. Godefroy se dit qu'il n'a que
le temps de faire sa toilette du soir, lorsque, dans le vestibule, il voit
tous ses domestiques en cercle devant lui, l'air consterné, et, dans un
coin, affalée sur une banquette, l'Allemande, qui pousse un cri en   10
l'apercevant, et cache aussitôt dans ses deux mains son visage bouffi
de larmes. M. Godefroy a le pressentiment d'un malheur.

« Qu'est-ce que cela veut dire? Qu'y a-t-il? »

Charles, le valet de chambre, — un drôle de la pire espèce, pourtant, — regarde son maître avec des yeux pleins de pitié, et bégayant   15
et troublé:

« Monsieur Raoul!...

— Mon fils?...

— Perdu, monsieur!... Cette stupide Allemande!... Perdu
depuis quatre heures de l'après-midi...»   20

Le père recule de deux pas en chancelant, comme un soldat frappé
d'une balle; et l'Allemande se jette à ses pieds hurlant d'une voix
de folie: « Pardon!... Pardon! » et les laquais parlent tous à la fois.

« Bertha n'était pas allée au parc Monceau... C'est là-bas, sur
les fortifications, qu'elle a laissé se perdre le petit... On a cherché   25
partout M. le directeur; on est allé au Comptoir,[34] à la Chambre;
il venait de partir... Figurez-vous que l'Allemande rejoignait tous
les jours son amoureux, au delà du rempart, près de la porte
d'Asnières... Quelle horreur!... un quartier plein de bohémiens,
de saltimbanques! Qui sait si l'on n'a pas volé l'enfant?... Ah!   30
le commissaire était déjà prévenu... Mais conçoit-on cela? Cette
sainte-nitouche!... des rendez-vous avec un amant, un homme de
son pays!... un espion prussien, pour sûr!...»

Son fils! Perdu! M. Godefroy entend l'orage de l'apoplexie
gronder dans ses oreilles. Il bondit sur l'Allemande, l'empoigne par   35
le bras, la secoue avec fureur.

« Où l'avez-vous perdu de vue, misérable?... Dites la vérité ou
je vous écrase!... Où ça? Où ça?...»

Mais la malheureuse fille ne sait que pleurer et crier grâce. Voyons,

---

[33] *Port'siou p'ait,* Open the door, if you please.   [34] *Comptoir,* International Bank.

du calme!... Son fils! son fils à lui, perdu, volé? Il peut jeter l'or à poignées, mettre toute la police en l'air. Ah! pas un instant à perdre.

« Charles, qu'on ne dételle pas... Vous autres, gardez-moi cette
5 coquine... Je vais à la Préfecture. »

Et M. Godefroy, le cœur battant à se rompre, les cheveux soulevés d'épouvante, s'élance de nouveau dans son coupé, qui repart d'un trot enragé. Quelle ironie! La voiture est pleine de jouets étincelants, où chaque bec de gaz, chaque boutique illuminée, allume au
10 passage cent paillettes de feu. C'est aujourd'hui la fête des enfants, ne l'oublions pas, la fête du Nouveau-Né divin, que sont venus adorer les mages et les bergers conduits par une étoile!

« Mon Raoul!... mon fils!... » se répète crispé par l'angoisse en déchirant ses ongles au cuir des coussins. A quoi lui servent
15 maintenant ses titres, ses honneurs, ses millions, à l'homme riche, au gros personnage? Il n'a plus qu'une idée, fixée comme un clou de feu, là, entre ses deux sourcils, dans son cerveau douloureux et brûlant: « mon enfant, où est mon enfant?... »

Voici la Préfecture de Police. Mais il n'y a plus personne; les
20 bureaux sont désertés depuis longtemps.

« Je suis M. Godefroy, député de l'Eure... Mon fils est perdu dans Paris; un enfant de quatre ans... Je veux absolument voir M. le préfet. »

Et un louis dans la main du concierge.
25 Le bonhomme, un vétéran à moustaches grises, moins pour la pièce d'or que par compassion pour ce pauvre père, le conduit aux appartements privés du préfet, l'aide à forcer les consignes. Enfin, M. Godefroy est introduit devant l'homme en qui repose à présent toute son espérance, un beau fonctionnaire, en tenue de soirée, — il
30 allait sortir, — l'air réservé, un peu prétentieux, le monocle à l'œil.

M. Godefroy, les jambes cassées par l'émotion, tombe dans un fauteuil, fond en larmes, et raconte son malheur, en phrases bredouillées, coupées de sanglots.

Le préfet — il est père de famille, lui aussi, — a le cœur tout remué;
35 mais, par profession, il dissimule son accès de sensibilité, se donne de l'importance.

« Et vous dites, monsieur le député, que l'enfant a dû se perdre vers quatre heures?

— Oui, monsieur le préfet.
40 — A la nuit tombante... Diable![35]... et il n'est pas avancé

[35] *Diable!* Gracious!

pour son âge; il parle mal, ignore son adresse, ne sait pas prononcer
son nom de famille?

— Oui!... Hélas! Oui!...

— Du côté de la porte d'Asnières?... Quartier suspect...
Mais remettez-vous... Nous avons par là un commissaire de police   5
très intelligent... Je vais téléphoner. »

L'infortuné père reste seul pendant cinq minutes. Quelle atroce
migraine! quels battements de cœur fous! Puis, brusquement, le
préfet reparaît, le sourire aux lèvres, un contentement dans le regard:
« Retrouvé! »   10

Oh! le cri de joie furieuse de M. Godefroy! Comme il se jette sur
les mains du préfet, les serre à les broyer!

« Et il faut convenir, monsieur le député, que nous avons de la
chance... Un petit blond, n'est-ce pas? un peu pâle?... Costume
de velours bleu? Chapeau de feutre à plume blanche?   15

— Oui, parfaitement... C'est lui! c'est mon petit Raoul!

— Eh bien! il est chez un pauvre diable [36] qui loge de ce côté-là, et
qui est venu tout à l'heure faire sa déclaration au commissariat...
Voici l'adresse par écrit: Pierron, rue des Cailloux, à Levallois-Perret.
Avec une bonne voiture, vous pourrez revoir votre fils avant une   20
heure... Par exemple, ajoute le fonctionnaire, vous n'allez pas
retrouver votre enfant dans un milieu bien aristocratique, dans la
« haute » [37] comme disent nos agents. L'homme qui l'a recueilli est
tout simplement un marchand des quatre saisons... Mais qu'importe! n'est-ce pas? »   25

Ah! oui! qu'importe! M. Godefroy remercie le préfet avec effusion,
descend l'escalier quatre à quatre,[38] remonte en coupé, et, dans ce
moment, je vous en réponds, si le marchand des quatre saisons était
là, il lui sauterait au cou. Oui, M. Godefroy, directeur du Comptoir
général de crédit, député, officier de la Légion d'Honneur, etc., etc., 30
accolerait ce plébéien! Mais, dites-moi donc, est-ce que, par hasard,
il y aurait autre chose dans ce richard, que la frénésie de l'or et des
vanités? A partir de cette minute, il reconnaît seulement à quel
point il aime son enfant. Fouette, cocher! Celui que tu emportes,
dans un coupé, par cette froide nuit de Noël, ne songe plus à entasser 35
pour son fils millions sur millions, à le faire éduquer comme un Fils de
France, à le lancer dans le monde; et pas de danger, désormais, qu'on
le laisse aux soins de mercenaires! A l'avenir, M. Godefroy sera
capable de négliger ses propres affaires et celles de la France — qui ne

---

[36] *pauvre diable*, poor fellow.   [37] *la « haute »*, high society.   [38] *quatre à
quatre*, four steps at a time.

s'en portera pas plus mal — pour s'occuper un peu plus sérieusement
de son petit Raoul. Il fera venir des Andelys la sœur de son père, la
vieille restée à moitié paysanne, dont il avait la sottise de rougir. Elle
scandalisera la valetaille par son accent normand et ses bonnets de
5 linge. Mais elle veillera sur son petit neveu, la bonne femme.
Fouette, fouette, cocher! Ce patron, toujours si pressé, que tu as
conduit à tant de rendez-vous intéressés, à tant de réunions de gens
cupides, est, ce soir, encore plus impatient d'arriver, et il a un autre
souci que de gagner de l'argent. C'est la première fois de sa vie qu'il
10 va embrasser son enfant pour de bon.[39] Fouette donc, cocher! Plus
vite! Plus vite!

Cependant, par la nuit froide et claire, le coupé rapide a de nouveau
traversé Paris, dévoré l'interminable boulevard Malesherbes; et, le
rempart franchi, après les maisons monumentales et les élégants
15 hôtels, tout de suite voici la solitude sinistre, les ruelles sombres de la
banlieue. On s'arrête et M. Godefroy, à la clarté des lanternes écla-
tantes de sa voiture, voit une basse et sordide baraque de plâtras, un
bouge. C'est bien le numéro, c'est là que loge ce Pierron. Aussitôt
la porte s'ouvre, et un homme paraît, un grand gaillard, une tête bien
20 française, à moustaches rousses. C'est un manchot, et la main gauche
de son tricot de laine est liée en deux sous l'aisselle. Il regarde l'élégant
coupé, le bourgeois en belle pelisse et dit gaiement:
« Alors, monsieur, c'est vous qui êtes le papa? Ayez pas peur [40] . . .
il n'est rien arrivé au gosse. » [41]
25 Et s'effaçant pour permettre au visiteur d'entrer, il ajoute, en mettant un doigt sur sa bouche: « Chut! il fait dodo. » [42]

III

Un bouge, en vérité! A la lueur d'une petite lampe à pétrole qui
éclaire très mal et sent très mauvais, M. Godefroy distingue une commode à laquelle manque un tiroir, quelques chaises éclopées, une
30 table ronde où flânent un litre à moitié vide, trois verres, du veau
froid dans une assiette, et, sur le plâtre nu de la muraille, deux chromes:
l'Exposition de '89 à vol d'oiseau,[43] avec la Tour Eiffel en bleu de
perruquier, et le portrait du général Boulanger,[44] jeune et joli comme

---

[39] *pour de bon*, heartily.   [40] *Ayez pas peur*, Don't be afraid (popular expression).   [41] *gosse*, kid (popular for child).   [42] *il fait dodo*, he is asleep
(popular expression).   [43] *à vol d'oiseau*, a bird's-eye view.   [44] *Boulanger*
(French general involved in political intrigue to overthrow the government
[1837–1891]).

un sous-lieutenant. Excusez cette dernière faiblesse chez l'habitant de ce pauvre logis; elle a été partagée par presque toute la France.

Mais le manchot a pris la lampe, et, marchant sur la pointe du pied, éclaire un coin de la chambre, où sur un lit assez propre, deux petits garçons sont profondément endormis. Dans le plus jeune des enfants, 5 que l'autre enveloppe d'un bras protecteur et serre contre son épaule, M. Godefroy reconnaît son fils.

« Les deux mômes mouraient de sommeil, dit Pierron, en essayant d'adoucir sa voix rude. Comme je ne savais pas quand on viendrait réclamer le petit aristo, je leur ai donné mon « pieu », [45] et, dès qu'ils 10 ont tapé de l'œil,[46] j'ai été faire ma déclaration au commissaire ... D'ordinaire, Zidore a son petit lit dans la soupente, mais je me suis dit: ils seront mieux là. Je veillerai, voilà tout. Je serai plus tôt levé pour aller aux Halles. »

Mais, M. Godefroy écoute à peine. Dans un trouble tout nouveau 15 pour lui, il considère les deux enfants endormis. Ils sont dans un méchant lit de fer,[47] sur une couverture grise de caserne ou d'hôpital. Pourtant quel groupe touchant et gracieux! Et comme Raoul, qui a gardé son joli costume de velours, et qui reste blotti avec une confiance peureuse dans les bras de son camarade en blouse, semble faible 20 et délicat! Le père, un instant privé de son fils, envie presque le teint brun et l'énergique visage du petit faubourien.

« C'est votre fils? demanda-t-il au manchot.

— Non, monsieur, répond l'homme. Je suis garçon et je ne me marierai sans doute pas, rapport à un accident , ... oh! bête comme 25 tout! un camion qui m'a passé sur le bras ... Mais voilà. Il y a deux ans une voisine, une pauvre fille plantée là par un coquin avec un enfant sur les bras, est morte à la peine. Elle travaillait dans les couronnes de perles, pour les cimetières. On n'y gagne pas sa vie, à ce métier-là. Elle a élevé son petit jusqu'à l'âge de cinq ans, et puis, 30 ç'a été pour elle, à son tour, que les voisins ont acheté des couronnes. Alors je me suis chargé du gosse. Oh! je n'ai pas grand mérite, et j'ai été bien vite récompensé. A sept ans, c'est déjà un petit homme, et il se rend utile. Le dimanche et le jeudi, et aussi les autres jours, après l'école, il est avec moi, tient les balances, m'aide à pousser ma char- 35 rette, ce qui ne m'est pas trop commode, avec mon aileron ... Dire qu'autrefois, j'étais un bon ajusteur, à dix francs par jour ... Allez, Zidore est joliment débrouillard. C'est lui qui a ramené le petit bourgeois.

[45] *pieu*, bed (slang).   [46] *dès qu'ils ont tapé de l'œil*, as soon as they closed their eyes to sleep.   [47] *méchant lit de fer*, wretched iron bed.

— Comment? s'écria M. Godefroy. C'est cet enfant?...

— Un petit homme que je vous dis. Il sortait de la classe, quand il a rencontré l'autre qui allait tout droit devant lui, sur le trottoir en pleurant comme une fontaine. Il lui a parlé comme à un copain, l'a
5 consolé, rassuré du mieux qu'il a pu. Seulement on ne comprend pas bien ce qu'il raconte, votre bonhomme. Des mots d'anglais, des mots d'allemand; mais pas moyen de lui tirer son nom et son adresse... Zidore me l'a amené; je n'étais pas loin de là, à vendre mes salades. Alors les commères nous ont entourés, en coassant
10 comme des grenouilles: « Faut le mener chez le commissaire. » Mais Zidore a protesté. « Ça fera peur au môme » qu'il disait. Car il est comme tous les Parisiens; il n'aime pas les sergots. Et puis votre gamin ne voulait pas le quitter. Ma foi, tant pis! j'ai raté une vente, et je suis rentré ici avec les mioches. Ils ont mangé un morceau en-
15 semble, comme une paire d'amis, et puis, au dodo! Sont-ils gentils tout de même, hein? »

C'est étrange ce qui se passe dans l'âme de M. Godefroy. Tout à l'heure dans sa voiture, il se proposait bien, sans doute, de donner à celui qui avait recueilli son fils une belle récompense, une poignée de
20 cet or si facilement gagné en présence des encriers siphoïdes. Mais on vient de lever devant l'homme un coin du rideau qui cache la vie des pauvres, si vaillants dans leur misère, si charitables entre eux. Le courage de cette fille mère se tuant de travail pour son enfant, la générosité de cet infirme adoptant un orphelin, et surtout l'intelligente
25 bonté de ce gamin de la rue, de ce petit homme secourable pour un plus petit, le recueillant, se faisant tout de suite son ami et son frère aîné, et lui épargnant, par un instinct délicat, le grossier contact de la police, tout cela émeut M. Godefroy et lui donne à réfléchir. Non, il ne se contentera pas d'ouvrir son porte-feuille. Il veut faire mieux
30 et plus pour Zidore et pour Pierron le manchot, assurer leur avenir, les suivre de sa bienveillance. Ah! si les peu sentimentaux personnages qui viennent constamment parler d'affaires à monsieur le directeur du Comptoir général de crédit pouvaient lire en ce moment dans son esprit, ils seraient profondément étonnés; et pourtant M. le directeur
35 vient de faire la meilleure affaire de sa vie; il vient de se découvrir un cœur de brave homme. Oui, monsieur le directeur, vous comptiez offrir une gratification à ces pauvres gens, et voilà que ce sont eux qui vous font un magnifique cadeau, celui d'un sentiment, et du plus doux, du plus noble de tous, la pitié. Car M. Godefroy songe, à
40 présent, — et il s'en souviendra, — qu'il y a d'autres estropiés que Pierron, l'ancien ajusteur devenu marchand de verdure, d'autres

orphelins que le petit Zidore. Bien plus, il se demande, avec une
inquiétude profonde, si l'argent ne doit vraiment servir qu'à engendrer
l'argent, et si l'on n'a pas mieux à faire, entre ses repas, que de vendre
en hausse des valeurs achetées en baisse et d'obtenir des places pour
ses électeurs.   5

Telle est sa rêverie devant le groupe des deux enfants qui dorment.
Enfin il se détourne, regarde en face le marchand des quatre saisons;
il est charmé par l'expression loyale de ce visage de guerrier gaulois,
aux yeux clairs, aux moustaches ardentes.

« Mon ami, dit M. Godefroy, vous venez de me rendre, vous et   10
votre fils adoptif, un de ces services!... Bientôt, vous aurez la
preuve que je ne suis pas un ingrat... Mais, dès aujourd'hui...
je vois bien que vous n'êtes pas à l'aise et je veux vous laisser un
premier souvenir. »

Mais de son unique main le manchot arrêta le bras de M. Godefroy,   15
qui plonge déjà sous le revers de la redingote, du côté des bank-
notes.

« Non, monsieur, non! N'importe qui aurait agi comme nous...
Je n'accepterai rien, soit dit sans vous offenser... On ne roule pas
sur l'or, c'est vrai, mais, excusez la fierté, on a été soldat, — j'ai ma   20
médaille du Tonkin, là, dans le tiroir, — et on ne veut manger que le
pain qu'on gagne. »

— Soit! reprend le financier. Mais, voyons, un brave homme
comme vous, un ancien militaire... Vous me paraissez capable de
mieux faire que de pousser une charrette à bras... On s'occupera   25
de vous, soyez tranquille.

Mais l'estropié se contente de répondre froidement, avec un sourire
triste qui révèle bien des déceptions, tout un passé de découragement:
« Enfin, si monsieur veut bien songer à moi!... »

Quelle surprise pour les loups-cerviers [48] de la Bourse et les intri-   30
gants du Palais-Bourbon s'ils pouvaient savoir! Voilà que M. Godefroy est désolé, à présent, de la méfiance de ce pauvre diable.
Attendez un peu! Il saura bien lui apprendre à ne pas douter de sa
reconnaissance. Il y a de bonnes places de surveillants et de garçons de caisse, au Comptoir. Qu'est-ce que vous direz, monsieur le   35
sceptique, quand vous aurez un bel habit de drap gris-bleu, avec
votre médaille du Tonkin à côté de la plaque d'argent? Et ce sera
fait demain, n'ayez pas peur! Et c'est vous qui serez bien attrapé.
Ah! ah!...

« Et Zidore? s'écria M. Godefroy avec plus de chaleur que s'il   40

[48] *loups-cerviers*, speculators (without scruples).

s'agissait de faire un bon coup sur les valeurs à turban.[49] Vous per-
mettez bien que je m'occupe un peu de Zidore?...»

— Ah! pour ça, oui! répond joyeusement Pierron. Souvent, quand
je songe que le pauvre petit n'a que moi au monde, je me dis: « Quel
5 dommage!...» Car il est plein de moyens. Les maîtres sont en-
chantés de lui, à l'école primaire.

Mais Pierron s'interrompt brusquement, et dans son regard de
franchise, M. Godefroy lit encore, et très clairement, cette arrière-
pensée: « C'est trop beau, tout ça... Le bourgeois nous oubliera,
10 une fois le dos tourné. »

« Maintenant, dit le manchot, je crois que nous n'avons plus qu'à
transporter votre gamin dans la voiture; car vous devez bien vous
dire qu'il sera mieux chez vous qu'ici... Oh! vous n'avez qu'à le
prendre dans vos bras; il ne se réveillera même pas... On dort si
15 bien à cet âge-là... Seulement il faudrait lui remettre ses souliers. »

Et, suivant le regard du marchand des quatre saisons, M. Godefroy
aperçoit devant le foyer, où se meurt un petit feu de coke, deux paires
de chaussures enfantines; les fines bottines de Raoul et les souliers à
clous de Zidore; et chacune des paires de chaussures contient un
20 pantin de deux sous et un cornet de bonbons de chez l'épicier.

« Ne faites pas attention, monsieur, murmure alors Pierron d'une
voix presque honteuse. C'est Zidore, avant de se jeter sur le lit, qui
a mis là ses souliers et ceux de votre fils... A la laïque [50] on a beau
leur dire que c'est de la blague, les enfants croient encore à la Noël...
25 Alors, moi, en revenant de chez le commissaire, comme je ne savais
pas, après tout, si votre gamin ne passerait pas la nuit dans ma turne,[51]
j'ai acheté ces bêtises-là... vous comprenez... pour les gosses... à
leur réveil... »

Ah! c'est à présent que les bras leur tomberaient, aux députés qui
30 ont si souvent vu M. Godefroy voter pour la libre-pensée: — au fond,
il s'en moquait pas mal, mais la réélection! — c'est à présent qu'ils
jetteraient leur langue au chat,[52] tous les messieurs durs et secs qui
siégeaient avec M. Godefroy autour des tables vertes et qui l'admi-
raient comme un maître pour sa sécheresse et pour sa dureté. Est-ce
35 que, par hasard, ce serait aujourd'hui la fin du monde?... M. Godefroy a les yeux pleins de larmes!

Tout à coup, il s'élance hors de la baraque, et rentre au bout d'une
minute, les bras chargés du superbe cheval mécanique, de la grosse

---

[49] *valeurs à turban,* Turkish stock. [50] *A la laïque ... dire,* Although they
tell them in the public schools. [51] *turne,* shack (slang). [52] *jetteraient leur
langue au chat,* would fail to understand.

boîte de soldats de plomb, des autres jouets magnifiques achetés par
lui dans l'après-midi et restés dans sa voiture; et, devant Pierron
stupéfait, il dépose son fardeau doré et verni auprès des petits souliers.
Puis, saisissant la main du manchot dans les siennes, et d'une voix
que l'émotion fait trembler: 5

« Mon ami, mon cher ami, dit-il au marchand des quatre saisons,
voici des cadeaux que Noël apportait à mon petit Raoul. Je veux
qu'il les trouve ici en se réveillant, et qu'il les partage avec Zidore,
qui sera désormais son camarade... Maintenant, vous me croyez,
n'est-ce pas?   10

« Je me charge de vous et du gamin... et je reste encore votre
obligé; car vous ne m'avez pas seulement aidé à retrouver mon fils
perdu; vous m'avez aussi rappelé qu'il y avait des pauvres gens, à
moi, mauvais riche qui vivais sans y songer. Mais, je le jure, par
ces deux enfants endormis, je ne l'oublierai plus, désormais! »   15

... Tel est le miracle, messieurs et mesdames, accompli le 24
décembre dernier, à Paris, en plein égoïsme moderne. Il est très
invraisemblable, j'en conviens; et, en dépit des anciens votes anti-
cléricaux de M. Godefroy et de l'éducation purement laïque reçue par
Zidore à l'école primaire, je suis bien forcé d'attribuer cet événement   20
merveilleux à la grâce de l'Enfant divin, venu au monde, il y a près
de dix-neuf cents ans, pour ordonner aux hommes de s'aimer les uns
les autres.

Alphonse Daudet

1840–1897

Alphonse Daudet, called sometimes the French Dickens, was born at Nîmes, in the South of France in 1840. The Revolution of 1848 caused the ruin of his family and, for a while, young Alphonse felt the pinch of poverty. He brought, later on, into his writings, not only events of his life, as in *Le petit chose*, but also happenings of historical and social importance. Daudet's novels have a documentary value for he never separated life from literature.

Remembering the strained circumstances of his early life, he felt a deep current of sympathy for the needy but, in spite of the hard knocks of life, he kept a constant spirit of optimism. He used to say to his children: "Long live life!" He made a success of it thanks to hard work and will power, frequently working fifteen hours a day. In 1867 he married Julie Allard, who brought sunshine and happiness into his home and, at the same time, helped him in his literary development. One of Daudet's best characteristics is his ability to blend a keen objective observation with an optimistic fantasy that refuses to dwell on the ugly. Daudet died in 1897.

READING SUGGESTIONS

Le petit chose	1868
Lettres de mon moulin	1869
Tartarin de Tarascon	1872
Contes du Lundi	1872
Fromont jeune et Risler aîné	1874
Jack	1876
Numa Roumestan	1881

LA PENDULE DE BOUGIVAL

TIME   1870–71.

PLACE   Bougival, a few miles west of Paris, and Munich, Germany.

QUALI- A charming bit of irony with a pleasant touch of Gallic
TIES   humor. It is a light-hearted story that reveals the per-
        sonality of the author. Under the appearances of comic
        levity, it conceals a great deal of seriousness beautifully
        expressed in a fluent and informal style difficult to analyze
        because the essence of Daudet's style remains elusive.
        The important point, however, is that this short, light-
        hearted satire represents a permanent trait of the French
        that is as old as the nation itself. Polybius and Strabo
        speak of the gay and impressionable temperament of the
        Gauls. Some of the *Lais* of Marie de France show it;
        Le Roman de Renard and the *Fabliaux* are full of it.
        Rabelais said: "Le rire est le propre de l'homme."

MEAN-   The story conveys the idea that, in defeat, the victor may
ING   be conquered by a superior civilization and a more refined
        way of life. Rome, for instance, conquered Greece, but
        we have the testimony of Latin writers that Greece sub-
        dued Rome thanks to her superior culture: "Graecia
        capta ferrum victorem cepit." *

* "The conquered Greeks subdued their victors."

La Pendule de Bougival

Alphonse Daudet

DE BOUGIVAL [1] À MUNICH [2]

C'était une pendule du Second Empire, une de ces pendules en onyx algérien, ornées de dessins Campana [3] qu'on achète Boulevard des Italiens avec leur clef dorée pendue en sautoir [4] au bout d'un ruban rose. Tout ce qu'il y a de plus mignon, de plus moderne, de plus article de Paris.[5] Une vraie pendule de Bouffes [6] sonnant d'un joli timbre clair, mais sans un grain de bon sens, pleine de lubies, de caprices, marquant les heures à la diable,[7] passant les demies, n'ayant jamais su bien dire l'heure de la Bourse à Monsieur et l'heure du Berger à Madame.[8] Quand la guerre éclata, elle était en villégiature à Bougival, faite exprès pour ces palais d'été si fragiles, ces jolies cages à mouches en papier découpé, ces mobiliers d'une saison, guipure et mousseline flottante sur des transparents de soie claire. A l'arrivée des Bavarois, elle fut une des premières enlevées; et ma foi! il faut avouer que ces gens d'Outre-Rhin sont des emballeurs bien habiles, car cette pendule jou-jou, guère plus grosse qu'un œuf de tourterelle, put faire au milieu des canons Krupp [9] et des fourgons chargés de mitraille le voyage de Bougival à Munich, arriver sans fêlure, et se

5

10

15

---

[1] *Bougival* (a small town on the Seine, near Paris).   [2] *Munich* (capital of Bavaria).   [3] *Campana* (art collection of the Italian Marquis de Campana which was taken to Paris in 1861; it contained many Etruscan terra-cottas with elaborate ornaments that gave rise to a style known as "Campana.") [4] *en sautoir*, crosswise.   [5] *article de Paris*, smart, stylish.   [6] *pendule de Bouffes* (reference to the theater, *Bouffes Parisiens*, founded in 1855 by Offenbach. This *pendule de Bouffes* ran in a carefree way which suggested the music of the *Bouffes Parisiens*.)   [7] *à la diable*, all wrong.   [8] *n'ayant jamais su . . . Madame*, never having been able to tell the broker husband when it was time to go to the Stock Exchange and when Madame could receive her lover. (This is a reference to pastoral romances in which lovers were traditionally shepherds.)   [9] *canons Krupp* (Alfred Krupp, 1812–1887, famous German gun manufacturer).

montrer dès le lendemain, Odeons-Platz, à la devanture d'Auguste Kahn, le marchand de curiosités, fraîche, coquette, ayant toujours ses deux aiguilles, noires et recourbées comme des cils, et sa petite clef en sautoir au bout d'un ruban neuf.

L'ILLUSTRE DOCTEUR–PROFESSEUR OTTO DE SCHWANTHALER

5   Ce fut un événement dans Munich. On n'y avait pas encore vu de pendule de Bougival, et chacun venait regarder celle-là aussi curieusement que les coquilles japonaises du musée de Siebold.[10] Devant le magasin d'Auguste Kahn, trois rangs de grosses pipes fumaient du matin au soir, et le bon populaire de Munich se demandait
10   avec des yeux ronds et des « Mein Gott »[11] de stupéfaction à quoi pouvait servir cette singulière petite machine. Les journaux illustrés donnèrent sa reproduction. Ses photographies s'étalèrent dans toutes les vitrines; et c'est en son honneur que l'illustre professeur Otto de Schwanthaler composa son fameux *Paradoxe sur les pendules*, étude
15   philosophico-humoristique en six cents pages où il est traité de l'influence des pendules sur la vie des peuples, et logiquement démontré qu'une nation assez folle pour régler l'emploi de son temps sur des chronomètres aussi détraqués que cette petite pendule de Bougival devait s'attendre à toutes les catastrophes, ainsi qu'un navire qui
20   s'en irait en mer avec une boussole désorientée. (La phrase est un peu longue mais je la traduis textuellement.)

Les Allemands ne faisant rien à la légère, l'illustre docteur-professeur voulut, avant d'écrire son *Paradoxe*, avoir le sujet sous les yeux pour l'étudier à fond, l'analyser minutieusement comme un
25   entomologiste; il acheta donc la pendule, et c'est ainsi qu'elle passa de la devanture d'Auguste Kahn dans le salon de l'illustre docteur-professeur Otto de Schwanthaler, conservateur dans la Pinacothèque[12] de l'Académie des sciences et beaux-arts, en son domicile privé, Ludwigstrasse, 24.

LE SALON DES SCHWANTHALER

30   Ce qui frappait d'abord en entrant dans le salon des Schwanthaler, académique et solennel comme une salle de conférences, c'était une

[10] *Siebold* (Museum of Natural History at Munich).   [11] *Mein Gott* (German for: Heavens! or Gracious!)   [12] *Pinacothèque* (gallery of paintings at Munich).

grande pendule à sujet en marbre sévère, avec une Polymnie de
bronze et des rouages très compliqués. Le cadran principal s'en-
tourait de cadrans plus petits, et l'on avait là les heures, les minutes,
les saisons, les équinoxes, tout, jusqu'aux transformations de la lune
dans un nuage bleu-clair au milieu du socle. Le bruit de cette puis-   5
sante machine remplissait toute la maison. Du bas de l'escalier, on entendait le lourd balancier s'en allant d'un mouvement grave, accentué,
qui semblait couper et mesurer la vie en petits morceaux tout pareils;
sous ce tic-tac sonore couraient les trépidations de l'aiguille se dé-
menant dans le cadre des secondes avec la fièvre laborieuse d'une   10
araignée qui connaît le prix du temps.

Puis l'heure sonnait, sinistre et lente comme une horloge de collège,
et chaque fois que l'heure sonnait, il se passait quelque chose dans
la maison des Schwanthaler. C'était M. Schwanthaler qui s'en allait
à la Pinacothèque, chargé de paperasses, ou la haute dame de Schwan-   15
thaler revenant du sermon avec ses trois demoiselles, trois longues
filles enguirlandées qui avaient l'air de perches à houblon; ou bien
les leçons de cithare, de danse, de gymnastique, les clavecins qu'on
ouvrait, les métiers à broderies, les pupitres à musique d'ensemble
qu'on roulait au milieu du salon, tout cela si bien réglé, si compassé,   20
si méthodique, que d'entendre tous ces Schwanthaler se mettre en
branle au premier coup de timbre, entrer, sortir par les portes ouvertes
à deux battants, on songeait au défilé des apôtres dans l'horloge de
Strasbourg [13] et l'on s'attendait toujours à voir sur le dernier coup la
famille Schwanthaler rentrer et disparaître dans sa pendule.   25

SINGULIÈRE INFLUENCE DE LA PENDULE DE BOUGIVAL
SUR UNE HONNÊTE FAMILLE DE MUNICH

C'est à côté de ce monument qu'on avait mis la pendule de Bougival,
et vous voyez d'ici l'effet de sa petite mine chiffonnée. Voilà qu'un
soir les dames de Schwanthaler étaient en train de broder dans le
grand salon, et l'illustre docteur-professeur lisait à quelques collègues
de l'Académie des sciences les premières pages du *Paradoxe*, s'inter-   30
rompant de temps en temps pour prendre la petite pendule et faire
pour ainsi dire des démonstrations au tableau ... Tout à coup, Eva

[13] *horloge de Strasbourg* (Strasbourg, capital of Alsace, is famous for its
cathedral which contains the well-known astronomical clock installed in
1838–1842 to replace the medieval one. It has figures of the twelve apostles
who emerge upon a platform at the stroke of noon and march around the
image of Christ.)

de Schwanthaler, poussée par je ne sais quelle curiosité maudite, dit
à son père en rougissant:

« O papa, faites-la sonner. »

Le docteur dénoua la clef, donna deux tours, et aussitôt on entendit
5 un petit timbre si clair, si vif, qu'un frémissement de gaieté réveilla
la grave assemblée. Il y eut des rayons dans tous les yeux.

« Que c'est joli! » disaient les demoiselles de Schwanthaler, avec un petit air animé et des frétillements de nattes qu'on ne leur connaissait pas.

Alors M. de Schwanthaler d'une voix triomphante:

10 « Regardez-la cette folle de française! elle sonne huit heures et elle
en marque trois! »

Cela fit rire tout le monde, et, malgré l'heure avancée, ces messieurs
se lancèrent à corps perdu dans des théories philosophiques et des
considérations interminables sur la légèreté du peuple français. Per-
15 sonne ne pensait plus à s'en aller. On n'entendit pas même sonner
au cadran de Polymnie, ce terrible coup de dix heures, qui dispersait
d'ordinaire toute la société. La grande pendule n'y comprenait rien.
Elle n'avait jamais tant vu de gaieté dans la maison Schwanthaler, ni
du monde au salon si tard. Le diable [14] c'est que lorsque les demoiselles
20 de Schwanthaler furent rentrées dans leur chambre, elles se sentirent
l'estomac creusé par la veille et le rire, comme des envies de souper;
et la sentimentale Minna, elle-même, disait en s'étirant les bras:

« Ah! je mangerais bien une patte de homard. »

DE LA GAIETÉ, MES ENFANTS, DE LA GAIETÉ

Une fois remontée, la pendule de Bougival reprit sa vie déréglée,
25 ses habitudes de dissipation. On avait commencé à rire de ses lubies;
mais peu à peu à force d'entendre ce joli timbre qui sonnait à tort et
à travers,[15] la grave maison de Schwanthaler perdit le respect du
temps et prit les jours avec une aimable insouciance. On ne songea
plus qu'à s'amuser; la vie paraissait si courte, maintenant que toutes
30 les heures étaient confondues! Ce fut un bouleversement général!
Plus de sermon, plus d'études! Un besoin de bruit, d'agitation.
Mendelssohn et Schumann,[16] semblèrent trop monotones; on les
remplaça par *La Grande Duchesse*,[17] *Le Petit Faust*,[18] et ces demoiselles

[14] *Le diable,* The trouble. [15] *à tort et à travers,* at random. [16] *Mendelssohn
et Schumann* (two famous German composers, 1809–1847; 1810–1856). [17] *La
Grande Duchesse* (an operetta by Offenbach, 1819–1880, founder of the *Bouffes-
Parisiens*). [18] *Le Petit Faust* (an operetta by Florimond Rongé, called
Hervé, 1825–1892).

tapaient, sautaient et l'illustre docteur-professeur, pris lui aussi d'une
sorte de vertige, ne se lassait pas de dire: « de la gaieté, mes enfants,
de la gaieté . . . » Quant à la grande horloge, il n'en fut plus question.
Ces demoiselles avaient arrêté le balancier prétextant qu'il les empê-
chait de dormir, et la maison s'en alla toute au caprice du cadran   5
désheuré.

C'est alors que parut le fameux *Paradoxe sur les pendules.* A cette
occasion, les Schwanthaler donnèrent une grande soirée, non plus une
de leurs soirées académiques d'autrefois, sobres de lumière et de bruit,
mais un magnifique bal travesti, où madame de Schwanthaler et ses   10
filles parurent en canotières de Bougival, les bras nus, la jupe courte
et le petit chapeau plat à rubans éclatants. Toute la ville en parla,
mais ce n'était que le commencement. La comédie, les tableaux
vivants, les soupers, le baccarat; voilà ce que Munich scandalisé vit
défiler tout un hiver dans le salon de l'académicien. — « De la gaieté,   15
mes enfants, de la gaieté! . . . » répétait le pauvre homme de plus en
plus affolé, et tout ce monde-là était très gai en effet. Madame de
Schwanthaler, mise en goût [19] par ses succès de canotière, passait sa
vie sur l'Isar [20] en costumes extravagants. Ces demoiselles, restées
seules au logis, prenaient des leçons de français avec des officiers de   20
hussards prisonniers dans la ville; et la petite pendule, qui avait
toutes raisons de se croire à Bougival, jetait les heures à la volée en
sonnant toujours huit quand elle marquait trois . . . Puis, un matin,
ce tourbillon de gaieté emporta la famille de Schwanthaler en
Amérique, et les plus beaux Titiens [21] de la Pinacothèque suivirent dans   25
sa fuite leur illustre conservateur.

CONCLUSION

Après le départ des Schwanthaler, il y eut dans Munich une épidémie
de scandales. On vit successivement une chanoinesse enlever un
baryton, le doyen de l'Institut épouser une danseuse, un conseiller
aulique [22] faire sauter la coupe,[23] le couvent des dames nobles fermé   30
pour tapage nocturne . . .

O malice des choses! il semblait que cette petite pendule était fée
et qu'elle avait pris à tâche d'ensorceler toute la Bavière. Partout

---

[19] *mise en goût,* her appetite whetted.   [20] *Isar* (the river which flows
through Munich and into the Danube).   [21] *Titiens* (paintings by Titian,
the great Venetian artist, 1477–1576).   [22] *conseiller aulique,* aulic councilor
(a member of the highest German tribunal).   [23] *faire sauter la coupe,* cheat at
cards.

où elle passait, partout où on sonnait son joli timbre à l'évent, il affolait, détraquait les cervelles. Un jour, d'étape en étape, elle arriva jusqu'à la résidence; et depuis lors, savez-vous quelle partition [24] le roi Louis,[25] ce wagnérien enragé, a toujours ouverte sur son piano?

5   — *Les Maîtres chanteurs?* [26]

— Non!... *Le Phoque à ventre blanc!* [27]

Ça leur apprendra à se servir de nos pendules.

[24] *partition*, score.   [25] *le roi Louis* (Ludwig II of Bavaria, king from 1864–1886).   [26] *Les Maîtres chanteurs* (*Die Meistersinger*, opera by Richard Wagner, 1813–1883).   [27] *Le Phoque à ventre blanc*, "The white-bellied Seal" (probably an imaginary title).

René Boylesve

1867–1926

Rene Boylesve, pseudonym of René Tardivaux, was born at La Haye-Descartes (Indre-et-Loire), in Touraine, in 1867. He died in Paris, in 1926. His literary success helped him to become a member of the French Academy.

As a writer, Boylesve excelled in his portrayal of provincial life; as a psychologist, he liked to study the problem of education and analyze critically the French upper middle class. His objective study of facts has led the critics to call him a poetical realist; in his studies, he lets facts speak for themselves and, often, he suggests the moral lesson they may contain.

READING SUGGESTIONS

SHORT STORIES	*Le Bonheur à cinq sous*	1917
	Le dangereux jeune homme	1920
	Les Bains de Bade	1922
NOVELS	*Mademoiselle Cloque*	1899
	La Becquée	1921
	Élise	1921
	Le meilleur ami	1930

GRENOUILLAU

TIME   1913.

PLACE Paris and the Riviera.

QUALI–
TIES   We notice a fine balance of harmony of description com-
       bined with a skillful arrangement of the plot. Boylesve's
       style is one of perfect simplicity and tact reminiscent of
       the best classic style.

MEAN–
ING   Human equality and fusion of classes which is, and has
       been, an outstanding trait of the French.

Grenouillau

René Boylesve

— J'ai déjà composé mon menu, dit madame Bullion, pour le déjeuner que les Peaussier ont bien voulu accepter . . .

— Prends l'habitude, dit monsieur Bullion, de dire « le comte et la comtesse de Peaussier », principalement devant les domestiques, qui ne doivent pas manquer de leur fournir leur titre. 5

— J'aurai de la peine à m'accoutumer; j'ai toujours dit « les Peaussier »; toi-même as toujours dit « les Peaussier » en parlant de ton ancien camarade . . .

— Donnons du comte aux Peaussier![1] La République fait bien la gentille avec les monarchies![2] Donnons du comte aux Peaussier, 10 d'autant plus que je réserve à leur vanité un plat de ma façon,[3] et que, entre parenthèses je te prie d'ajouter à ton menu! . . .

— Une bouillabaisse,[4] je suis sûre? . . .

— Non! Je fais déjeuner le comte et la comtesse Peaussier côte à côte avec le fils d'un de mes ouvriers, d'un simple ouvrier; il se 15 nomme Grenouillau.

— Quelle singulière idée!

— C'est mon idée. Je paye le voyage du Midi[5] au jeune Grenouillau. Je pouvais inviter tel ou tel freluquet[6] de notre connaissance, utile au polo, au tennis ou au bridge; j'invite Grenouillau. Je 20 pouvais, comme les Peaussier, m'orner le front d'une couronne de papier[7] pour pénétrer dans une classe de la société qui n'est pas la mienne et qui se fût moquée de moi; je tends, moi, loyalement la main à une classe dite inférieure . . .

---

[1] *Donnons du comte aux Peaussier!* Let us bestow upon the Peaussiers the title of count! [2] *La République . . . avec les monarchies,* The Republic is very kind to monarchy (allusion to the welcome extended to many monarchies since 1870; Triple Entente with Russia and Great Britain). [3] *un plat de ma façon,* a dish of my own. [4] *Une bouillabaisse,* A fish soup. [5] *Midi,* South. [6] *freluquet,* insignificant young man. [7] *Je pouvais . . . couronne de papier,* Like the Peaussiers, I could put on my head a paper crown; I could buy a title of nobility.

— Et qui se moquera de toi comme si elle était supérieure !

— Est-ce là toute l'objection que tu as à me présenter ?

— Mon Dieu, oui . . . Ce que tu veux faire là n'est pas une mauvaise action . . . Je n'en vois pas la nécessité absolue ; mais, en toutes
5   vos idées, messieurs, je le sais, il faut tenir compte de l'exagération . . .
En tout cas, je te conseille de ne pas mettre d'ostentation dans l'hospitalité que tu offres à Grenouillau, car quelque chose me dit que si
tu fais déjeuner Grenouillau avec les Peaussier, c'est plus pour les
Peaussier que pour Grenouillau que tu le fais . . .

10   Grenouillau arriva à la villa Bullion le samedi saint au matin, ayant
passé vingt-deux heures dans un compartiment de seconde classe,
non compris le trajet de Corbeil à Paris. M. Bullion se fit conduire à
la gare, au devant du jeune homme, en automobile. Par hasard,
Grenouillau connaissait le mécanicien, Pfister, et il dit au « patron »
15   qui le poussait à l'intérieur de la limousine :

— Si ça ne vous fait rien,[8] m'sieu Bullion, j'vas monter à côté de
Pfister.[9] C'est un bon coup,[10] ça, par exemple, de tomber en plein
pays de connaissance ![11] . . .

— Ah ! . . . bon ! . . . très bien, mon garçon. Si je t'ai fait venir,
20   c'est pour que tu sois à ton aise . . .

— Vous tourmentez pas,[12] m'sieu Bullion !

Et Grenouillau d'entamer [13] la conversation avec Pfister qui répond
par monosyllabes, sans broncher la tête, attentif à sa direction.
M. Bullion, condescendant, n'ose interrompre l'exubérance du
25   voyageur, muet sans doute depuis Corbeil. Cependant, de l'intérieur,
il lui frappe sur l'épaule :

— Pas fatigué, Grenouillau ? . . . trajet un peu longuet ?

Grenouillau fait signe qu'il n'est pas fatigué ; et il dit au mécanicien :

30   — Oh ! ce que j'ai dormi, mon colon ![14] . . . Jamais de ma vie je
n'ai tant roupillé.[15]

A la villa, tandis que Grenouillau est conduit à sa chambre, madame
Bullion demande à son mari :

— Eh bien ! que dit-il Grenouillau ? . . .

---

[8] *Si ça ne vous fait rien,* If you do not mind.   [9] *j'vas monter . . . Pfister,* I
am going to ride with Pfister.   [10] *C'est un bon coup,* It is a lucky occasion.
[11] *tomber . . . connaissance,* land right among people I know.   [12] *Vous tourmentez
pas,* Do not worry.   [13] *Et Grenouillau d'entamer,* And Grenouillau started.
[14] *Oh ! . . . mon colon !* My goodness, how well I slept !   [15] *roupillé,* slept (slang).

— Grenouillau?... ce qu'il dit?... Ah!... Ah! il connaît Pfister.

— As-tu averti ce jeune homme que nous partions, aussitôt après le déjeuner en excursion? Il ne faut pas qu'il se croie obligé de faire toilette!...   5

— Sois tranquille, son bagage tient dans un mouchoir.

Cependant Grenouillau semblait être long à sa toilette; on l'attendait pour servir; on envoya frapper à sa porte; on n'obtint pas de réponse; on le cherchait dans la maison; ne s'y était-il pas égaré? Mais non! Grenouillau était descendu au garage, et il en racontait,   10 à son ami Pfister! Il fallut l'arracher de là.

— Vous n'avez donc pas faim, mon brave ami?

— Si fait![16] madame Bullion, si fait! Il y a bien douze heures que je n'ai pas mangé.

Il mangea tant, en effet, que ce fut un plaisir pour monsieur et   15 madame Bullion de voir ce garçon se remettre si allègrement d'un long voyage. On comprenait très bien qu'il parlât peu, car il avait sans cesse la bouche pleine.

On partit en automobile. Cette fois, M. Bullion conduisait lui-même, et le chauffeur était assis à côté de lui sur le siège; Grenouillau   20 fut [17] à l'intérieur avec madame Bullion qui le comblait de prévenances et l'interrogeait sur sa famille, son passé, son avenir. Elle dit d'abord: « *Madame* votre mère »; [18] puis, par un retour soudain à une plus exacte mesure des valeurs, elle se reprit et dit: « votre mère ». Elle disait à ce pauvre Grenouillau: « vos études! » Elle s'informait de   25 la date de la « première communion »; elle touchait à tous les points de repère importants dans la famille bourgeoise, et peu s'en fallut qu'elle ne parlât « des relations ». Le pauvre Grenouillau bâillait entre les réponses ambiguës à des questions qui l'effaraient et, parmi ces réponses, un mot souvent répété apprenait à madame Bullion que,   30 dans sa famille, à lui, les dates qui comptaient surtout étaient celles qui correspondaient aux périodes où l'on était entré dans la « purée » [19] et celles où l'on en était sorti. Mais que le pauvre Grenouillau bâillait donc! Et l'excellente madame Bullion de lui faire observer: « Jeune homme, vous avez eu tort de rester douze heures sans rien prendre... »   35 Et elle ajoutait, comme pour elle-même, par une longue habitude de dorlotements, de petits soins: « Monsieur Bullion et moi ne

[16] *Si fait!* Yes, indeed!   [17] *fut* (the preterit of *être* in the sense of motion).
[18] *Madame votre mère*, Your mother (the use of *monsieur, madame, mademoiselle* before *père, mère, frère, sœur* is still in use in formal French).   [19] *purée*, poverty (slang).

voyageons jamais sans emporter quelques biscuits ou du chocolat . . . »
ce qui, par exemple, amena le sourire sur les lèvres de Grenouillau.

On avait fait une première halte à la Promenade des Anglais, et
5 M. Bullion, sous un palmier poudreux, désignant Grenouillau, confiait
à ses amis:

— Un pauvre petit gars qui n'est pas sorti de la cuisse de Jupiter,[20]
je vous prie de le croire! à qui je paye le voyage du Midi!...

Et il leur glissait à l'oreille:

10 — Le fils d'un ouvrier, d'un simple petit ouvrier . . .

— Ah! Ah! faisait-on, vous voici dans un beau pays, mon gaillard? . . .

— Un beau pays, oui, m'sieu . . .

Et Grenouillau anxieux semblait attendre, regardant peu le pays,
15 reluquant toute voiture au passage.

On lui disait: « Ah! de la poussière, par exemple! »

Et Grenouillau que la poussière ne gênait pas, avouait: « Je cherche
de l'œil, si, des fois,[21] je ne connaîtrais pas quelqu'un. »

— Mais vous êtes en bonne compagnie, j'imagine? . . .

20 — Pour ça, je ne dis pas non!... faisait Grenouillau en riant
d'une oreille à l'autre.

Et l'excursion en automobile continua jusqu'à Cannes, où madame
Bullion avait une ou deux visites à faire. Mais, cette fois, dans la
voiture, Grenouillau dormit innocemment, sans vergogne, et à fond,
25 comme un petit enfant. On n'osa seulement pas le réveiller pour lui
montrer la Croisette.[22] « S'il s'éveille, menez-le visiter la rue d'Antibes
et le port; nous irons à pied vous rejoindre là. »

Ils vinrent, en effet, à pied, les rejoindre là, une bonne heure après,
environ, et trouvèrent la voiture devant un débit de vins où Gre-
30 nouillau et Pfister buvaient à la santé du mécanicien d'une famille
anglaise, un nommé Robiot, dont madame Bullion entendit parler,
pendant le trajet du retour, à en bâiller elle-même, à son tour, à en
dormir aussi, à la fin.

— Eh bien! mon garçon, demanda-t-on à Grenouillau, au
35 dîner, êtes-vous satisfait de votre première journée dans le
Midi?

Grenouillau était enchanté. Il avait même déjà écrit à son père:
qu'est-ce qu'il dirait, le pauvre vieux, quand il allait savoir que ce

---

[20] *cuisse de Jupiter* (Dionysius [Bacchus], according to Greek legend, was
said to have been born from the thigh of Zeus [Jupiter].) [21] *des fois*, by
chance. [22] *Croisette* (a promontory near Cannes, east of Marseilles).

« sacré Robiot »[23] était là, gros, gras, à se prélasser en baladant des « Englishes ».

Et M. Bullion, lui aussi, connut l'histoire de ce « sacré Robiot » qui, à lui seul, semblait valoir tout l'azur de la Méditerranée.   5

Grenouillau monta se coucher de bonne heure; il avait fait tantôt, pourtant, un fameux somme![24] Madame Bullion dit à son mari que c'est une manie bien bizarre de faire voyager le prolétaire. « Il mange, il boit, il dort, il veut à toute force rencontrer ses pareils et ne profite point de son déplacement. »   10

En quoi madame Bullion se trompait.

Grenouillau se couchait tôt, mais il se leva de bonne heure. A neuf heures du matin, quand ses hôtes étaient encore à prendre leur petit déjeuner, Grenouillau remontait à la villa, revenant de la ville, qu'il arpentait depuis l'aube, et il en avait vu tous les méandres, tous les   15 coins; les marchés, les monuments, les promenades, les points de vue, et jusqu'à des curiosités que les Bullion eux-mêmes et toute la classe riche ou aisée qui vient à Nice, chaque année, ignore. Il avait causé avec les maraîchers, les bouchers, les marchands de poisson, les matelots du port, les fleuristes, les conducteurs de tramways et les pauvres.   20 Grenouillau s'intéressait à tout, à condition qu'on le laissât faire à sa guise,[25] à son heure, en compagnie des siens; le matin appartient au peuple. Et il en rapportait une moisson de connaissances sur le Midi qu'il confiait à son ami Pfister en le regardant faire son automobile, et dont profita et s'émerveilla M. Bullion, un moment, en passant   25 par là pour donner des ordres.

— Ah! Ah! dit à sa femme M. Bullion, en se frottant les mains, je le savais bien que ce « populo »[26] n'est pas si bête, et qu'en plus d'une occasion même il nous en peut remontrer! Ce gavroche arrivé d'hier, et qui ne sait que dormir, dites-vous, pour peu que je réussisse   30 à le faire parler au déjeuner, va en donner à rabattre[27] au comte et à la comtesse Peaussier. C'est très curieux, très curieux, ce que ce garçon racontait à Pfister; nous ne nous levons pas si matin nous autres; nous n'interrogeons pas directement les gens, nous ne savons rien que de seconde main ... Je ferai raconter à Grenouillau toute   35 cette vie matinale d'une grande ville, et ses impressions naïves, qui sont si justes, avec des expressions ... non pas académiques — tant pis —! mais de poète, ma parole d'honneur! ... Et je leur dirai, au

---

[23] *ce sacré Robiot*, that confounded Robiot. [24] *somme*, nap. [25] *à sa guise*, as he wished. [26] *populo*, people (slang). [27] *en donner à rabattre*, to take ... down a peg.

comte et à la comtesse Peaussier, « C'est un pauvre petit gars, le fils d'un ouvrier, d'un simple ouvrier . . . »

A une heure moins le quart, le comte et la comtesse Peaussier arrivèrent à la villa Bullion dans une auto superbe et du dernier modèle.
5 C'étaient, d'ailleurs, des gens fort bien.[28] D'autres personnes étaient là déjà, et, quoiqu'on n'eût point encore vu Grenouillau, M. Bullion leur annonça qu'il leur réservait une surprise. Elle ne se présentait point. M. Bullion dit un mot à l'oreille d'un domestique. Le domestique revint et dit un mot à l'oreille de son maître. M. Bullion com
10 manda d'attendre. Madame Bullion, plus avisée et qui s'impatientait, commanda qu'on allât voir au garage. L'anxiété des convives augmenta; quelle surprise pouvait venir du garage? On hasardait cent hypothèses; enfin l'on s'agitait; M. Bullion leur dit alors:

— Voilà: j'aurai l'honneur de vous faire déjeuner avec un pauvre
15 petit gars qui n'est pas sorti de la cuisse de Jupiter, le fils d'un ouvrier, d'un simple ouvrier . . .

— Mais bravo ! . . . mais bravo !

La surprise fut accueillie à merveille; et l'on parla en attendant Grenouillau, de l'opportunité, voire de la nécessité de se mêler aux
20 gens du peuple; et l'on félicita chaleureusement M. Bullion de son intéressante initiative. Mais l'enfant du peuple à qui une société élégante réservait un si gracieux accueil, ne se montrait toujours [29] pas. On décida de se mettre à table. M. Bullion était mécontent.

A peine assis, et dans le premier silence, il fit signe au maître d'hôtel
25 et l'interrogea péremptoirement. Les convives, malgré eux, étaient suspendus à la moindre parole pouvant éclaircir le mystère. Aussi l'on entendit distinctement la réponse du maître d'hôtel:

Monsieur Grenouillau est bien là [30] . . . mais monsieur Grenouillau a dit qu'il préférait manger à la cuisine.

[28] *des gens fort bien*, very distinguished (well-bred) people. [29] *toujours*, still. [30] *bien là*, there all right.

Gaston Chérau

1872–1937

Gaston Chérau was born at Niort in 1872. As a reward for the character and the excellence of his writings, he was elected a member of the Goncourt Academy in 1926.

Chérau is considered by many critics among the first-class short story writers with Daudet, Maupassant, Zola, and others. His main object is to describe the countryside and give a realistic picture of the country people with their sterling qualities and their outstanding defects.

READING SUGGESTIONS

SHORT STORIES	*Le Despélouquéro*	1923
	Les Cercles du printemps	1931
NOVELS	*Le Vent du destin*	1926
	L'Enfant du pays	1932
	La Destinée	1934

LACASSADE

TIME   1920.

PLACE   Countryside, near Nérac, a short distance from Bordeaux.

QUALI-   Interesting portrayal of an individual whose sole ambition
TIES   is to acquire for himself a piece of land that is to bring
            him ease and security.   The dramatic tension heightens
            rapidly as the story advances; it is told with simple and
            natural charm.

MEAN-   Wealth brings influence.   The French peasant is particu-
ING   larly attached to the land that gives him power, comfort,
            and security; his habit of thrift is proverbial.   History
            and literature concur to prove it.

Lacassade

Gaston Chérau

— Pourquoi, Lacassade, vous appelle-t-on Jeanty puisque vous vous nommez Pierre ?

— Moussu,[1] parce qu'on m'a dit quand j'étais gamin, que Pierre c'était un nom de vieux. On m'a appelé Jeanty et, depuis, ça m'est resté. Il est trop tard pour m'appeler Pierre maintenant.   5

— Jeanty, vous n'avez pas songé à vous marier ?

— Ah ! n'en parlez pas, moussu ! un jour j'étais pour le faire, et juste, il y avait une vache qui vêlait.[2] Alors je n'ai pas pu aller à la mairie pour « me publier ».[3]

— Mais le lendemain ?   10

— Eh ! que voulez-vous, le lendemain, il devait y avoir autre chose que je ne me rappelle plus. Et ensuite . . . je ne sais pas . . .

— Cela vous est sorti de la tête, allons ![4]

— C'est ça, moussu !

Les idées lui sortaient de la tête ainsi, sans qu'il s'en aperçût, et sans   15
qu'il en souffrît. Chaque jour il abandonnait le projet qu'il avait conçu la veille. Aussi, quels projets il faisait !

— Je creuse un canal d'un mètre de large dans ma lande de Tenaillon ; j'amène les eaux de la source au-dessus du moulin, et, du même coup,[5] voilà mon moulin qui tourne toute l'année et ma lande qui est   20
en rapport.[6] Je plante des pins, je . . . je . . .

Ou bien :

— J'ai une idée pour mes terres basses ! Il paraît que c'est bon pour l'angélique.[7] Je vais planter de l'angélique.

Pendant quelques heures, il était le premier agriculteur du pays, le   25
premier vigneron, le premier éleveur de chevaux . . . Tout cela n'était

---

[1] *moussu*, sir (for *monsieur*).   [2] *vêlait*, was calving.   [3] *me publier*, to
have my name posted. (In France, the names of engaged couples must be
posted on the bulletin board of the city hall ten days before the wedding.)
[4] *allons*, I suppose.   [5] *du même coup*, at the same time.   [6] *qui est en
rapport*, which is productive.   [7] *l'angélique* (plant containing resin and oil
used for medicinal purposes).

que bulles de savon; Lacassade, aussitôt las, les crevait au moment où les irisations étaient les plus merveilleuses [8] — sage comme un poète qui sait bien que les belles choses sont celles qu'on ne réalise jamais.

5   Ce que Lacassade possédait suffisait à son bonheur: dix arpents [9] de vigne, cinq hectares [10] de lande, une source au ras de sa maison — pour faire rafraîchir les bouteilles, en été, à l'heure de la sieste — un vivier qui, dès avril, dans les soirs d'orage, était animé par les folâtreries des grosses tanches, une petite garenne avec de bons clapiers, une allée

10 de pêchers, une allée de pruniers, des néfliers dans les haies, un gros châtaignier qui couvrait le toit de son étable... Vive Dieu qui nous aide ainsi à soigner honnêtement la vie qu'il nous a prêtée! Lacassade était heureux, toujours préoccupé de grands rêves; comme il se doutait qu'il ne les réaliserait jamais, il n'avait cure de les

15 limiter.

De temps à autre, un peu d'argent lui tombait à l'improviste; c'était ce qu'il appelait de l'argent du ciel. Il fallait un lièvre à l'un des maîtres d'hôtel de Nérac,[11] du poisson pour le château, du tilleul et des herbes pour le pharmacien. Lacassade s'en occupait. Des

20 voisins avaient-ils de l'eau-de-vie à vendre? Lacassade traitait pour eux avec un gros marchand et se chargeait d'apporter l'armagnac [12] en ville, à la barbe de la régie.[13]

Un jour qu'il avait vu « la volante » [14] passer sur la route, il fit vite le plein de deux barils [15] et les plaça chacun dans une chapelière,

25 qu'il bourra de chiffons. Il attela son cheval, s'habilla, et guetta le retour des agents. Lorsqu'il les aperçut, il sortit sa voiture, déposa son béret sur le siège et fit l'embarrassé. [16] Au moment où les gens surgirent, voilà mon Lacassade qui leur dit:

— Il n'y en aurait pas un de vous qui voudrait rendre un grand ser-

30 vice à un pauvre homme? Je vais au mariage de mon neveu, et, tenez, les bras ne fonctionnent plus. Je ne peux pas charger tout seul mes malles sur ma carriole.

Un agent se moqua de lui, l'aida, et comme un service en vaut un autre, Lacassade reprit:

---

[8] *les plus merveilleuses*, at the height of their beauty.   [9] *arpents*, acres.
[10] *hectare* (2.47 acres).   [11] *Nérac*, a town southeast of Bordeaux.   [12] *armagnac*
(a sort of brandy made in the region of Armagnac in Gascony).   [13] *à la barbe
de la régie*, under the very nose of the tax collector.   [14] *« la volante »* (name
given to tax collectors who go from town to town to collect taxes).   [15] *il fit
vite ... deux barils*, he quickly filled two casks (with brandy).   [16] *fit l'embarrassé*, pretended to be at a loss.

— Vous retournez en ville? Je vous emmène. Allez! Allez! Pas de façons! Nous serons un peu tassés, mais ma bête est solide.

Une heure après, il faisait son entrée en ville, avec cent litres d'eau-de-vie de contrebande [17] et trois agents du fisc dans sa voiture pour se garantir des mauvaises visites.[18]   5

Jamais il ne se vantait de ses coups, car, dit le proverbe, « celui qui a découvert un nid ne doit pas parler de l'aubaine, sous peine d'éveiller l'attention du serpent qui guette. » On sait ce que signifie le *serpent.*

Une année que la fantaisie de voir Paris l'avait pris, il informa ses amis qu'il allait « dans le Nord ».   10

Il partit, et quand, de retour au pays, les amis lui demandèrent ce qu'il avait vu, il répondit:

— Peuh! Rien! Ils n'ont seulement pas de quoi tirer une barrique de piquette. Mais j'ai traité une grosse, grosse affaire.

— Alors, tu vas devenir riche?   15

— Peut-être ... Peut-être!

L'affaire que Lacassade avait traitée à Paris?

La voici.

Le lendemain de son arrivée, il se promenait, le nez au vent, quand son pied buta dans quelque chose — dans un portefeuille, qu'il   20 ramassa. Un coup d'œil à l'intérieur ... Il eut un éblouissement!

Il rentra à l'hôtel, compta les billets de banque et songea que l'heure sonnait peut-être de reprendre le premier train pour la Gascogne. Mais on est honnête, allons! [19]

Il se renseigna sur ce qu'on devait faire lorsqu'on trouvait une for-   25 tune dans la rue. Il apprit que l'usage exigeait qu'on le déposât à la Préfecture de Police. Avant de le faire, il compta encore une fois les beaux billets — il y en avait onze.

Ses doigts tremblaient un peu.

— Té! fit-il, tout à coup, je vais consoler ce malheureux qui doit   30 avoir tant de peine.

Il tira de la poche de son gilet les trois billets de cent francs qu'il y avait épinglés, et, courageusement, il les ajouta aux coupures du portefeuille; puis il examina les papiers. Il y avait des lettres et des notes. Lacassade les brûla, par discrétion.   35

Ensuite, le cœur léger, il fut porter [20] sa trouvaille à la préfecture, où on le traita comme un héros. Cela fait toujours plaisir.

Le fonctionnaire qui le reçut lui dit:

— Vous savez que si, dans un an et un jour, le propriétaire du porte-

---

[17] *eau-de-vie de contrebande,* smuggled brandy.   [18] *mauvaises visites,* trouble-some inspections.   [19] *allons,* of course.   [20] *il fut porter,* he took.

feuille ne s'est pas présenté, le portefeuille et son contenu vous appartiendront?

— Oh! dit Lacassade, du ton le plus détaché, je ne compte pas là-dessus.

5 On prit son adresse, on le félicita encore, et Pierre Lacassade, dit Jeanty, se retira; mais il n'avait plus que juste de quoi gagner sa Gascogne.[21]

Sans plus d'hésitation que de regrets, il reprit sa valise et, satisfait de son acte, il s'en retourna au pays, rêvant déjà d'acheter le coin de 10 mauvaise lande qu'il connaissait: elle était exposée au nord, chargée de gros chênes, vieux, fendus, et qui ressemblaient plus à des rochers qu'à des arbres.

Mais Lacassade avait son idée.

Lorsqu'une année fut révolue, il reçut une lettre de l'administration; 15 on l'invitait à venir retirer le portefeuille qu'il avait trouvé.

Donc, pour la seconde fois, il prit le train pour Paris où il apprit que deux jours après son acte d'honnête homme, un vilain bougre de maquignon s'était présenté pour retirer un portefeuille contenant onze billets de mille francs et des papiers personnels.

20 — Savez-vous ce que nous avons supposé? dit le fonctionnaire à Lacassade. Vous êtes du Midi, vous êtes un peu bavard. Vous avez dû parler de votre trouvaille, et il s'est trouvé une canaille qui a tenté de profiter de votre renseignement.

— Ça se pourrait bien, fit Lacassade.

25 Cette fois encore, il ne vit rien de Paris. Il avait trop grande hâte de se retrouver chez lui pour être sûr que les beaux billets ne lui échapperaient pas. Il avait toujours en tête sa plus somptueuse idée, la seule qui lui fût restée si longtemps dans la caboche:[22] il acheta la mauvaise lande à chênes pourris, et c'est lui, maintenant, qui a la 30 plus belle chasse aux palombes du pays. Dès les premiers passages de la migration d'automne, si l'on a besoin de lui il ne faut jamais le chercher ailleurs que là. Il s'y trouve bien avant qu'à sa droite le coteau se dessine sur le ciel que la nuit abandonne; et le soir, quand l'incendie du couchant commence à s'éteindre, il y est encore.

[21] *juste ... Gascogne,* just enough to get back to Gascony. [22] *caboche,* head (slang).

Antoine de Saint-Exupéry

1900–1944

Antoine de Saint-Exupéry was born at Lyons in 1900. He studied in France and Switzerland and prepared himself for the Naval School. He saw military service at Strasbourg where he took a pilot licence. He then took charge of the airline Casablanca-Dakar. He wrote, at this time, *Le Courrier du Sud*, his first book. A little later he received an appointment to establish a liaison between Buenos Aires and Punta Arenas, in South America; in the meantime, he published *Vol de nuit*, which was awarded *Prix Fémina*.

In 1940 Saint-Exupéry came to New York where he remained until 1943. While in New York he prepared another book, *Lettre à un otage*. He died in 1944 in the course of a mission on which he had been sent. In his writings he shows himself to be a poet and a thinker.

READING SUGGESTIONS

Le Courrier du Sud	1928
Vol de nuit	1930
Terre des hommes	1939
Pilote de guerre	1942
Le petit prince	1943

AU CENTRE DU DÉSERT

TIME   1939.

PLACE   Africa.

QUALI-   Vivid description of the desert. This story is an example
TIES   of Saint-Exupéry's courage in the presence of difficulties
that brought him face to face with death. The writings
of Saint-Exupéry are the image of a great character and
the reflection of human energy battling the forces of
nature. He is a man who found in duty and sacrifice the
reason for his existence.

MEAN-   Brotherhood of man, which is one of the definite charac-
ING   teristics of the French.

Au Centre du désert

Antoine de Saint-Exupéry

Saint-Exupéry and his radio mechanic Prévot lose their bearings during the night while flying over the lower Nile. After some minor mishaps they start marching in hope of finding help.

Nous décidons, au coucher du soleil, de camper. Je sais bien que nous devrions marcher encore; cette nuit sans eau nous achèvera. Mais nous avons emporté avec nous les panneaux de toile du parachute. Il faut étendre nos pièges à rosée,[1] une fois encore, sous les étoiles.

Mais au Nord, le ciel est ce soir pur de nuages. Mais le vent a 5
changé de goût. Il a changé aussi de direction. Nous sommes frôlés déjà par le souffle chaud du désert. C'est le réveil du fauve! Je le sens qui nous lèche les mains et le visage . . .

Mais si je marche encore je ne ferai pas dix kilomètres. Depuis trois jours, sans boire, j'en ai couvert plus de cent quatre-vingts . . . 10
Mais à l'instant de faire halte:

— Je vous jure que c'est un lac, me dit Prévot.

— Vous êtes fou!

— A cette heure-ci, au crépuscule, cela peut-il être un mirage?

Je ne réponds rien. J'ai renoncé, depuis longtemps, à croire mes 15
yeux. Ce n'est pas un mirage, peut-être, mais alors, c'est une invention de notre folie. Comment Prévot croit-il encore?

— C'est à vingt minutes,[2] je vais aller voir . . .

Cet entêtement m'irrite.

— Allez voir, allez prendre l'air . . . c'est excellent pour la santé. 20
Mais s'il existe votre lac, il est salé, sachez-le bien. Salé ou non, il est au diable.[3] Et par-dessus tout il n'existe pas.

Prévot, les yeux fixes, s'éloigne déjà. Je les connais ces attractions souveraines![4] Et moi je pense: « Il y a aussi des somnambules qui vont se jeter droit sous les locomotives. » Je sais que Prévot ne re- 25
viendra pas. Ce vertige du vide le prendra et il ne pourra plus faire

---

[1] *pièges à rosée*, dew catchers. [2] *C'est à vingt minutes*, It will only take twenty minutes. [3] *il est au diable*, it is far off. [4] *souveraines*, compelling.

demi-tour.[5] Et il tombera un peu plus loin . . . Et il mourra de son
côté et moi du mien. Et tout cela a si peu d'importance !

Je n'estime pas d'un très bon augure cette indifférence qui m'est
venue. Mais j'en profite pour écrire une lettre posthume, à plat
5   ventre sur les pierres. Ma lettre est très belle, très digne. J'y pro-
digue de sages conseils. J'éprouve à la relire un vague plaisir de
vanité. On dira d'elle: « Voilà une admirable lettre posthume ! Quel
dommage qu'il soit mort ! » [6]

Je voudrais aussi connaître où j'en suis.[7] J'essaie de former de la
10   salive; depuis combien de temps n'ai-je pas craché ? Je n'ai plus de
salive. Si je garde la bouche fermée, une matière gluante scelle mes
lèvres. Elle sèche et forme, au dehors, un bourrelet dur. Cependant,
je réussis encore mes tentatives de déglutition. Et mes yeux ne se
remplissent point encore de lumières. Quand ce radieux spectacle me
15   sera offert, c'est que j'en aurai pour deux heures.[8]

Il fait nuit. La lune a grossi depuis l'autre [9] nuit. Prévot ne
revient pas. Je suis allongé sur le dos et je mûris [10] ces évidences.
Je retrouve en moi une vieille impression. Je cherche à la définir.
Je suis . . . Je suis . . . embarqué ! Je me rendais en Amérique du
20   Sud, je m'étais étendu sur le pont supérieur. La pointe du mât se
promenait de long en large, très lentement, parmi les étoiles. Il
manque ici un mât, mais je suis embarqué quand même, vers une
destination qui ne dépend plus de mes efforts. Des négriers m'ont
jeté, lié, sur un navire.

25   Je songe à Prévot qui ne revient pas. Je ne l'ai pas entendu se
plaindre une seule fois. C'est très bien. Il m'eût été insupportable
d'entendre geindre. Prévot est un homme.

Ah! à cinq cents mètres de moi le voilà qui agite sa lampe ! Il a
perdu mes traces ! je n'ai pas de lampe pour lui répondre, je me lève,
30   je crie, mais il n'entend pas . . .

Une seconde lampe s'allume à deux cents mètres de la sienne, une
troisième lampe. Mon Dieu, c'est une battue et l'on me cherche.

Je crie:

— Ohé !

35   Mais on ne m'entend pas.

Les trois lampes poursuivent leurs signaux d'appel. Je ne suis pas
fou ce soir. Je me sens bien. Je suis en paix. Je regarde avec attention. Il y a trois lampes à cinq cents mètres.

---

[5] *faire demi-tour*, turn about face.   [6] *qu'il soit mort*, that he died.   [7] *où j'en suis*, the condition I am in.   [8] *c'est que . . . deux heures*, then I will be done for in two hours.   [9] *l'autre*, last.   [10] *je mûris*, I ponder.

— Ohé!

Mais on ne m'entend toujours [11] pas.

Alors je suis pris d'une courte panique. La seule que je connaîtrai. Ah! je puis encore courir: « Attendez... Attendez... » Ils vont faire demi-tour! Ils vont s'éloigner, chercher ailleurs, et moi je vais tomber sur le seuil de la vie, quand il était des bras [12] pour me recevoir!...   5

— Ohé! Ohé!

— Ohé!

Ils m'ont entendu. Je suffoque mais je cours encore. Je cours dans   10
la direction de la voix: « Ohé! » J'aperçois Prévot et je tombe.

— Ah! Quand j'ai aperçu toutes ces lampes!

— Quelles lampes?

C'est exact, il est seul. Cette fois je n'éprouve aucun désespoir, mais une sourde colère.   15

— Et votre lac?

— Il s'éloignait quand j'avançais. Et j'ai marché vers lui pendant une demi-heure. Après une demi-heure il était trop loin. Je suis revenu. Mais je suis sûr maintenant que c'est un lac...

— Vous êtes fou, absolument fou. Ah! pourquoi avez-vous fait   20
cela?... Pourquoi?

Qu'a-t-il fait? Pourquoi l'a-t-il fait? Je pleurerais [13] d'indignation, et j'ignore pourquoi je suis indigné. Et Prévot m'explique d'une voix qui s'étrangle:

— J'aurais tant voulu trouver à boire... Vos lèvres sont tellement   25
blanches!

Ah! ma colère tombe... Je passe ma main sur mon front, comme si je me réveillais, et je me sens triste. Et je raconte doucement:

— J'ai vu, comme je vous vois, j'ai vu clairement, sans erreur possi-   30
ble, trois lumières... Je vous dis que je les ai vues, Prévot!

Prévot se tait d'abord:

— Eh oui, avoue-t-il enfin, ça va mal.

La terre rayonne vite sous cette atmosphère sans vapeur d'eau. Il fait déjà très froid. Je me lève et je marche. Mais bientôt je suis pris   35
d'un insupportable tremblement. Mon sang déshydraté circule très mal, et un froid glacial me pénètre, qui n'est pas seulement le froid de la nuit. Mes mâchoires claquent et tout mon corps est agité de soubresauts. Je ne puis plus me servir d'une lampe électrique tant

[11] *toujours*, still.   [12] *quand il était des bras*, when there were arms.   [13] *Je pleurerais*, I would cry.

ma main la secoue. Je n'ai jamais été sensible au froid, et cependant je vais mourir de froid, quel étrange effet de la soif!

J'ai laissé tomber mon caoutchouc quelque part, las de le porter dans la chaleur. Et le vent peu à peu empire.[14] Et je découvre que
5 dans le désert il n'est point de refuge. Le désert est lisse comme un marbre. Il ne forme point d'ombre pendant le jour, et la nuit il vous livre tout nu au vent. Pas un arbre, pas une haie, pas une pierre qui m'eût abrité. Le vent me charge comme une cavalerie en terrain découvert. Je tourne en rond pour le fuir. Je me couche et je me
10 relève. Couché ou debout je suis exposé à ce fouet de glace. Je ne puis courir, je n'ai plus de forces, je ne puis fuir les assassins et je tombe à genoux, la tête dans les mains, sous le sabre!

Je m'en rends compte un peu plus tard; je me suis relevé, et je marche droit devant moi, toujours grelottant. Où suis-je? Ah! Je
15 viens de partir, j'entends Prévot! Ce sont ses appels qui m'ont réveillé...

Je reviens vers lui, toujours agité par ce tremblement, par ce hoquet[15] de tout le corps. Et je me dis: « Ce n'est pas le froid. C'est autre chose. C'est la fin. » Je me suis déjà trop déshydraté. J'ai
20 tant marché, avant-hier, et hier quand j'allais seul.

Cela me peine de finir par le froid. Je préférerais mes mirages intérieurs. Cette croix, ces arabes,[16] ces lampes. Après tout, cela commençait à m'intéresser. Je n'aime pas être flagellé comme un esclave.
25 Me voici encore à genoux.

Nous avons apporté un peu de pharmacie. Cent grammes d'éther pur, cent grammes d'alcool à 90, mais cela me ferme la gorge.

Je creuse une fosse dans le sable, je m'y couche, et je me recouvre de sable. Mon visage seul émerge. Prévot a découvert des brindilles
30 et allume un feu dont les flammes seront vite taries. Prévot refuse de s'enterrer sous le sable. Il préfère battre la semelle.[17] Il a tort.

Ma gorge demeure serrée, c'est mauvais signe, et cependant je me sens mieux. Je me sens calme. Je me sens calme au delà de toute espérance. Je m'en vais malgré moi en voyage, ligoté sur le vent de
35 mon vaisseau de négriers sous les étoiles. Mais je ne suis peut-être pas très malheureux...

[14] *empire,* gets worse.   [15] *hoquet,* spasm.   [16] *croix...arabes* (This is a reference to the hallucination that the author was traveling to South America on a slave ship. The cross is formed by the yardarm of the mast; the Arabs are slave traders.)   [17] *battre la semelle,* to stamp his feet on the ground (to get warm).

Je ne sens plus le froid, à condition de ne pas remuer un muscle. Alors j'oublie mon corps endormi sous le sable. Je ne bougerai plus, et ainsi je ne souffrirai plus jamais. D'ailleurs véritablement l'on souffre si peu ... Il y a derrière tous ces tourments, l'orchestration de la fatigue et du délire. Et tout se change en livres d'images, en 5 conte de fées un peu cruel ... Tout ce torrent d'images m'emporte, je le sens, vers un songe tranquille; les fleuves se calment dans l'épaisseur de la mer.

Adieu, vous [18] que j'aimais. Ce n'est pas ma faute si le corps humain ne peut résister trois jours sans boire. Je ne me croyais pas ainsi 10 prisonnier des fontaines. Je ne soupçonnais pas une aussi courte autonomie. On croit que l'homme peut s'en aller devant soi.[19] On croit que l'homme est libre ... On ne voit pas la corde qui le rattache au puits, qui le rattache comme un cordon ombilical, au ventre de la terre. S'il fait un pas de plus, il meurt. 15

A part votre souffrance je ne regrette rien. Tout compte fait,[20] j'ai eu la meilleure part. Si je rentrais, je recommencerais. J'ai besoin de vivre. Dans les villes il n'y a plus de vie humaine.

Il ne s'agit point ici d'aviation. L'avion, ce n'est pas une fin, c'est un moyen. Ce n'est pas pour l'avion que l'on risque sa vie. Ce n'est 20 pas non plus pour sa charrue que le paysan laboure. Mais, par l'avion, on quitte la ville et leurs comptables, et l'on retrouve une vérité paysanne.

On fait un travail d'homme et l'on connaît des soucis d'homme. On est en contact avec le vent, avec les étoiles, avec la nuit, avec le 25 sable, avec la mer. On attend l'escale comme une terre promise, et l'on cherche sa vérité dans les étoiles.

Je ne me plaindrai pas. Depuis trois jours, j'ai marché, j'ai eu soif, j'ai suivi des pistes dans le sable, j'ai fait de la rosée mon espérance. J'ai cherché à joindre mon espèce, dont j'avais oublié où elle logeait 30 sur la terre. Et ce sont des soucis de vivants. Je ne regrette rien. J'ai joué, j'ai perdu. C'est dans l'ordre de mon métier. Mais, tout de même,[21] j'ai respiré le vent de la mer.

Ceux qui l'ont goûté une fois n'oublient pas cette nourriture. N'est-ce pas mes camarades? Et il ne s'agit pas de vivre dangereuse- 35 ment. Cette formule est prétentieuse. Les toréadors ne me plaisent guère. Ce n'est pas le danger que j'aime. C'est la vie.

Il me semble que le ciel va blanchir. Je sors un bras du sable. J'ai

---

[18] *vous* (refers to his wife). [19] *On croit que ... devant soi*, We imagine that man pursues his own course freely. [20] *Tout compte fait*, Everything considered. [21] *tout de même*, just the same.

un panneau à la portée de la main, je le tâte mais il reste sec. At-
tendons. La rosée se dépose à l'aube. Mais l'aube blanchit sans
mouiller nos linges. Alors mes réflexions s'embrouillent un peu et je
m'entends dire: « Il y a ici un cœur sec... un cœur sec... un cœur
5 sec qui ne sait point former de larmes!... »

— En route Prévot! Nos gorges ne sont pas fermées encore, il faut
marcher!

Il souffle ce vent d'ouest qui sèche l'homme en dix-neuf heures.
Mon œsophage n'est pas fermé encore, mais il est dur et douloureux.
10 J'y devine déjà quelque chose qui racle. Bientôt commencera cette
toux que l'on m'a décrite, et que j'attends. Ma langue me gêne.
Mais le plus grave est que j'aperçois déjà des taches brillantes. Quand
elles se changeront en flammes, je me coucherai.

Nous marchons vite. Nous profitons de la fraîcheur du petit jour.[22]
15 Nous savons bien qu'au grand soleil, comme l'on dit, nous ne mar-
cherons plus. Au grand soleil...

Nous n'avons pas le droit de transpirer. Ni même celui d'attendre.
Cette fraîcheur n'est qu'une fraîcheur à dix-huit pour cent d'humidité.
Ce vent qui souffle vient du désert. Et sous cette caresse menteuse
20 et tendre, notre sang s'évapore.

Nous avons mangé un peu de raisin le premier jour. Depuis trois
jours, une demi-orange et une moitié de madeleine. Avec quelle
salive eussions-nous mâché notre nourriture? Mais je n'éprouve
aucune faim, je n'éprouve que la soif, j'éprouve les effets de la soif.
25 Cette gorge dure. Cette langue de plâtre. Ce raclement et cet
affreux goût dans la bouche. Ces sensations-là sont nouvelles pour
moi. Sans doute l'eau les guérirait-elle, mais je n'ai pas de souvenirs
qui leur associent ce remède. La soif devient de plus en plus une
maladie et de moins en moins un désir.

30 Il me semble que les fontaines et les fruits m'offrent déjà des images
moins déchirantes. J'oublie le rayonnement de l'orange, comme il
me semble avoir oublié mes tendresses. Déjà peut-être j'oublie
tout.

Nous nous sommes assis, mais il faut repartir. Nous renonçons aux
35 longues étapes. Après cinq cents mètres de marche nous croulons de
fatigue. Et j'éprouve une grande joie à m'étendre. Mais il faut
repartir.

Le paysage change. Les pierres s'espacent. Nous marchons maintenant sur du sable. A deux kilomètres devant nous, des dunes.
40 Sur ces dunes quelques taches de végétation basse. A l'armure

---

[22] *petit jour*, early dawn.

d'acier,[23] je préfère le sable. C'est le désert blond. C'est le Sahara.
Je crois le reconnaître ...

Maintenant nous nous épuisons en deux cents mètres.

Nous allons marcher, tout de même, au moins jusqu'à ces arbustes.
C'est une limite extrême.   5

Hier, je marchais sans espoir. Aujourd'hui, nous marchons parce
que nous marchons. Ainsi des bœufs sans doute, au labour.[24] Je
rêvais hier à des paradis d'orangers. Mais aujourd'hui, il n'est
plus, pour moi, de paradis. Je ne crois plus à l'existence des
oranges.   10

Je ne découvre plus rien en moi, sinon une grande sécheresse de
cœur. Je vais tomber et je ne connais point le désespoir. Je n'ai
même pas de peine. Je le regrette; le chagrin me semblerait doux
comme l'eau. On a pitié de soi et l'on se plaint comme un ami. Mais
je n'ai plus d'ami au monde.   15

Quand on me retrouvera, les yeux brûlés, on imaginera que j'ai
beaucoup appelé et beaucoup souffert. Mais les élans, mais les regrets,
mais les tendres souffrances, ce sont encore des richesses. Et moi je
n'ai plus de richesses. Les fraîches jeunes filles, au soir de leur premier
amour, connaissent le chagrin et pleurent. Le chagrin est lié aux   20
frémissements de la vie. Et moi je n'ai plus de chagrin ...

Le désert, c'est moi. Je ne forme plus de salive, mais je ne forme
plus, non plus,[25] les images douces vers lesquelles j'aurais pu gémir.
Le soleil a séché en moi la source des larmes.

Et cependant, qu'ai-je aperçu? Un souffle d'espoir a passé sur moi   25
comme une risée sur la mer. Quel est le signe qui vient d'alerter mon
instinct avant de frapper ma conscience? Rien n'a changé, et cependant tout a changé. Cette nappe de sable, ces tertres et ces légères
plaques de verdure ne composent plus un paysage, mais une scène.
Une scène vide encore, mais toute préparée. Je regarde Prévot. Il   30
est frappé du même étonnement que moi mais il ne comprend pas
non plus ce qu'il éprouve.

Je vous jure qu'il va se passer quelque chose ...

Je vous jure que le désert s'est animé. Je vous jure que cette
absence, que ce silence sont tout à coup plus émouvants qu'un tumulte   35
de place publique ...

Nous sommes sauvés, il y a des traces dans le sable! ...

Ah! nous avions perdu la piste de l'espèce humaine, nous étions
tranchés d'avec la tribu, nous nous étions retrouvés seuls au monde,

[23] *armure d'acier*, steel plate (a figure of speech referring to the rock forma-
tion of the desert). [24] *au labour*, plowing. [25] *non plus*, either.

oubliés par une migration universelle, et voici que nous découvrons, imprimés dans le sable, les pieds miraculeux de l'homme.

— Ici, Prévot, deux hommes se sont séparés . . .

— Ici, un chameau s'est agenouillé . . .

5 Et cependant, nous ne sommes point sauvés encore. Il ne nous suffit pas d'attendre. Dans quelques heures, on ne pourra plus nous secourir. La marche [26] de la soif, une fois la toux commencée, est trop rapide. Et notre gorge . . .

Mais je crois en cette caravane, qui se balance quelque part, dans 10 le désert.

Nous avons donc marché encore, et tout à coup j'ai entendu le chant du coq. Prévot m'a saisi le bras:

— Vous avez entendu?

— Quoi?

15 — Le coq!

— Alors . . . Alors . . .

Alors, bien sûr, imbécile, c'est la vie.

J'ai une dernière hallucination; celle de trois chiens qui se poursuivaient. Prévot qui regardait aussi, n'a rien vu. Mais nous sommes 20 deux à tendre les bras vers ce Bédouin. Nous sommes deux à user [27] vers lui le souffle de nos poitrines. Nous sommes deux à rire de bonheur! . . .

Mais nos voix ne portent pas à trente mètres. Nos cordes vocales sont déjà sèches. Nous nous parlions tout bas [28] l'un à l'autre, et 25 nous ne l'avions même pas remarqué!

Mais ce Bédouin et son chameau, qui viennent de se démasquer de derrière le tertre, voilà que lentement, lentement, ils s'éloignent. Peut-être cet homme est-il seul. Un démon cruel nous l'a montré et le retire . . .

30 Et nous ne pourrions plus courir!

Un autre arabe apparaît de profil sur la dune. Nous hurlons, mais tout bas. Alors, nous agitons les bras et nous avons l'impression de remplir le ciel de signaux immenses. Mais ce Bédouin regarde toujours vers la droite . . .

35 Et voici que, sans hâte, il a amorcé un quart de tour. A la seconde même où il regardera vers nous, il aura déjà effacé en nous la soif, la mort et les mirages. Il a amorcé un quart de tour qui, déjà, change le monde. Par un mouvement de son seul buste, par la promenade de son seul regard, il crée la vie, et il me paraît semblable à un dieu . . .

[26] *La marche*, The progress.   [27] *à user*, to exhaust.   [28] *tout bas*, in a whisper.

C'est un miracle ... Il marche vers nous sur le sable, comme un dieu sur la mer ...

L'arabe nous a simplement regardés. Il a pressé, des mains, sur nos épaules, et nous lui avons obéi. Nous nous sommes étendus. Il n'y a plus ni races, ni langages, ni divisions ... Il y a ce nomade 5 pauvre qui a posé sur nos épaules des mains d'archange.

Nous avons attendu, le front dans le sable. Et maintenant, nous buvons à plein ventre, la tête dans la bassine, comme des veaux. Le Bédouin s'en effraie et nous oblige, à chaque instant, à nous interrompre. Mais dès qu'il nous lâche, nous replongeons notre visage 10 dans l'eau.

L'eau!

Eau, tu n'as ni goût, ni couleur, ni arome, on ne peut pas te définir, on te goûte, sans te connaître. Tu n'es pas nécessaire à la vie; tu es la vie. Tu nous pénètres d'un plaisir qui ne s'explique point par 15 les sens. Avec toi rentrent en nous tous les pouvoirs auxquels nous avions renoncé. Par ta grâce, s'ouvrent en nous toutes les sources taries de notre cœur.

Tu es la plus grande richesse qui soit au monde, et tu es aussi la plus délicate, toi si pure au ventre de la terre. On peut mourir sur 20 une source d'eau magnésienne. On peut mourir à deux pas d'un lac d'eau salée. On peut mourir malgré deux litres de rosée qui retiennent en suspens quelques sels. Tu n'acceptes point de mélange, tu ne supportes point d'altération, tu es une ombrageuse [29] divinité.

Mais tu répands en nous un bonheur infiniment simple. 25

Quant à toi qui nous sauves, Bédouin de Lybie, tu t'effaceras cependant à jamais de ma mémoire. Je ne me souviendrai jamais de ton visage. Tu es l'Homme [30] et tu m'apparais avec le visage de tous les hommes à la fois. Tu ne nous as jamais dévisagés et déjà tu nous as reconnus. Tu es le frère bien-aimé. Et, à mon tour, je te recon- 30 naîtrai dans tous les hommes.

Tu m'apparais baigné de noblesse et de bienveillance, grand Seigneur qui as le pouvoir de donner à boire. Tous mes amis, tous mes ennemis en toi marchent vers moi, et je n'ai plus un seul ennemi au monde. 35

[29] *ombrageuse*, jealous.   [30] *l'Homme*, humanity.

Miguel Zamacoïs

1866–

Miguel Zamacoïs was born near Paris, at Louveciennes, Seine-et-Oise, in 1866. His father, Edouard Zamacoïs, was a Spanish painter who died in 1870. Miguel was educated in Paris and, for a time, studied at the Beaux-Arts. He soon abandoned painting to devote himself to another form of art, literature. Encouraged as he was by the success of his writings in the *Figaro*, he began to experiment in verse in 1894 and came under the influence of Rostand. Such an influence is early shown in *La Fleur merveilleuse*. The celebrated dramatic artist Sarah Bernhardt was responsible for the success of the play *Les Bouffons*, in 1907.

Zamacoïs is an idealist with a fine touch of romanticism. He has published two volumes of short stories which are characterized by simplicity, interest, and logical development.

READING SUGGESTIONS

SHORT STORIES	*Suzanne et les deux vieillards*	1924
	Un singulier roman d'amour	1926
	Trente contes	1936
PLAYS	*Les Bouffons*	1907 (heroic comedy)
	La Fleur merveilleuse	1910 (crowned by the French Academy)
	Monsieur Césarin	1919 (a great success)
	Feux follets et fantômes	1923
	L'Inconsolable	1924

LA QUESTION DE L'APPARTEMENT

TIME   1936.

PLACE   A private home in Paris.

QUALI-   Lively dialogue that reveals a sharp feminine psychology
TIES   built on strong determination accompanied by a cutting
            wit.

MEAN-   Freedom of the individual; equality of men and women;
ING   influence of women in French society, which has always
            been an outstanding trait of Gallic life.

La Question de l'appartement

Miguel Zamacoïs

— Cette fois, tu sais, j'en ai assez! cria la jolie Mme Fidelong en
frappant avec fureur — ô ironie des mots! — sur un « bonheur-du-
jour ».[1]

— Assez seulement? répondit, insolemment goguenard, M. Fide-
long ... Moi, il y a longtemps que j'en ai trop![2]   5

— Alors pourquoi pas la délivrance réciproque? Pourquoi pas,
enfin! le divorce, le bon divorce réparateur?[3]

— Je n'osais pas te le proposer!

— Tu avais tort: j'aurais eu enfin l'occasion de te savoir gré de
quelque chose[4] ... La vie ne peut pas continuer comme ça; ton   10
caractère s'aigrit ...

— Le tien rancit ...

— Nous ne sommes d'accord sur rien.[5] Tu considères à présent
cette maison comme un restaurant et un asile de nuit ... Tu me
traites comme la cuisinière de l'un et comme la gestionnaire de l'autre;   15
j'en ai assez!

— Parlons-en! Comme ménagère je te retiens!

— Tu me retiens? Tu me retiens? Hé bien moi, je ne te retiens
plus! Tu peux t'en aller ... Tu peux y aller à ton cercle, à tes
courses, dans tes coulisses de théâtre! ... Et je te souhaite de ren-   20
contrer une autre femme comme moi qui n'ait jamais trompé un mari
dont la conduite lui fournissait tous les prétextes et toutes les excuses.

— Tu avais assez de défauts comme ça ... Il y a des limites à
tout, même à l'imperfection!

— Goujat! Oh! là là! oui, vivement le divorce![6]   25

— A tes souhaits![7]

— J'irai demain matin chez l'avoué!

---

[1] *bonheur-du-jour* (a writing desk, popular in the 18th century).   [2] *j'en
ai trop*, I am fed up with it.   [3] *divorce réparateur*, complete divorce.   [4] *de te
savoir gré de quelque chose*, to thank you for something.   [5] *Nous ne sommes
d'accord sur rien*, We do not agree on anything.   [6] *vivement le divorce*, let us
hurry about the divorce.   [7] *A tes souhaits!* At your pleasure!

— Demain matin tu iras chez l'avoué ? Soit, mais après le divorce où iras-tu ?

— Comment, où j'irai ?

— Oui . . . tu vois, je suis encore assez bon pour te prévenir; tu
5 sais bien qu'on ne trouve pas un logement, pas un appartement, nulle part ? . . . Que c'est le grand sujet actuel d'empoisonnement [8] pour un tas de gens ? . . . Que c'est la course folle ? Tu te rappelles toutes les histoires rabâchées sur les agences soudoyées,[9] sur les primes aux rabatteurs, sur les concierges corrompus à prix d'or ? [10] Et tu sais
10 bien que de ce régime-là il y en a pour des mois . . . qui sait ? des années et des années, peut-être . . .

— Mais, interrompit Mme Fidelong, interdite . . . mais je conserverai cet appartement-ci.

— Alors, et moi ? Non, mais penses-tu que je vais lâcher le bail
15 qui est à mon nom ? J'y suis, j'y reste ! comme disait MacMahon, un jour, évidemment, où le pipelet lui présentait son congé.

— Après neuf ans de mariage, tu aurais pu avoir cette dernière galanterie de me céder l'appartement !

— Il n'y a pas de galanterie qui tienne devant la rareté des écri-
20 teaux . . . Je garde l'appartement . . . Je ne veux pas coucher sous les ponts,[11] ne serait-ce que pour te prouver que je suis un homme d'intérieur,[12] quoi que tu en dises.

— Que veux-tu que je réponde à ta muflerie ? . . . C'est bon, je reste . . . Le divorce sera pour un peu plus tard . . . quand j'aurai
25 déniché un appartement !

— Oh ! Je ne te jetterai pas dehors . . . Tu feras comme tu voudras . . . J'attendrai patiemment . . . un peu plus, un peu moins !

— Je reste donc jusqu'à nouvel ordre . . . Mais, tu sais, Gustave,
30 j'ai comme une idée que j'aurai un jour ma petite vengeance . . .

— Si c'est quand tu auras trouvé un appartement, tu es sûre, comme dit l'autre, de la manger froide ta vengeance ! [13]

On s'imagine ce que dut être l'existence en commun d'un mari et d'une femme exaspérés, à qui la cohabitation n'était imposée que par
35 l'impossibilité pour l'un des deux de déménager.

Deux mois passèrent, au bout desquels Mme Fidelong déclara à M. Fidelong que, n'y tenant plus,[14] elle allait, malgré les frais con-

---

[8] *empoisonnement*, trouble. [9] *agences soudoyées*, bribed real estate agencies. [10] *à prix d'or*, at fabulous expense. [11] *sous les ponts*, in the open.
[12] *homme d'intérieur*, home lover. [13] *de la manger froide ta vengeance*, to cool off your madness. [14] *n'y tenant plus*, out of patience.

sidérables, habiter à l'hôtel, et engager immédiatement une action en divorce.

M. Fidelong ne dissimula pas la joie que lui causait cette résolution et accepta même, pour hâter leur libération définitive, de jouer la comédie d'un flagrant délit à ses torts et dommages.[15]   5

Auparavant on fit ses comptes, formalité assez simplifiée par le régime sous lequel avait eu lieu le mariage ... M. Fidelong ne fut récalcitrant que pour l'attribution à sa femme d'une misérable somme de sept mille francs, qui cependant devait lui revenir en propre.

— Tu me les paieras avec le reste! menaça Mme Fidelong.   10

— Ah oui! ricana M. Fidelong, la vengeance à la gelée.[16]

Un matin, un mois après le divorce, rapidement obtenu grâce à d'amicales influences, M. Fidelong ne fut pas peu surpris d'entendre son domestique lui annoncer la visite de son ex-femme:

— Bonjour, monsieur, prononça sur un ton cérémonieux l'ex-Mme   15
Fidelong, suprêmement élégante.

— Vous venez pour? grogna M. Fidelong stupéfait par tant d'aplomb.

— Je viens pour la petite vengeance, monsieur Fidelong ... Vous savez la petite vengeance froide dont vous avez tant ri?   20

— J'en ris encore!

— Vous avez tort. Voilà: Je viens vous informer, monsieur Fidelong, que j'ai trouvé enfin un appartement.

— Qu'est-ce que ça peut me faire?[17]

— Attendez ... Un appartement exactement pareil à celui-ci, qui   25
me plaît tant ... Celui du premier étage.

— Quelle plaisanterie! C'est l'appartement du propriétaire.

— Précisément, le propriétaire, M. Morselet, sans que vous en sachiez rien naturellement, me faisait depuis longtemps une cour pressante[18] ... (Souvenez-vous de toutes les réparations locatives   30
qu'il nous accordait sans discuter ...) Or, il n'est pas mal de sa personne,[19] il est agréable, il est riche ... J'ai agréé ses hommages,[20] et nous venons de nous marier à la campagne; je vous présente Mme Morselet, votre voisine et votre propriétaire.

— Par exemple![21]   35

[15] *flagrant délit ... dommages*, overt act of wrongdoing calling for payment of damages.   [16] *la vengeance à la gelée*, belated vengeance.   [17] *Qu'est-ce que ça peut me faire?* What difference does it make to me?   [18] *me faisait ... une cour pressante*, had courted me persistently for some time.   [19] *il n'est pas mal de sa personne*, he is not bad-looking.   [20] *J'ai agréé ses hommages,* I have accepted his love.   [21] *Par exemple!* The idea!

— C'est comme propriétaire que je viens vous prévenir, votre bail expirant dans seize mois, que passé ce délai vous serez augmenté [22] exactement de la somme dont vous m'avez frustrée lors de notre divorce, soit sept mille francs, ce qui vous portera votre loyer de treize mille francs à vingt mille . . . à moins que vous ne préfériez un bon congé [23] . . . M. Fidelong, j'ai bien l'honneur de vous saluer.

Et Mme Morselet s'en alla tranquillement, laissant M. Fidelong abasourdi.

[22] *vous serez augmenté,* your rent will be increased. [23] *à moins que vous ne préfériez un bon congé,* unless you prefer to vacate.

LE JOURNAL DE MARTINE

TIME   Beginning of the twentieth century.

PLACE   Cabourg and Deauville, elegant summer resorts on the sea-shore of Normandy.

QUALI-   An interesting piece of modern writing moving along with
TIES   keen analytic strokes. If we consider the schematic prop-ositions of the narrative, we see a thesis whose logic follows the requirements of Aristotle himself, "a beginning, a middle, and an end." All suitors seek to please; they, therefore, wear a mask that makes their good qualities stand out and conceals their defects. The girl, gifted with a practical intelligence, must find out reality behind ap-pearances. We find in the story a practical psychology, clear form, color, and objectivity blended to act as a sub-stitute for emotional vagaries.

MEAN-   Marriage should be built on reason rather than on feelings.
ING   This is a definite characteristic of the French. Montaigne said: "We do not marry to please ourselves, whatever may be said to the contrary; we marry quite as much, or more, for the sake of posterity; our family customs and interest, served by marriage, affect our race long after we are gone."

Le Journal de Martine

Miguel Zamacoïs

Maud entra en coup de vent [1] dans la chambre de son amie Martine:

— Bonjour, Martine... J'ai reçu ton pneumatique [2] hier soir à neuf heures... Qu'est-ce qui arrive?

— Tu es ma meilleure amie, Maud, tu dois tout savoir la première; je vais me fiancer officiellement à Jean Mireuil... Cette cérémonie va se faire à Deauville chez grand'mère... Jean est à Cabourg chez ses parents, c'est dans le quartier.[3]

Maud se précipita, joyeuse, vers son amie:

— Tu hésitais entre Jean Mireuil et René Lormois. Comment et pourquoi t'es-tu décidée? Raconte! Je brûle du désir de savoir! [4]

— Eh bien, voilà... Tu sais qu'une demi-douzaine de prétendants s'agitaient autour de moi, et que leurs mérites et leurs défauts se balançant, j'étais fort en peine [5] de faire un choix... Alors l'idée m'est venue, un certain jour, de pratiquer avec la troupe des aspirants à ma main, et à ma dot, tous les sports les uns après les autres, seul moyen de procéder à une élimination au premier degré... Il n'y a rien comme la pratique des sports en commun pour vous permettre de juger le caractère des gens... Au bout d'un mois j'étais fixée sur la valeur respective de ces prétendants...

Cela m'a permis de semer le gros du peloton [6] avant le dernier tournant,[7] conservant seulement pour le grand effort de la ligne droite [8] Jean Mireuil et René Lormois... Entre ces deux-là mon cœur balançait... Étaient-ils plus adroits que les autres à dissimuler leurs défauts graves; ou, réellement, étaient-ils mieux pourvus de qualités essentielles que leurs camarades définitivement évincés? [9] C'est ce que je me demandais encore après avoir, en leur compagnie,

---

[1] *entra en coup de vent,* rushed.   [2] *pneumatique* (letter sent by means of compressed air; special delivery).   [3] *c'est dans le quartier,* it is in the neighborhood.   [4] *Je brûle du désir de savoir!* I am so anxious to know!   [5] *j'étais fort en peine,* I was at a loss.   [6] *semer le gros du peloton,* eliminate the bulk of the lot.   [7] *avant le dernier tournant,* before it was too late (before the last curve).   [8] *la ligne droite,* the homestretch, the last test.   [9] *évincés,* eliminated.

pratiqué successivement le cheval, le tennis, la natation et les sports d'hiver ... Heureusement je disposais encore, réservée pour le choix final, si grave, l'épreuve automobile.

— L'épreuve automobile ? Qu'est-ce que cela ?

5   — Pour l'élimination définitive, pour la décision suprême, il faut, dans les cas difficiles, faire intervenir l'épreuve automobile. C'est la pratique de l'auto qui offre les meilleures occasions de pénétrer la personnalité morale de quelqu'un, et c'est à elle que j'ai eu recours pour juger en dernier ressort le procès des deux prétendants arrivant

10 *dead-heat* au poteau des fiançailles.

— Je ne comprends pas encore tout à fait.

— Voici. Avec le consentement et la complicité de papa et de maman, j'ai invité successivement à venir passer cinq jours à notre manoir de Vaguerville, Jean Mireuil et René Lormois, et avec chacun

15 d'eux j'ai exécuté en auto le même nombre de randonnées,[10] afin de voir comment chacun d'eux réagissait dans les circonstances à peu près identiques, et de juger chez lequel les réactions impliquaient la meilleure tête et le meilleur cœur ... Les postulants à notre main sont hypocrites par définition, comme continuent à l'être la plupart

20 des fiancés; cherchant à plaire, ils se composent naturellement une âme et un visage artificiels en tout ou en partie ... Qu'y a-t-il derrière le masque à la bouche en cœur ?[11] Et comment le savoir ? L'épreuve prolongée et diversifiée de l'auto constitue, à cause des réflexes inévitables, le moyen de soulever le masque au moins partielle-

25 ment.

— Oh! que c'est amusant! Raconte!

— Chaque soir en rentrant, j'ai noté mes impressions sur ce petit cahier bleu ... J'ouvre ... Le premier qui fut sur les routes mon cavalier-chauffeur, ce fut, — désigné par un « pile ou face »[12] impartial

30 — René Lormois ... Je lis:

Lundi 25 juin. — Nous partons seuls, René Lormois et moi en auto. Naturellement je le mets au volant, ne pouvant le juger que dans l'action. A côté de moi il ne serait qu'un prétendant-colis,[13] n'ayant qu'à continuer le genre de cour habituel, sans heurts et sans

35 risques, celui qui, pour peu que les interlocuteurs aient de la patience, pourrait durer dix ans sans rien révéler de la nature véritable de chacun ... D'ailleurs il n'a pas protesté; il aime l'auto jusqu'à la frénésie, et la passivité lui serait odieuse ... Donc René Lormois

---

[10] *randonnées,* long rides.   [11] *le masque à la bouche en cœur,* the set smile.   [12] *pile ou face,* heads or tails.   [13] *un prétendant-colis,* a would-be suitor.

est au volant, et moi, l'air innocent, avec une petite indifférence hypocrite bien jouée, j'observe . . .

Je ne suis pas longue à remarquer que mon compagnon est un nerveux . . . Je n'avais pas eu l'occasion de m'en rendre compte au tennis ou au golf . . . Il fait des changements de vitesse avec brus-   5
querie,[14] ce qui est une faute pour un automobiliste aussi habile; mais son tempérament violent le mène . . . Il s'impatiente du moindre obstacle mis à son impétuosité imprudente . . . Car il est imprudent. A toute allure, il double les voitures,[15] il aborde les croisements, il prend les tournants[16] avec une hardiesse folle. Je n'aime pas à   10
flâner,[17] mais je n'aime pas non plus me sentir dans un rapide sans rails, sans aiguilles, sans disques, et qui prend les passages à niveau[18] par le travers sans être tout à fait sûr que les barrières sont ouvertes.

J'ai bien l'impression que René Lormois veut m'épater.[19] Ce sentiment de la part d'un amoureux est admissible, mais l'instinct de la   15
conservation m'empêche d'en goûter pleinement la saveur . . . Je préférerais que le souci de ma sécurité lui fût plus cher que celui de m'étonner.

Mardi 26 juin. — Mon chauffeur semblant disposé à s'emballer de nouveau,[20] je lui ai dit carrément que j'avais horreur de l'excessive   20
vitesse qui change l'excursion touristique en « circuit », en match, et en course à la mort. Il m'a semblé que je le décevais. Il a ralenti, et m'a dit, moitié figue, moitié raisin:[21] « Martine, vous n'êtes pas sport . . . » Je lui ai répondu: « Si, mais jusqu'à la civière,[22] exclusivement . . . » Il a paru vexé de ma riposte; j'avais l'air de douter   25
de l'habileté dont il est si fier . . . « Amour-propre exagéré, penchant à l'orgueil et à la violence, » dirait une tireuse de cartes . . . Un mauvais point.

Mercredi 27 juin. — Aujourd'hui René Lormois a refréné son désir d'emballement, mais on sent qu'au fond il ronge son frein. C'est   30
vraiment le cas de le dire[23] . . . J'ai l'intuition que si nous nous épou-
sions à faible allure[24] entre la borne cent soixante-six et la borne cent soixante-sept, il aurait repris sa vitesse désordonnée de casse-cou (même le cou de sa femme) à la borne cent soixante-huit, arguant

---

[14] *Il fait des changements . . . avec brusquerie,* He shifts gears nervously.
[15] *il double les voitures,* he passes automobiles.   [16] *il prend les tournants,* he takes curves.   [17] *Je n'aime pas à flâner,* I do not like to go too slowly.
[18] *passages à niveau,* railroad crossings.   [19] *veut m'épater,* wishes to impress me.   [20] *s'emballer de nouveau,* speed up again.   [21] *moitié figue, moitié raisin,* half sweet, half sour.   [22] *jusqu'à la civière,* short of breaking my neck.
[23] *C'est . . . dire,* No mistake about that.   [24] *à faible allure,* at medium speed.

instantanément de son droit de mari... C'est inquiétant pour l'avenir...

Rien à signaler de particulier ce jour-là.

Jeudi 28 juin. — En traversant le bourg de Folleville-en-Auge, 5 nous avons failli écraser [25] un brave gros toutou qui avait la prétention inconcevable de se promener tranquillement dans l'unique rue de son village. Il s'en est fallu de bien peu que nous [26] n'en fassions de la bouillie à coller... J'ai poussé un grand cri... Heureusement, nous n'avons fait que l'effleurer de notre pare-choc avant... 10 Bousculé légèrement, il a eu plus de peur que de mal et a jeté un glapissement angoissé en se sauvant, la queue entre les jambes.

— Sale bête! a dit Lormois... ça lui apprendra; une autre fois il se méfiera.

— Pauvre bête! ai-je corrigé, la route de son patelin [27] est bien un 15 peu à lui aussi, tout de même.

— Non, ma chère Martine, les routes sont d'abord partout aux automobilistes qui ne peuvent, eux, monter sur les trottoirs, ni rentrer dans les maisons.

— Avec ça qu'ils s'en privent.[28]

20 — Vous n'allez tout de même pas prendre contre moi le parti d'un affreux cabot [29] sans race, comme s'il s'agissait d'un sloughi [30] ou d'un pékinois de cent louis.[31]

J'adore les bêtes, toutes les bêtes... peut-être plus encore celles qui sont vilaines, et que nul ne cajole et ne soigne. J'ai dissimulé mon 25 mécontentement désirant conserver mon impassibilité de juge, mais cette brutalité vis-à-vis d'un bon chien, aggravée de snobisme, m'a produit une mauvaise impression; tout cela n'émanait pas d'un bon cœur, ni d'un esprit dégagé des mesquineries et des conventions mondaines.

30 Vendredi 29 juin. — Aujourd'hui ce n'est pas un chien que nous avons failli écraser, c'est une vieille bonne femme plus ou moins sourde, qui s'est décidée tout à coup à traverser la route sans la moindre enquête préalable. Grâce à un coup de volant instantané [32] (très adroitement donné, je le reconnais), nous l'avons évitée tout 35 juste... Elle a sursauté, la pauvre, et puis elle a titubé sous l'influence de la peur.

---

[25] *nous avons failli écraser*, we nearly ran over. [26] *Il... que nous n'*, We almost. [27] *patelin*, village. [28] *Avec ça qu'ils s'en privent*, They don't care whether they do or not. [29] *affreux cabot*, cur, ugly-looking dog. [30] *sloughi*, African hunting dog. [31] *pékinois de cent louis*, very valuable Pekinese. [32] *un coup de volant instantané*, a brusque turn of the steering wheel.

— Vieille toupie![33] a crié rageusement mon automobiliste, cependant qu'une fureur disproportionnée se peignait sur ses traits et me faisait pénétrer par effraction dans le mystère d'une âme mise à nu l'espace d'un éclair.[34]

Interrompant sa lecture, Martine remarqua:

— Ni le tennis, ni la luge,[35] ni la bicyclette ou la natation n'auraient fourni de pareilles occasions d'enquêtes psychologiques; seul, par la nature des incidents, par la multiplicité des complications sérieuses, l'automobilisme oblige les caractères à dévoiler leurs faiblesses... René Lormois nous quitta le lendemain, sans se douter,[36] bien entendu, qu'il laissait une fiche psychologique de prétendant dont je devais faire mon profit, et sans se douter non plus que son rival allait lui succéder sur la sellette[37] de mon journal.

Jeudi 5 juillet. — Jean Mireuil, au moment de démarrer, veut que je me mette au volant.[38] Je décline, bien entendu, l'invitation... Me mettre au volant, ce serait comme si l'examinateur se mettait au tableau noir pendant que le candidat se carrerait[39] sans responsabilité dans le fauteuil du maître.

— Ce n'est pas de jeu,[40] m'a dit, tendrement boudeur, mon nouveau compagnon... Il va falloir que je détourne au profit de la route une partie de l'attention que je voulais vous donner toute entière... Et puis, je ne vais pas pouvoir vous regarder exclusivement, ni vous communiquer toutes les douces choses que m'inspire votre vue et votre voisinage.

— Dites-vous que si je conduisais je ne pourrais prêter à vos propos qu'une oreille distraite, occupée que je serais à justifier votre confiance.

— Soit! Je prends le volant aujourd'hui... vous prendrez (soyons dix-huitième siècle)[41] le volant de mon cœur quand nous serons mariés...

— Volant et cœur, cela fait cœur-volant[42]... Prenez garde![43]

J'ai assez aimé ce démarrage à la Florian,[44] et cet engagement spontané de me laisser plus tard la « direction ». Et j'ai aimé que

---

[33] *Vieille toupie!* Doddering old fool! [34] *me faisait pénétrer... un éclair,* revealed to me instantaneously the hidden mystery of a soul. [35] *luge,* sledding. [36] *sans se douter,* not suspecting. [37] *sur la sellette,* at the bar. [38] *veut que... au volant,* wishes me to sit behind the steering wheel. [39] *se carrerait,* would lounge. [40] *Ce n'est pas de jeu,* That's not fair. [41] *soyons dix-huitième siècle,* let us speak 18th century fashion. [42] *cœur-volant,* fickle heart. [43] *Prenez garde!* Be careful! [44] *Florian* (French 18th century fabulist).

Mireuil, qui est aussi un as du volant,[45] ait préféré la séduction à
« l'épatage. » [46]

Nous sommes en route. Je consulte le compteur de vitesse; il
marque soixante-dix [47] à l'heure. C'est bien . . . le chauffeur a vu mon
5 regard; il sourit avec une gentille résignation de champion amoureux,
et je lui sais gré de ne pas me faire entendre que s'il le voulait il ferait
éclater le compteur!

Vendredi 6 juillet. — Ce pauvre Mireuil n'a pas de chance! Nous
avons crevé [48] à dix kilomètres de la maison, et nous n'avions pas de
10 roue de secours [49] . . . J'aurais préféré que cette mésaventure fût
arrivée à Lormois; Mireuil a conservé sa bonne humeur; «au dancing,
a-t-il dit, il arrive que l'on parle les tangos et les fox-trots au lieu de
les danser; cette réparation de chambre à air [50] quel bonheur! — nous
allons la « causer » . . . Vous allez vous asseoir à l'ombre d'un de
15 ces arbres dont on ne sait le nom qu'à la saison des fruits, et moi je
travaillerai « à l'ombre d'une jeune fille en fleur! » [51]

Il a réparé, un peu longuement.

— A un automobiliste solitaire pressé d'aller rejoindre sa bien-
aimée, il faut vingt minutes pour réparer un pneu [52] mais on doit
20 compter au moins une heure et demie quand la bien-aimée est présente
et que la halte favorise l'échange de tendres propos . . . la dissolution
se fait complice et ne sèche pas . . .

Il m'a dit ainsi mille folies. Finalement, prenant de la hardiesse
à cause de la solitude, de la beauté du site et du ciel:
25 — Je vous aime, Martine, et vous? m'aimez-vous?

— Nous sommes en Normandie, ai-je riposté; c'est le pays des
réponses ambiguës et provisoires: p't'être bien qu'oui . . . p't'être
bien que non . . .

— Rien que pour la première moitié de la phrase, je bénis l'oasis
30 où nous nous sommes arrêtés, béni soit aussi ce clou de fer à cheval
qui a crevé ce pneu, et qui, promu breloque, ne quittera plus jamais
ma chaîne de platine!

Samedi 7 juillet. — Chose curieuse, en traversant Folleville-en-Auge,
nous avons rencontré le bon chien-chien [53] rescapé de l'autre jour,
35 obstiné à traverser la rue nonchalamment. Nous avons presque dû

---

[45] *as du volant*, first-class driver.   [46] *ait préféré . . . à l'épatage*, preferred to
exercise his charm rather than to show off.   [47] *soixante-dix (kilomètres)* (forty-
five miles).   [48] *Nous avons crevé*, We had a flat tire.   [49] *roue de secours*,
spare tire.   [50] *chambre à air*, inner tube.   [51] *à l'ombre . . . fleur* (reference to
Proust's *A l'ombre des jeunes filles en fleurs*).   [52] *réparer un pneu*, fix a tire.
[53] *chien-chien*, doggy (a childish expression).

stopper tant il témoignait d'indifférence. J'ai attendu curieusement
— ayant encore dans l'esprit la manifestation hostile de Lormois —
la réaction de Mireuil. Il a ralenti sans impatience.

— Non, mais alors quoi, mon vieux? a-t-il dit drôlement, on ne s'en
fait pas plus que ça? [54] Allons, presse-toi! Les routes ne sont pas   5
faites pour les chiens sans moutons! [55] ... tu n'as même pas l'excuse
de conduire un aveugle ... Allons, à la maison! Car, comme a dit
l'autre, ce qu'il y a de meilleur dans le *home*, c'est le chien.

Dimanche 8 juillet. — Promenade dominicale paisible ... si paisible
même que mon amoureux, distrait et tendrement bavard, laisse tout   10
à coup tomber le train à quinze kilomètres à l'heure, comme pour
obéir à quelque injonction municipale ... Je lui fais observer que
nous avons l'air de suivre la file, à la fin de la journée, boulevard
Haussman ... Incontinent nous passons à quarante, ce qui est,
selon mon chauffeur amoureux, l'allure du flirt sur la route.   15

Lundi 9 juillet. — Ce n'est pas une vieille femme, mais un vieux
bonhomme que nous avons failli mettre à mal sur la route de Trou-
ville à Honfleur. Cette fois Jean Mireuil s'est arrêté tout net.[56] Il
n'a pas traité le pauvre vieux de vieille toupie mâle; il l'a raisonné et
sermonné doucement, assaisonnant sa semence filiale d'un rien   20
d'accent normand.[57]

— Voyons, papa, lui a-t-il dit presque affectueusement, c'est'y
raisonnable [58] de vous balader sur une route où il passe une automobile déchaînée toutes les cinq secondes, comme si vous étiez dans
votre clos? ... Vous ne pouvez t'y pas longer la haie [59] et zyeuter,[60] 25
avant de traverser, s'il n'arrive pas sur leurs sales mécaniques à
ennuyer le monde un de ces Parisiens maudits qui vous louent vos
bicoques les yeux de la tête,[61] et vous achètent vos poissons et vos
légumes leur pesant d'or.

Et accélérant brusquement, il laissa le bonhomme ahuri à la fois   30
par tant de politesse et de franchise.

Ici Martine ferma le livre bleu:

— Quel contraste, n'est-ce pas, Maud, entre la façon d'être, d'agir,
de penser, dans les mêmes circonstances, de nos deux prétendants?
Ces petits incidents de la route, à peu près identiques, avaient donné   35

[54] *on ne s'en fait pas plus que ça,* you take it easy.   [55] *chiens sans moutons,*
stray dogs.   [56] *s'est arrêté tout net,* stopped short.   [57] *d'un rien d'accent
normand,* with a slight Norman accent.   [58] *c'est'y raisonnable,* is it prudent.
[59] *Vous ne pouvez t'y pas longer la haie,* Don't you think it would be better to
stay closer to the hedge.   [60] *zyeuter,* look out (slang).   [61] *qui vous louent
...de la tête,* who rent your shacks at extravagant prices.

à l'un l'occasion de révéler son caractère de « soupe au lait »,[62] irritable, intransigeant, brusque; son manque de douceur vis-à-vis des bêtes, des vieux et des simples, ce qui est une preuve de sécheresse de cœur...

A l'autre, les mêmes incidents avaient permis de faire apprécier sa
5 bonté, sa patience, sa charité envers les petits et les humbles, et de donner la mesure de sa sensibilité... La bonté, la sensibilité, la patience, c'est le fond des bonnes natures; au seuil de ce ténébreux dédale qu'est l'âme d'un être auquel on va se lier pour la vie, ces qualités sont comme des phares sur la mer inconnue, et il faut les con-
10 sidérer comme les gages les plus plausibles du bonheur escompté...

— Tu as évidemment raison... Alors?

Martine rouvrit le petit régistre en maroquin bleu:

— Alors?... Alors je lis: Mardi 10 juillet. — Jean Mireuil est parti ce matin. Au moment où il est monté dans son auto, retournant
15 à Cabourg, je lui ai dit tout bas « oui » sans commentaires... Et puis quand il a été parti, je suis montée dans ma chambre et à René Lormois j'ai écrit « non », mais avec beaucoup de fioritures autour.[63]

---

[62] *caractère de soupe au lait,* quick-tempered personality. [63] *fioritures autour,* pretty words, rhetorical embellishments.

Louis Pize

1892–

Louis Pize was born in 1892. Primarily a regionalist poet of the Vivarais, Pize has come under the influence of Maurras and Cordonnel.

He belongs to a phalanx of writers such as Pourrat, Forot, and Jean Marc Bernard whose inspiration proceeds from an idealistic attitude toward life. Pize's prose is not voluminous, but his short stories, especially, reveal his whole intellectual make-up, religion, justice, probity, and strong democratic leanings.

READING SUGGESTIONS

La Couronne de myrte	1916
Les Pins et les cyprès	1921
Vivarais	1922
Les Muses champêtres	1925

LES CANIVEAUX

TIME   Beginning of the twentieth century.

PLACE   Near Mézenc, highest point of the Cévennes mountain range, above the Rhone valley.

QUALI-
TIES   The originality of this short story consists of its objectivity which forces the reader to center his attention on the main character. The author is an expert in tracing and expressing the fine feelings that are rooted deep in the heart of men.

MEAN-
ING   Honesty and filial duty. This story is one of the many in French literature which describe the devotion of children to parents; it shows the intensity of the cult of the French family that will make any sacrifice to save the honor of the family. Read, for instance, Bordeaux, *La Peur de vivre* and Balzac's *Eugénie Grandet*.

Les Caniveaux

Louis Pize

Il habitait le village depuis cinq ou six ans. Les gens s'étaient d'abord méfiés de lui,[1] parce qu'il n'était pas du pays,[2] et qu'il avait pris en adjudication le percement de caniveaux sur la route départementale, travail de Romain qui ne nourrissait pas son homme[3] et dont personne n'avait voulu. Son aspect timide, fruste, éloignait[4]   5
plutôt. Ses vêtements donnaient une impression de misère et d'étrangeté: une vieille veste grise, enfarinée de chaux, un pantalon bouffant de terrassier, retenu par une corde en guise de[5] ceinture; aux pieds, des espadrilles fatiguées;[6] sur la tête, le chapeau large et plat des bergers de Mézenc.[7] Son torse restait courbé, comme cassé par les   10
fardeaux. On le voyait au bord de la route, les manches retroussées autour des bras velus, remuer à la pelle la terre et le ciment grossier. Souvent il disparaissait dans le fossé garni de ronces, et, pendant des heures, creusait en plein granit[8] le canal souterrain qui protégerait la route contre les torrents des orages et du dégel.   15

Il n'avait jamais pris d'aide; aucun garçon n'aurait consenti à peiner avec lui pour le salaire misérable qu'il pouvait offrir. Partant à l'aube, avec sa soupe de midi dans une petite marmite, il poursuivait donc tout seul, de cinq cents mètres en cinq cents mètres[9] le travail pénible. Au bout de cinq ans, trois kilomètres étaient déjà pourvus   20
de caniveaux.[10] Encore les messieurs de l'administration ne ménageaient-ils pas les critiques. Il les écoutait avec résignation, les bras croisés, en songeant, pour se consoler, au temps heureux où, sur les pentes des Boutières, couchant dans le foin au hasard de ses voyages,

---

[1] *s'étaient d'abord méfiés de lui*, had been suspicious of him at first.   [2] *il n'était pas du pays*, he was not of the district.   [3] *travail de Romain . . . son homme*, gigantic work that did not bring enough money to support a man. [4] *éloignait*, repelled.   [5] *en guise de*, by way of.   [6] *espadrilles fatiguées*, worn-out canvas shoes.   [7] *Mézenc* (peak of the Cévennes mountains near the Rhone river).   [8] *en plein granit*, in the solid granite.   [9] *de cinq cents . . . mètres*, every five hundred meters.   [10] *trois kilomètres . . . caniveaux*, canals had already been dug over a distance of three kilometers.

il avait construit des croix de mission, des ponts, des terrasses, et même une belle église. Il avait son métier dans le cœur.[11] Il souffrait des remarques des ingénieurs qui n'ont point la rude expérience des pierres de la montagne. Peu communicatif, environné de méfiance, 5 il n'avait aucun ami dans le village, et ne causait guère qu'avec les étrangers passant sur la route. Quand ceux-ci lui demandaient quelque indication, il répondait volontiers, car il connaissait beaucoup de chemins, et il en savait long [12] sur les plateaux éloignés qui attirent chaque été les touristes: « Ah! monsieur, répétait-il, ce sont de tristes 10 pays... » Et notre homme de raconter combien tel hiver fut rigoureux en Cévennes, combien, au contraire, la chaleur fut torride, l'année qu'il construisit la maison d'école du Pont de la Dorne. « Il fallait porter [13] les grosses pierres sur mon dos depuis le torrent... » Il sentait devant ces inconnus à qui il inspirait de la 15 curiosité, un vague besoin de s'épancher, de confier ses souvenirs. Traçant un itinéraire sur le sable, il décrivait les contrées. Les faits divers [14] de la veille se mêlaient, dans sa conversation, aux épisodes de la grande Révolution:[15] « Oui, monsieur, il y a au croisement un cabaret où les bandits, en l'an IV,[16] grillaient les pieds des 20 voyageurs. » Et toujours le même refrain: «Vous verrez un triste pays... »

Ce « triste pays » était le sien; un marchand avait raconté qu'il avait encore une cousine, du côté de Mézenc,[17] propriétaire d'une ferme de dix vaches. Chose étrange, ce terrassier envoyait chaque 25 année un mandat important au notaire d'un canton perdu.

Quelques villageois s'étaient décidés à demander ses services. On lui fit crépir des écuries, redresser des murs qui menaçaient ruine. Il travaillait toujours seul, fort et endurant comme une bête de somme,[18] et se contentait de prix dérisoires. Il avait peu de besoins: c'est 30 à peine si, deux ou trois fois par an, il buvait bouteille un peu plus que de raison.[19] En rentrant le soir dans sa cabane, il préparait, sur les fagots, un ragoût frugal. Le plaisir tentait peu ce rude homme, tout entier absorbé par sa volonté de travail. On le méprisait moins,

---

[11] *Il avait son métier dans le cœur,* He loved his job.   [12] *il en savait long,* he had an intimate acquaintance.   [13] *Il fallait porter,* I had to carry.   [14] *faits divers,* current events.   [15] *la grande Révolution* (1789).   [16] *l'an IV* (1795–1796 — After the proclamation of the Republic on the 22nd of September, 1792, the French abandoned the Gregorian calendar and replaced it by the Republican calendar, starting, thereby, a new era.)   [17] *du côté de Mézenc,* in the direction of Mézenc.   [18] *bête de somme,* beast of burden.   [19] *il buvait... que de raison,* he drank a bit more than he ought.

peut-être, mais il restait un inconnu; personne ne savait exactement
d'où il venait ni quel était l'emploi des économies qu'il réalisait, par
un tour de force, sur le maigre produit de son labeur.

Le bonhomme travaillait en toute saison à ses caniveaux. Une
toile de sac mise à la manière d'un capuchon, le protégeait contre la   5
pluie. Certain jour d'hiver qu'il avait attendu sous un rocher la fin
d'une tourmente de neige, il prit une congestion.[20] Il resta une semaine
entre la vie et la mort, grelottant sur sa paillasse. Les gens ne s'en
aperçurent pas, mais ceux qui le rencontraient ensuite remarquèrent
qu'il marchait plus difficilement et semblait pencher davantage vers   10
la terre. Les muscles demeuraient vigoureux; le visage décharné,
envahi par la chevelure et l'épaisse moustache, était devenu plus dur
encore. En moins d'un mois, le caniveau du kilomètre quatre fut
achevé. L'été en vit percer deux autres.[21] Le cahier des charges n'en
prévoyait plus qu'un, à cinq kilomètres du village, dans la forêt. Ce   15
fut le plus difficile. Le terrassier avait eu une rechute. Les soirs
d'automne, il revenait avec peine, sur la côte balayée par le vent ou
trempée par le brouillard; il en avait pour toute la nuit à grelotter
dans son cabanon. Mais, de bon matin, secouant la souffrance qui
l'aurait cloué sur son grabat, il repartait pour le chantier du kilomètre   20
cinq. Il lui fallut [22] bien tout l'hiver pour achever. Ses forces le
trahissaient de plus en plus.[23] Après il se reposerait. N'avait-il pas
besoin de toucher le reliquat de ses travaux, pour envoyer un dernier
mandat?

En février le caniveau était terminé. Le bonhomme rapporta tous   25
ses outils sur sa brouette, et demeura dans son logis désert, toussant,
frissonnant de fièvre, à attendre le conducteur des ponts-et-chaussées.[24]
Celui-ci vint en mars, et se déclara satisfait. Peu après, le terrassier
ayant touché son argent,[25] envoyait au notaire un mandat-carte [26]
sur le talon duquel il avait écrit: « Pour solde. » [27]   30

Puis, aux premiers beaux jours, quand le soleil, plus vif dans l'azur,
annonce le printemps en marche vers la montagne, il pria un des
villageois pour lesquels il avait travaillé de le reconduire dans son
pays, à douze lieues de là, au pied du Mézenc, offrant en échange son
assortiment de pelles, de pioches, une brouette et une voiture à bras.   35
Il paya les petites dettes qu'il pouvait avoir dans le bourg. Le matin,

[20] *il prit une congestion*, he caught pneumonia. [21] *L'été . . . deux autres*,
Two more were drilled during the summer. [22] *Il lui fallut*, It took him.
[23] *de plus en plus*, more and more. [24] *conducteur des ponts-et-chaussées*, road
engineer. [25] *touché son argent*, received his wages. [26] *mandat-carte*, postal
money order. [27] *Pour solde*, Paid in full.

avant de monter en carriole, il prit soin de faire ses Pâques.[28] Le pauvre diable [29] n'était pas toujours allé à la messe, mais il voulait, disait-il, en partant, régler toutes ses affaires.[30] Les gens remarquèrent que, malgré son extrême faiblesse, il avait l'air heureux et comme 5 soulagé. « C'est, disaient-ils, le bonheur de rentrer dans son pays ... » Un coup de fouet sec, et l'on dévala sur la route de Saint-Martial.

Le voiturier raconta, en revenant, que son compagnon avait failli passer [31] avant d'arriver. Il était mort deux jours après dans la misérable grange où il s'était fait déposer, cette maison appartenant 10 à son père, qui avait tout gaspillé en buvant et en menant une vie de débauche, et qui n'avait laissé, d'une jolie fortune de propriétaire paysan, que ce petit bien, grevé d'une lourde hypothèque.[32] Comme les créanciers voulaient exproprier, le fils avait promis au notaire de rembourser la somme en douze termes égaux, pour faire honneur à la 15 mémoire de son père, et pour sauver la terre qu'il reviendrait cultiver un jour. Comme il travaillait dans les pierres, voilà plus de douze ans qu'il était parti, pour se tuer à la tâche. Il n'est revenu que pour dormir sous les frênes du cimetière rustique. Que Dieu accueille sur les montagnes du Ciel son âme héroïque et sauvage.

[28] *de faire ses Pâques*, to perform his Easter duty. [29] *Le pauvre diable*, The poor fellow. [30] *régler toutes ses affaires*, to settle all his accounts. [31] *avait failli passer*, almost died. [32] *grevé d'une lourde hypothèque*, encumbered with a heavy mortgage.

Voltaire

1694–1778

Voltaire was born and died in Paris, 1694–1778. Son of a well-to-do family, he was educated by the Jesuits at the Collège Louis-le-Grand where he met young men who, later on, became influential in French society.

Voltaire's life encompasses the whole eighteenth century. He spent three years in England and three in Prussia with Frederic the Great. In 1755 he came to live at the *Délices* on the Swiss frontier, and in 1760 he established himself at Ferney for the sake of peace and safety. After writing more than fifty volumes, he returned to Paris where he died recognized as a world figure. Voltaire's influence has been very great in France and abroad.

READING SUGGESTIONS

SHORT STORIES	*Micromégas*	1743
	Zadig	1747
	Candide	1759
OTHER WORKS	*Zaïre*	1732
	Lettres philosophiques	1734
	Le Siècle de Louis XIV	1751
	Essai sur les mœurs	1756

ZADIG ET LES FEMMES

TIME   1747.

PLACE   Supposedly in Babylon but, in fact, in Paris.

QUALI–
TIES   In writing this witty and interesting bit of criticism, Voltaire's idea was to indulge in a sort of social relaxation on the subject of women, a characteristic trait of the French as recorded in literature since the beginning. We find this spirit in the *Jeu d'Adam* (XIIth century); it is strongly emphasized in the *Roman de Renard* (XIIth and XIIIth centuries), *Les Fabliaux* (XIIIth and XIVth centuries) and wittingly expressed by Molière and La Fontaine in the XVIIth century. Voltaire, no doubt, wanted to portray a phase of society in which he lived but, in a general way, he shows us, in a witty mood, a specific trait of the French.

MEAN–
ING   The fickleness of women; a sort of smiling cynicism and the author's disillusion on the subject of women.

Zadig et les femmes

Voltaire

Du temps du roi Moabdar il y avait à Babylone [1] un jeune homme nommé Zadig, né avec un beau naturel [2] fortifié par l'éducation. Quoique riche et jeune, il savait modérer ses passions; il n'affectait rien; il ne voulait point toujours avoir raison, et savait respecter la faiblesse des hommes. Zadig, avec de grandes richesses, et par consé-   5
quent avec des amis, ayant de la santé, une figure aimable, un esprit juste et modéré, un cœur sincère et noble, crut qu'il pouvait être heureux. Il devait se marier à Sémire, que sa beauté, sa naissance et sa fortune rendaient le premier parti [3] de Babylone. Il avait pour elle un attachement solide et vertueux, et Sémire l'aimait avec pas-   10
sion.

Ils touchaient au moment fortuné qui allait les unir, lorsque, se promenant ensemble vers une porte de Babylone sous les palmiers qui ornaient les rivages de l'Euphrate, ils virent venir à eux des hommes armés de sabres et de flèches. C'étaient des satellites du   15
jeune Orcan, neveu d'un ministre, à qui les courtisans de son oncle avaient fait accroire que tout lui était permis. Il n'avait aucune des grâces ni des vertus de Zadig; mais, croyant valoir beaucoup mieux, il était désespéré de n'être pas préféré. Cette jalousie, qui ne venait que de sa vanité, lui fit penser qu'il aimait éperdument Sémire ...   20
Les ravisseurs la saisirent; et dans les emportements de leur violence ils la blessèrent, et firent couler le sang d'une personne dont la vue aurait attendri les tigres du mont Imaüs. [4]

Elle perçait le ciel de ses plaintes. Elle s'écriait: Mon cher époux! on m'arrache à ce que j'adore. Elle n'était pas occupée de son danger;   25
elle ne pensait qu'à son cher Zadig. Celui-ci, dans le même temps, la défendait avec toute la force que donnent la valeur et l'amour. Aidé

[1] *Babylone* (capital of ancient Chaldea on the Euphrates river. In a symbolic way, particularly in the eighteenth century, Babylon represented the wickedness of Rome or Paris.) [2] *un beau naturel*, a fine disposition. [3] *le premier parti*, the best match. [4] *mont Imaüs* (a mountain in the Himalayas).

seulement de deux esclaves, il mit les ravisseurs en fuite et ramena chez elle Sémire, évanouie et sanglante, qui en ouvrant les yeux vit son libérateur. Elle lui dit: O Zadig! je vous aimais comme mon époux, je vous aime comme celui à qui je dois l'honneur et la
5 vie.

Jamais il n'y eut un cœur plus pénétré [5] que celui de Sémire; jamais bouche plus ravissante n'exprima des sentiments plus touchants par ces paroles de feu qu'inspirent le sentiment du plus grand des bienfaits et le transport le plus tendre de l'amour le plus légitime. Sa
10 blessure était légère; elle guérit bientôt. Zadig était blessé plus dangereusement; un coup de flèche reçu près de l'œil lui avait fait une plaie profonde. Sémire ne demandait aux dieux que la guérison de son amant. Ses yeux étaient nuit et jour baignés de larmes; elle attendait le moment où ceux de Zadig pourraient jouir de ses regards;
15 mais un abcès survenu à l'œil blessé fit tout craindre.

On envoya jusqu'à Memphis [6] chercher le grand médecin Hermès, qui vint avec un nombreux cortège. Il visita le malade, et déclara qu'il perdrait l'œil; il prédit même le jour et l'heure où ce funeste accident devait arriver. Si c'eût été l'œil droit, dit-il, je l'aurais
20 guéri; mais les plaies de l'œil gauche sont incurables. Tout Babylone en plaignant la destinée de Zadig, admira la profondeur de la science de Hermès. Deux jours après l'abcès perça de lui-même,[7] Zadig fut guéri parfaitement. Hermès écrivit un livre où il lui prouva qu'il n'avait pas dû guérir. Zadig ne le lut point, mais, dès qu'il put sortir,
25 il se prépara à rendre visite à celle qui faisait l'espérance du bonheur de sa vie, et pour qui seule il voulait avoir des yeux.

Sémire était à la campagne depuis trois jours. Il apprit en chemin que cette belle dame, ayant déclaré hautement qu'elle avait une aversion insurmontable pour les borgnes, venait de se marier à Orcan
30 la nuit même. A cette nouvelle il tomba sans connaissance; sa douleur le mit au bord du tombeau; il fut longtemps malade; mais enfin la raison l'emporta sur son affliction, et l'atrocité de ce qu'il éprouvait servit même à le consoler.

— Puisque j'ai essuyé, dit-il, un si cruel caprice d'une fille élevée
35 à la cour, il faut que j'épouse une citoyenne.[8] Il choisit Azora, la plus sage et la mieux née de la ville; il l'épousa et vécut un mois avec elle dans les douceurs de l'union la plus tendre. Seulement il remarquait en elle un peu de légèreté, et beaucoup de penchant à

---

[5] *pénétré*, moved, touched. [6] *Memphis* (an Egyptian city). [7] *perça de lui-même*, broke. [8] *une citoyenne*, a commoner (as distinguished from a noblewoman).

trouver toujours que les jeunes gens les mieux faits [9] étaient ceux
qui avaient le plus d'esprit et de vertu.

Un jour Azora revint d'une promenade, tout en colère et faisant
de grandes exclamations. — Qu'avez-vous, lui dit-il, ma chère
épouse? qui peut vous mettre ainsi hors de vous-même? — Hélas!   5
dit-elle, vous seriez indigné comme moi, si vous aviez vu le spectacle
dont je viens d'être témoin. J'ai été consoler la jeune veuve Cosrou,
qui vient d'élever, depuis deux jours, un tombeau à son jeune époux
auprès du ruisseau qui borde cette prairie. Elle a promis aux dieux
dans sa douleur de demeurer auprès de ce tombeau tant que l'eau de   10
ce ruisseau coulerait auprès. — Eh bien! dit Zadig, voilà une femme
estimable qui aimait véritablement son mari! — Ah! reprit Azora,
si vous saviez à quoi elle s'occupait quand je lui ai rendu visite! — A
quoi donc, belle Azora? — Elle faisait détourner le ruisseau. Azora
se répandit en invectives si longues, éclata en reproches si violents   15
contre la jeune veuve, que ce faste de vertu ne plut pas à Zadig.

Il avait un ami nommé Cador, qui était un de ces jeunes gens à
qui sa femme trouvait plus de probité et de mérite qu'aux autres;
il le mit dans sa confidence, et s'assura, autant qu'il le pouvait, de
sa fidélité par un présent considérable. Azora, ayant passé deux jours   20
chez une de ses amies à la campagne, revint le troisième jour à la
maison. Des domestiques en pleurs lui annoncèrent que son mari
était mort subitement, la nuit même, qu'on n'avait pas osé lui porter
cette funeste nouvelle, et qu'on venait d'ensevelir Zadig dans le tombeau de ses pères, au bout du jardin. Elle pleura, s'arracha les   25
cheveux, et jura de mourir. Le soir, Cador lui demanda la permission
de lui parler, et ils pleurèrent tous deux. Le lendemain, ils pleurèrent
moins et dînèrent ensemble. Cador lui confia que son ami lui avait
laissé la plus grande partie de son bien,[10] et lui fit entendre [11] qu'il
mettrait son bonheur à partager sa fortune avec elle. La dame pleura,   30
se fâcha, s'adoucit; le souper fut plus long que le dîner; on se parla
avec plus de confiance. Azora fit l'éloge du défunt; mais elle avoua
qu'il avait des défauts dont Cador était exempt.

Au milieu du souper, Cador se plaignit d'un mal de rate violent;
la dame, inquiète et empressée, fit apporter toutes les essences dont   35
elle se parfumait, pour essayer s'il n'y en avait pas quelqu'une qui
fût bonne pour le mal de rate; elle regretta beaucoup que le grand
Hermès ne fût pas encore à Babylone. — Êtes-vous sujet à cette
cruelle maladie? lui dit-elle avec compassion. — Elle me met quel-

---

[9] *les jeunes gens les mieux faits,* the most handsome fellows.   [10] *de son bien,*
of his wealth.   [11] *lui fit entendre,* gave her to understand.

quefois au bord du tombeau, lui répondit Cador, et il n'y a qu'un
seul remède qui puisse me soulager; c'est de m'appliquer sur le côté
le nez d'un homme qui soit mort la veille. — Voilà un étrange remède,
dit Azora. — Pas plus étrange, répondit-il, que les sachets du sieur
5 Arnoult [12] contre l'apoplexie. Cette raison, jointe à l'extrême mérite
du jeune homme, détermina enfin la dame. — Après tout, dit-elle,
quand mon mari passera du monde d'hier dans le monde du lendemain
sur le pont Tchinavar, l'ange Asrael lui accordera-t-il moins le passage
parce que son nez sera un peu moins long dans la seconde vie que dans
10 la première? Elle prit donc un rasoir; elle alla au tombeau de son
époux, l'arrosa de ses larmes, et s'approcha pour couper le nez à
Zadig, qu'elle trouva tout étendu dans la tombe. Zadig se relève en
tenant son nez d'une main, et arrêtant le rasoir de l'autre. — Madame, lui dit-il, ne criez pas tant contre la jeune Cosrou; le projet
15 de me couper le nez vaut bien celui de détourner un ruisseau.

Zadig éprouva que le premier mois du mariage, comme il est écrit
dans le livre du Zend,[13] est la lune de miel, et que le second est la lune
de l'absinthe.[14]

Il fut quelque temps après obligé de répudier Azora qui était devenue
20 trop difficile à vivre, et il chercha le bonheur dans l'étude de la nature.
Rien n'est plus heureux, disait-il, qu'un philosophe qui lit dans ce
grand livre que Dieu a mis sous nos yeux. Les vérités qu'il découvre
sont à lui; il nourrit et il élève son âme; il vit tranquille; il ne craint
rien des hommes.

(*Zadig is appointed councilor to King Moabdar and falls in love with Queen
Astarté; the king swears to take revenge on both of them. Zadig flees for
safety into Egypt. The next episode takes place on the border of Egypt.*)

25 Comme il se livrait à ce flux de philosophie sublime, il avançait
vers les frontières de l'Égypte et déjà son domestique fidèle lui cherchait un logement. Zadig cependant se promenait vers les jardins
qui bordaient le village. Zadig vit, non loin du grand chemin, une
femme éplorée qui appelait le ciel et la terre à son secours, et un
30 homme furieux qui la suivait. Elle était déjà atteinte par lui, elle
embrassait ses genoux. Cet homme l'accablait de coups et de reproches. Il jugea, à la violence de l'Égyptien et au pardon réitéré
que lui demandait la dame, que l'un était jaloux et l'autre une infidèle;
mais, quand il eut considéré cette femme, qui était d'une beauté
35 touchante, et qui même ressemblait un peu à la malheureuse Astarté,

---

[12] *Arnoult* (a contemporary whom Voltaire wished to criticize). [13] *le livre du
Zend* (the sacred writings of the Persian Zoroaster). [14] *absinthe* (a bitter herb).

il se sentit pénétré de compassion pour elle et d'horreur pour l'Égyptien. — Secourez-moi, s'écria-t-elle à Zadig avec des sanglots;
tirez-moi des mains du plus barbare des hommes, sauvez-moi la vie.

A ces cris Zadig courut se jeter entre elle et ce barbare. Il avait
quelque connaissance de la langue égyptienne. Il lui dit en cette   5
langue: Si vous avez quelque humanité, je vous conjure de respecter
la beauté et la faiblesse. Pouvez-vous outrager ainsi un chef-d'œuvre
de la nature, qui est à vos pieds, et qui n'a pour sa défense que des
larmes? — Ah! lui dit cet emporté, tu l'aimes donc aussi! et c'est
de toi qu'il faut que je me venge. En disant ces paroles, il laisse la   10
dame, qu'il tenait d'une main par les cheveux, et prenant sa lance, il
veut en percer l'étranger. Celui-ci qui était de sang-froid, évita
aisément le coup d'un furieux. Il se saisit de la lance près du fer dont
elle est armée. L'un veut la retirer, l'autre l'arracher. Elle se brise
entre leurs mains. L'Égyptien tire son épée; Zadig s'arme de la   15
sienne. Ils s'attaquent l'un l'autre. Celui-là porte cent coups précipi-
tés; celui-ci les pare avec adresse. La dame, assise sur un gazon,
rajuste sa coiffure et les regarde.

L'Égyptien était plus robuste que son adversaire; Zadig était plus
adroit. Celui-ci se battait en homme dont la tête conduisait le bras   20
et celui-là comme un emporté dont une colère aveugle guidait les
mouvements au hasard. Zadig passe à lui et le désarme; et tandis
que l'Égyptien devenu plus furieux veut se jeter sur lui, il le saisit, le
presse, le fait tomber en lui tenant l'épée sur la poitrine; il lui offre
de lui donner la vie. L'Égyptien hors de lui tire son poignard; il   25
en blesse Zadig dans le temps même que le vainqueur lui pardonnait.
Zadig indigné lui plonge son épée dans le sein. L'Égyptien jette un
cri horrible, et meurt en se débattant.

Zadig s'avance alors vers la dame, et lui dit d'une voix soumise:
Il m'a forcé de le tuer; je vous ai vengée; vous êtes délivrée de   30
l'homme le plus violent que j'aie jamais vu. Que voulez-vous maintenant de moi, madame? — Que tu meures, scélérat, lui répondit-elle,
que tu meures; tu as tué mon amant, je voudrais pouvoir déchirer ton
cœur. — En vérité, madame, vous aviez là un étrange homme pour
amant, lui répondit Zadig; il vous battait de toutes ses forces, et il   35
voulait m'arracher la vie parce que vous m'avez conjuré de vous
secourir. — Je voudrais qu'il me battît encore, reprit la dame en
poussant des cris. Je le méritais bien, je lui avais donné de la jalousie.
Plût au ciel [15] qu'il me battît et que tu fusses à sa place! Zadig, plus
surpris et plus en colère qu'il ne l'avait été de sa vie, lui dit: Madame,   40

15 *Plût au ciel*, Heaven grant.

toute belle que vous êtes,[16] vous mériteriez que je vous battisse à mon
tour, tant vous êtes extravagante;[17] mais je n'en prendrai pas la peine.
Là-dessus, il remonta sur son chameau et avança vers le bourg.

A peine avait-il fait quelques pas qu'il se retourne au bruit que
5 faisaient quatre courriers de Babylone. Ils venaient à toute bride.
L'un d'eux, en voyant cette femme, s'écria: C'est elle-même; elle
ressemble au portrait qu'on nous en a fait. Ils ne s'embarrassèrent
pas du mort, et se saisirent incontinent de la dame. Elle ne cessait
de crier à Zadig: Secourez-moi encore une fois, étranger généreux;
10 je vous demande pardon de m'être plainte de vous: secourez-moi,
et je suis à vous jusqu'au tombeau. L'envie avait passé à Zadig [18] de
se battre désormais pour elle. — A d'autres, répondit-il, vous ne
m'y attraperez plus. Il s'avance en hâte vers le village, n'imaginant
pas pourquoi quatre courriers de Babylone venaient prendre cette
15 Égyptienne, mais encore plus étonné du caractère de cette dame.

[16] *toute belle que vous êtes*, beautiful though you are.   [17] *extravagante*,
absurd, foolish.   [18] *L'envie ... à Zadig*, Zadig had lost all desire.

Questions and Exercises

LE PRIX DE PIGEONS

Questionnaire:

1. Quel est le conseil du père au fils? 2. Quel jour du mois M. Lebrun reçut-il une lettre? 3. Qui était M. Lebrun? 4. Quelles étaient les qualités de sa fille? Comment s'appelait-elle? 5. Depuis combien de temps M. Lebrun était-il en retraite? 6. De qui était la lettre? 7. Pourquoi sa fille s'intéresse-t-elle à cette lettre? 8. Qui est Léon? 9. Comment va-t-il gagner assez d'argent pour épouser Julie? 10. Combien gagne-t-il par an maintenant? 11. Combien désire-t-il gagner dans un an? 12. Où va Léon pour faire fortune? 13. Que propose-t-on à Léon? Combien de pigeons doit-il manger? 14. Pendant combien de jours doit-il manger un pigeon? 15. Quelle somme lui propose-t-on? 16. Combien donna-t-il à l'aubergiste pour récompense? 17. Léon épousa-t-il Julie? 18. Quel fut le résultat de son mariage?

Remplacez les expressions en italique par des mots ou expressions équivalents:

1. Il *se mit à parler* de ses besoins d'argent. 2. Le marchand *poursuivit* sa lecture. 3. Tu ne peux pas *être heureuse en ménage.* 4. *Achevez de lire* cette lettre. 5. *J'ai fait mon droit* et je peux réussir. 6. Avez-vous *fait des excès?* 7. Adieu, monsieur; *puissiez-vous réussir!* 8. M. Léon *se mit à l'œuvre.*

LE PARAPLUIE

Questionnaire:

1. Quelle était la qualité maîtresse de Mme Oreille? 2. Qui était le maître réel du logis? 3. De quoi se plaignait le mari de Mme Oreille? 4. Où travaillait M. Oreille? 5. Pourquoi avait-il besoin d'un parapluie? 6. Quelle sorte de parapluie lui acheta Mme Oreille? 7. Qu'arriva-t-il au parapluie? 8. Quelle querelle de famille eut lieu? 9. Quel moyen d'arranger les choses l'ami suggéra-t-il? 10. Comment s'appelle la Compagnie d'Assurance? 11. Quels arguments Mme Oreille présenta-t-elle au directeur? 12. Le directeur la croit-il? 13. Pourquoi le directeur consent-il à lui payer une indemnité?

Donnez un synonyme pour chaque mot suivant:

économe, douleur, sortir, plaisanterie, bureau, colère, retourner, furieux, offrir, préparer, envie, fuir, venir, se hâter, peur.

Donnez un antonyme pour chaque mot suivant:

victoire, dormir, parole, riche, trouver, descendre.

UNE CONSCIENCE

Questionnaire:

1. Comment l'argent peut-il être un agent de corruption? 2. Le vice et la vertu sont-ils bien partagés dans le monde? 3. Où se place l'action de cette histoire? 4. Qui le narrateur rencontre-t-il? 5. Quel âge avait la dame? 6. A quel âge s'était-elle mariée? 7. Était-elle riche ou pauvre? 8. Comment s'habillait-elle? 9. Pourquoi voulait-elle que sa fille eût ses diplômes? 10. La fille tenait-elle du père ou de la mère? 11. Quel homme la fille épousa-t-elle? 12. Pourquoi la dame quitta-t-elle son mari? 13. Quelles sont les raisons qui pourraient justifier sa conduite? 14. Si c'est un cas de conscience, comment l'expliquez-vous?

Traduisez les expressions suivantes:

1. Je rencontrai une dame simplement mise. 2. Je voulais en avoir le cœur net. 3. Elle employait en aumônes la pension que son mari lui servait. 4. Il y avait chez elle un parti pris de ne point profiter de cette fortune. 5. Elle a dû souffrir peut-être sans qu'il s'en soit douté.

UN MARIAGE DE RAISON

Questionnaire:

1. A qui Julie est-elle mariée? 2. Est-elle heureuse? Quelle est la raison de son bonheur? 3. Qui est M. de Wolmar? Quel âge a-t-il? 4. Quelles sont les qualités générales de M. de Wolmar? 5. L'amour est-il nécessaire pour fonder un heureux mariage? 6. Quel est l'objet principal du mariage? 7. Qu'est-ce qu'un mariage de raison? 8. Pourquoi Julie et M. de Wolmar semblent-ils faits l'un pour l'autre? 9. L'amour meurt-il avec la jeunesse? 10. Si Julie était libre épouserait-elle Saint-Preux ou M. de Wolmar? Pourquoi?

Traduisez en français les phrases suivantes prises dans le texte:

1. He wants me to be happy. 2. The only thing lovers know is to love each other. 3. There is no passion that can create greater illusions than love. 4. We see each other as we are. 5. It seems that we have been created for each other. 6. Each one of us is exactly the complement of the other. 7. God forbid that I should add to your troubles.

LE JONGLEUR DE NOTRE–DAME

Questionnaire:

1. Comment s'appelle le jongleur? 2. Où naquit-il? 3. Comment gagnait-il sa vie? 4. En hiver, gagnait-il moins qu'en été? Pourquoi? 5. Barnabé aurait-il voulu se marier? *6. Espérait-il que l'autre monde serait meilleur que celui-ci? 7. Était-il heureux d'être jongleur? 8. Comment le jongleur honorait-il la Vierge? 9. Qu'allait-il faire à la chapelle tous les jours? 10. Que pense le prieur en voyant les actes de Barnabé à la chapelle?

Traduisez en français et écrivez une phrase complète en français avec chacune des expressions suivantes:

1. He began to pray. 2. Be careful of what you say. 3. Once more he looked at me. 4. I wonder what she is doing. 5. May God's peace be with you.

LE FORGERON

Questionnaire:

1. Quelle sorte d'homme était le forgeron? 2. Travaillait-il beaucoup? 3. Que pensait-il de son travail? 4. Quel âge avait son fils? 5. Pourquoi le narrateur resta-t-il chez le forgeron? 6. A quelle heure du matin le narrateur se levait-il? 7. Pourquoi se levait-il si tôt? 8. Pourquoi le forgeron était-il toujours heureux et gai? 9. Quel profit le narrateur tira-t-il de son séjour chez le forgeron? 10. Quelle est l'idée principale de ce conte?

Traduisez en français les expressions suivantes et écrivez une phrase complète avec chaque expression:

1. after an hour 2. suddenly 3. little by little 4. to go away 5. in the midst of 6. to have just finished 7. constantly

LE PASSÉ

Questionnaire:

1. En quelle saison le jeune juge rencontra-t-il Hélène? 2. Hélène était-elle jolie? 3. Quel âge avait-elle? 4. De qui prenait-elle soin? 5. Où le juge la voyait-il tous les jours? 6. En quelle occasion se hasarda-t-il à lui parler? Où? 7. Que répondit Hélène? 8. Le père d'Hélène consentit-il au mariage?

9. Où le père va-t-il aller après le mariage? 10. Quelles raisons le jeune homme donne-t-il pour ne pas prendre le père chez lui? 11. A quelle époque le mariage est-il fixé? 12. Le vieillard consent-il à vivre à la pension? 13. Que se passa-t-il dans le cœur d'Hélène en voyant son père dans la pension? 14. Peut-elle oublier le passé? 15. Qu'est-ce que le passé lui rappelle? 16. De quelle façon le passé agit-il sur le présent? 17. Que pensez-vous du combat intérieur d'Hélène entre l'amour paternel et l'amour de son fiancé?

Dans les phrases suivantes, remplacez les points par l'auxiliaire avoir *ou* être:

1. Je . . . allée au marché et j'. . . acheté des légumes. 2. Il . . . demandé ce que son amie . . . devenue. 3. Nous . . . descendus de la voiture. 4. La jeune fille que j'. . . vue était belle. 5. Je me . . . imaginé qu'elle m'aimait. 6. Vous . . . revenue de la ville à temps. 7. Voici les robes qu'elle . . . achetées.

L'ENFANT PERDU

Questionnaire:

1. Qui est M. Godefroy? Où habite-t-il? 2. En quel mois de l'année cette histoire a-t-elle lieu? Quel jour de l'année? 3. M. Godefroy est-il de bonne humeur ce jour-là à son réveil? 4. A quoi M. Godefroy est-il occupé? 5. Quand l'heure du déjeuner arrive, que mange M. Godefroy? Pourquoi mange-t-il si peu? 6. Comment s'appelle le fils de M. Godefroy? Quel âge a-t-il? 7. Combien de temps chaque jour M. Godefroy passe-t-il avec son fils? 8. Quelle femme M. Godefroy avait-il épousé? 9. Comment s'appelle la gouvernante du fils de M. Godefroy? 10. Qu'est-ce que M. Godefroy désire donner à son fils pour Noël? 11. Comment lui annonce-t-on que l'enfant a disparu? 12. Comment et où le fils s'est-il perdu? 13. Que fait le préfet pour rendre service à M. Godefroy? 14. Où se trouve l'enfant? Décrivez l'endroit où il se trouve. 15. Quel traitement l'enfant a-t-il reçu dans la maison? 16. Quelles sont les pensées qui assaillent M. Godefroy? 17. Qu'est-ce que M. Godefroy voudrait donner au manchot et à l'enfant? 18. Quelle leçon M. Godefroy a-t-il recueilli de cette pauvre famille?

Traduisez les expressions suivantes:

1. Je vois bien que vous n'êtes pas à l'aise. 2. Tout en repassant son rasoir. 3. Les élèves se sont levés de bonne heure. 4. Je ferai n'importe quoi pour vous plaire. 5. Le bébé fit donc ses premières dents. 6. Il se rendit compte qu'il était faible. 7. Elle ne sait que pleurer. 8. Marchand de quatre saisons.

LA PENDULE DE BOUGIVAL

Questionnaire:

1. De quelle sorte de pendule s'agit-il? 2. D'où vient cette pendule?
3. La pendule est-elle grande ou petite? 4. A quelle occasion la pendule
s'en va-t-elle? 5. Quels commentaires fait-on à propos de la pendule?
6. Par qui la pendule fut-elle achetée? 7. Quels effets la pendule eut-elle
sur la famille des Schwanthaler? 8. Que se passa-t-il, dans la suite, dans
cette famille? 9. Comment la pendule changea-t-elle les manières de tout
le monde? 10. Qu'est-ce que l'auteur a voulu dire par sa critique légère?

Traduisez les expressions suivantes et écrivez une phrase en français
avec chacune:

1. à la diable 2. se demander 3. mettre en branle 4. s'attendre à 5. de
temps en temps 6. à force de 7. de plus en plus

GRENOUILLAU

Questionnaire:

1. Qu'est-ce que Madame Bullion a préparé? 2. Qui M. Bullion invite-t-il?
Pourquoi? 3. Quel jour Grenouillau arrive-t-il chez les Bullion?
4. Grenouillau est-il fatigué du voyage? 5. Que Grenouillau faisait-il au
garage? 6. Grenouillau avait-il faim? Mange-t-il beaucoup? 7. Pourquoi
Grenouillau bâillait-il en parlant à Mme Bullion? 8. De qui Grenouillau
était-il fils? 9. Qu'écrivit Grenouillau à son père? 10. Grenouillau se
leva-t-il de bonne heure? 11. Pourquoi M. Bullion pense-t-il que Grenouillau va impressionner les Peaussier? 12. Où Grenouillau préfère-t-il déjeuner? Pourquoi?

Traduisez en anglais et expliquez le sens de la phrase:

1. Donnons du comte aux Peaussier. 2. Je tends loyalement la main à une
classe dite inférieure. 3. M. Bullion se fit conduire à la gare. 4. Si ça ne
vous fait rien, je vais monter à côté de Pfister. 5. Son bagage tient dans
un mouchoir. 6. Il leur glissait à l'oreille. 7. Il veut à toute force rencontrer
ses pareils. 8. C'étaient, d'ailleurs des gens fort bien.

LACASSADE

Questionnaire:

1. Pourquoi appelle-t-on Lacassade Jeanty? 2. A-t-il jamais pensé à se
marier? 3. Pourquoi creuse-t-il un canal? 4. Lacassade possédait-il beau-

coup de terre? 5. Comment fait-il la contrebande? 6. Que trouva-t-il à Paris? 7. Que fit-il avec sa trouvaille? 8. Quand l'année fut terminée, qu'arriva-t-il? 9. Est-il riche maintenant? Comment?

Traduisez en français et écrivez une phrase complète avec chaque expression:

1. What is your name? 2. Why are you not married? 3. I do not remember. 4. He just left. 5. From time to time. 6. Back in the country, he was asked many questions. 7. Cast a glance at your lesson.

AU CENTRE DU DÉSERT

Questionnaire:

1. Où se décide-t-on à camper? 2. Que prétend-on attraper dans les panneaux du parachute? 3. Combien de jours les hommes ont-ils passés sans boire? 4. Que Prévot croit-il voir? 5. Dans quelles conditions Saint-Exupéry écrit-il cette lettre? 6. Que pense-t-il de la lettre qu'il écrit? 7. Combien d'heures Saint-Exupéry pense-t-il vivre? 8. Saint-Exupéry voit-il vraiment des lampes? 9. Pourquoi a-t-il froid? Pourquoi se couvre-t-il de sable? 10. Le corps humain peut-il résister longtemps à la soif? 11. Saint-Exupéry préfère-t-il le danger à la vie? 12. Que mangèrent-ils le premier jour? 13. Quelles pensées eurent les deux hommes en voyant des pas imprimés sur le sable? 14. Qui trouve les hommes perdus dans le désert? 15. De quelle manière le Bédouin les sauve-t-il de la mort? 16. De quelle manière le Bédouin est-il pour eux un frère? 17. Quelle leçon de fraternité peut-on tirer de cette histoire?

Traduisez les mots entre parenthèses:

1. (*Everything considered*), j'ai eu la meilleure part. 2. (*All the same*) j'ai respiré le vent de la mer. 3. (*It is already very cold*) mais je n'ai jamais été sensible au froid. 4. Je voudrais aussi connaître (*what condition I am in*). 5. (*If he takes one more step*), il meurt. 6. (*The question at stake is not*) de vivre dangereusement.

LA QUESTION DE L'APPARTEMENT

Questionnaire:

1. Pourquoi Mme Fidelong demande-t-elle le divorce? 2. Qui considère la maison comme un restaurant? Pourquoi? 3. Que veut dire M. Fidelong

quand il veut retenir sa femme comme ménagère? 4. Après le divorce où ira Mme Fidelong? 5. Depuis combien de temps les Fidelong sont-ils mariés? 6. Après combien de mois Mme Fidelong engage-t-elle une action en divorce? 7. Quelle somme d'argent devait revenir à Mme Fidelong? Pourquoi? 8. Un mois après le divorce, qu'arriva-t-il? 9. Quel appartement Mme Fidelong trouve-t-elle? 10. Comment s'appelle Mme Fidelong maintenant?

Traduisez les expressions suivantes et, avec chacune, écrivez une phrase en français:

1. J'en ai assez. 2. Tu as tort. 3. Je vous sais gré. 4. Je n'y tiens plus. 5. Ce monsieur n'est pas mal de sa personne.

LE JOURNAL DE MARTINE

Questionnaire:

1. A qui Martine raconte-t-elle son histoire? 2. A qui Martine va-t-elle se marier? 3. Comment Martine va-t-elle connaître le jeune homme qu'elle veut épouser? 4. Quel sport veut-elle employer pour arriver à ses fins? 5. Pourquoi Martine met-elle son prétendant au volant? 6. Quel incident de route arrive-t-il à Lormois? 7. Quel est le jugement de Martine sur Lormois? Pourquoi? 8. Que désirait Mireuil au départ? 9. Que dit-il à sa compagne? 10. Comment Mireuil révèle-t-il son caractère? 11. Comment Martine juge-t-elle Mireuil? 12. Que pensez-vous de la méthode de sélection de Martine?

Traduisez en français les expressions suivantes:

1. He took the wheel. 2. He wanted to show off. 3. He did not suspect anything. 4. This is not fair. 5. I am thankful to him. 6. He came near hitting an old man. 7. You are quite right.

LES CANIVEAUX

Questionnaire:

1. Depuis combien de temps le terrassier habite-t-il le village? 2. Pourquoi se méfiait-on de lui dans le village? 3. De quelle manière était-il vêtu? 4. Quel était son métier? 5. Combien de kilomètres avait-il creusés? 6. Pendant combien d'années avait-il travaillé à creuser ce nombre de kilomètres? 7. Avait-il des amis dans le village? 8. De quel triste pays

parle-t-il? 9. Quand il fut malade, qui le soigna? 10. Pourquoi envoyait-il de l'argent régulièrement dans son pays natal? 11. En quelle saison retourna-t-il au pays? 12. Où mourut-il? 13. Quelle était la conduite de son père? 14. A son retour au village, qu'espérait-il faire? 15. Quelle est l'idée principale qui se dégage de cette histoire?

Traduisez et expliquez les expressions suivantes:

1. Il n'était pas du pays. 2. Travail de Romain. 3. Il avait son métier dans le cœur. 4. Il en savait long sur les chemins. 5. Un bon matin, il repartit. 6. Le bien était grevé d'une lourde hypothèque.

ZADIG ET LES FEMMES

Questionnaire:

1. Où Zadig était-il né? 2. Était-il riche? 3. A qui devait-il se marier? 4. Quelle sorte d'homme était Orcan? 5. Aimait-il Sémire aussi? 6. Comment Sémire fut-elle blessée? Pour quels motifs fut-elle blessée? 7. Comment Zadig fut-il blessé? 8. Pourquoi Sémire épouse-t-elle Orcan? 9. Quand Zadig eut épousé Azora, que remarqua-t-il en elle? 10. Qu'est-ce que la veuve Cosrou a promis aux dieux? 11. Comment s'est-elle affranchie de sa promesse? 12. Qui était Cador? Avec qui dîna-t-il? 13. Que fit Azora pour le guérir? 14. Où Zadig cherche-t-il le bonheur? 15. Quelle récompense reçoit Zadig pour défendre la femme? 16. A-t-il raison d'être fâché? 17. Quelle leçon nous présente Zadig?

Indiquez le temps entre parenthèses et expliquez la raison de ce temps:

1. Il faut que je m'en (aille). 2. Vous (auriez été indigné) si vous (aviez vu) le spectacle. 3. Y avait-il un remède qui (fût) bon pour le mal de rate? 4. Il n'y a qu'un seul remède qui (puisse) me soulager. 5. Ne vous (préoccupez) pas de cela; (parlez-lui) demain.

Vocabulary

VOCABULARY

This vocabulary aims at being complete except for all articles, obvious cognates, simple numerals, and, as a rule, regular adverbs ending in –**ment**. Geographical, historical, and literary allusions have been omitted if already mentioned in the footnotes. The principal parts of widely used irregular verbs have been given. The following abbreviations have been used: *abbrev.* abbreviation; *adj.* adjective; *adv.* adverb; *conj.* conjunction; *f.* feminine noun; *m.* masculine noun; *neg.* negative; *pl.* plural; *pron.* pronoun; *v.* verb.

A

à at, in, to
abaisser to lower; **s'abaisser** to humble oneself, lower oneself
abandon *m.* abandon; confidence; surrender
abandonner to abandon, give up
abasourdi astounded
abattre to pull down, discourage
abbé *m.* priest, abbot
abcès *m.* abscess, boil
abdomen *m.* abdomen, stomach
abîmer to spoil
abonder to abound
abonné *m.* subscriber
abord *m.* access, approach; **tout d'abord** in the first place
aborder to approach
aboyer to bark
abréger to shorten, abridge
abri *m.* shelter
abriter to shelter, protect
absolu absolute
absorbé absorbed, engrossed
absurde absurd, silly
abuser to abuse, deceive
acajou *m.* mahogany
accabler to overwhelm; exhaust
accaparer to monopolize, seize, take
accélérer to accelerate, hurry
accentuer to accentuate, emphasize
accepter to accept; agree
accès *m.* access
accidenté rugged
accoler to embrace
accompagner to accompany
accomplir to accomplish, perform
accorder to grant
accoutumer to accustom
accrocher to hang, cling to
accroire: faire accroire to make believe
accroissement *m.* increase

accroître to increase
accueil *m.* welcome
accueillir (accueillant, accueilli, accueille, accueillis) to welcome, greet
accumuler to accumulate, gather
acharner to persist
achat *m.* purchase
acheter to buy
achever to achieve, finish
acier *m.* steel
acquérir (acquérant, acquis, acquiers, acquis) to acquire
acte *m.* act
addition *f.* addition, note, bill
adieu *m.* farewell
adjudication *f.* adjudication, auction, decision
adjuger to award; **s'adjuger** to appropriate
admettre to admit, let in
administrateur *m.* administrator, manager
admirer to admire
adopter to adopt
adopti–f, –ve adoptive
adorer to adore, be fond of, worship
adoucir to soften, sweeten
adresse *f.* address; skill
adresser to address, direct
adroit skillful
adversaire *m.* adversary, enemy, opponent
affaiblir to weaken
affaiblissement *m.* weakening, collapse
affaire *f.* business, matter
affairé busy
affaissé collapsed
affaissement *m.* depression, collapse
affamé hungry, famished
affecter to affect, assume, pretend
affectivité *f.* love
affectueu–x, –se affectionate, tender

afficher to show, post
affiné refined
affirmer to affirm, assert
affliger to afflict, distress
affoler to madden, craze
affranchi freed, released
affreu-x, –se frightful, awful
affût *m.* watch; **à l'affût** in ambush
afin de in order to
agacer to tease
âge *m.* age
agenda *m.* agenda, notebook
agenouiller to kneel
aggraver to make worse, aggravate
agir to act; **s'agir de** to be a question
   of
agitation *f.* agitation, unrest
agiter to agitate, wave; discuss
agoniser to agonize, be dying
agrafer to fasten, clasp
agriculteur *m.* farmer
ahuri astounded
aide *f.* aid, help
aider to aid, help
aïeux *m. pl.* ancestors
aigre bitter
aigrir (s') to embitter, anger
aigu, –ë sharp, pointed
aiguille *f.* needle; hand of a clock;
   (railroad) switch
aile *f.* wing
aileron *m.* pinion, stump of an arm
ailleurs elsewhere; **d'ailleurs** besides
aimable amiable, kind, pleasant
aimer to love, like
aîné *m.* senior; *adj.* elder
ainsi thus; **ainsi que** just as
air *m.* air; appearance; **avoir l'air** to
   seem, appear
aisance *f.* comfort
aise *f.* ease, comfort
aisselle *f.* armpit
ajouter to add
ajuster to adjust, fasten
ajusteur *m.* fitter, mechanic
alarmé alarmed, worried
albinos albino
Albion *f.* England
alcool *m.* alcohol; **alcool à 90** 90 proof
   alcohol
alcôve *f.* alcove, recess
alentour around
alerte *f.* alert, surprise
alerter to alert, alarm
alezan-brûlé dark chestnut-colored
allée *f.* path, alley

alléger to lighten, relieve
allègrement cheerfully
allégresse *f.* joy, gladness
allemand German
aller (**allant, allé, vais, allai**) to go;
   s'en aller to go away
allocution *f.* speech
allonger to lengthen, stretch out
allons! come now!
allouer to allow, grant
allumer to light
allumette *f.* match
allure *f.* pace, gait
allusion *f.* allusion; **faire allusion** to
   hint at, mention
alors then
alourdir to make heavy
altération *f.* alteration, change
amant *m.* lover
ambassadeur *m.* ambassador
ambigu, –ë ambiguous, equivocal
ambulance *f.* ambulance, field hospital
âme *f.* soul
amener to bring
amer, amère bitter
Amérique *f.* America
amertume *f.* bitterness
ami *m.* friend
amitié *f.* friendship
amorcer to bait, attract; begin
amour *m.* love
amoureusement lovingly
amoureu-x, –se loving, in love
amour-propre *m.* pride, self-respect
amuser to amuse; **s'amuser** to have
   a good time; **amusant** amusing
an *m.* year
analyse *f.* analysis
analyser to analyze
ancêtre *m.* ancestor
ancien, –ne old, ancient
âne *m.* donkey
ange *m.* angel
anglais English
Angleterre *f.* England
angoissant anxious, agonizing, fearful
angoisse *f.* anxiety, anguish
angoissé disturbed, worried
angoisser to distress, worry
animer to enliven, revive
annales *f. pl.* annals
anneau *m.* ring, link
année *f.* year
anniversaire *m.* anniversary, birthday
annoncer to announce

anse *f.* handle
Antibes *f.* Antibes (*a Mediterranean town and port near Cannes*)
anticipé premature, in advance
antipathie *f.* antipathy
anxieu-x, -se anxious, eager, uneasy
août *m.* August
apaisant peaceful, calm
apaiser to quiet, pacify, appease
apercevoir (**apercevant, aperçu, aperçois, aperçus**) to perceive, notice
apitoiement *m.* pity, consideration
aplatir to flatten
aplomb *m.* assurance, nerve
apoplexie *f.* apoplexy
apôtre *m.* apostle
apparaître to appear
apparition *f.* apparition, ghost
appartement *m.* apartment, home, place
appartenir to pertain, belong
appel *m.* appeal, call
appeler to call
appétit *m.* appetite, desire
application *f.* application; diligence
appliquer to apply
apporter to bring, carry
apprécier to appreciate
apprendre to learn
apprenti *m.* apprentice
apprêter to prepare
approche *f.* approach
approcher to approach
appui *m.* support
appuyer to lean, support; stress, insist
après after; afterward; **après-midi** *m.* afternoon
arabe *m.* Arab
araignée *f.* spider
arbre *m.* tree
arbuste *m.* shrub
archange *m.* archangel
archéologue *m.* archeologist
ardemment ardently
ardent ardent, burning
arête *f.* fishbone; ridge
argent *m.* silver, money
argenterie *f.* silverware
arguer to argue
argumenter to plead, argue
aristocratie *f.* aristocracy
aristocratique aristocratic
arme *f.* arm, weapon
armer to arm, equip, cock (*a gun*)
armoire *f.* chest, closet, cupboard
armure *f.* armor, protection

arome *m.* aroma, perfume, smell
arpent *m.* (*French*) acre
arpenter to stride along
arracher to tear out, uproot, snatch
arrangement *m.* arrangement, order
arranger to arrange, settle; **s'arranger** to manage
arrêt *m.* stop
arrêter to stop
arrière *m.* back, rear; **arrière-garde** *f.* rear guard; **arrière-pensée** *f.* mental reservation
arrivée *f.* arrival, coming
arriver to arrive, succeed
arrondi rounded, circular
arroser to water
arrosoir *m.* watering can
arsenal *m.* arsenal, collection
article *m.* article; **article de Paris** specialty; *adj.* smart, modish
articuler to articulate, pronounce
artillerie *f.* artillery
as *m.* ace; **as du volant** excellent driver
ascension *f.* ascent
asile *m.* asylum, refuge
aspect *m.* aspect, appearance
asphyxier to asphyxiate, stifle
aspirer to breathe; aspire
assaillir to attack, assail
assaisonner to season, make palatable
assassin *m.* killer, murderer
assaut *m.* attack
assemblée *f.* assembly, gathering, reunion
asseoir (**asseyant, assis, assois** *or* **assieds, assis**) to sit down
asservir to enslave, subdue, bind
assez enough, rather
assiéger to besiege
assiette *f.* plate
assigner to assign, designate
assis seated
assistance *f.* assistance, help; assembly
assistant *m.* assistant, helper
assister to assist, help
associer to associate
assombrir to darken
assommer to knock down
assortiment *m.* assortment, collection
assoupir to doze
assumer to assume
assurance *f.* assurance, security, insurance

assuré assured, bold; insured
assurément surely
assurer to insure, assure, affirm
astre *m.* star
astronome *m.* astronomer
atavisme *m.* atavism, inheritance
atelier *m.* workshop
atlas *m.* atlas, map
atroce atrocious
atrocité *f.* atrocity, cruelty
attachant enticing, loving
attachement *m.* attachment, liking
attacher to tie
attaquer to attack, criticize
attarder to linger, delay
atteindre to reach; attack
attelage *m.* team, harnessing
atteler to harness, hitch
attendre to wait
attendri moved, touched
attendrir to move, touch
attendrissement *m.* compassion, tenderness, pity
attente *f.* expectation, waiting; **salle d'attente** *f.* waiting room
attention *f.* attention, notice, care
atténuer to attenuate, minimize
atterré dumbfounded
attirer to attract
attiser to stir, light
attraper to catch
attrayant attractive
attribuer to attribute
attribution *f.* attribution, privilege
attrister to sadden
attroupement *m.* gathering
aubaine *f.* luck
aube *f.* dawn
aubergiste *m.* innkeeper
aucun any, none, no one
audace *f.* audacity, boldness
augmenter to increase
augure *m.* augury, omen
aumône *f.* alms
auner to measure
auparavant before
auprès nearby; **auprès de** beside
aurore *f.* dawn
aussi also, accordingly
aussitôt at once; **aussitôt que** as soon as
austère austere, stern
austérité *f.* austerity, seriousness
autant as much, as many; **d'autant plus que** all the more because

autel *m.* altar
automne *m.* autumn
autonome autonomous
autonomie *f.* autonomy
autoriser to authorize, permit
autour around
autre other; **l'autre** "the fellow"
autrefois formerly
Autriche *f.* Austria
Auvergne *f.* Auvergne (*an old province of France*)
avaler to swallow
avance *f.* advance; **d'avance** beforehand
avancement *m.* advancement, promotion
avancer (s') to advance, progress
avant que before
avantage *m.* advantage, benefit
avare *adj.* avaricious, miserly; *m.* miser
avarie *f.* damage, mishap
avec with; **d'avec** from
avenant kind, comely
avenir *m.* future
aventure *f.* adventure; story
averse *f.* shower
aversion *f.* aversion, distaste
avertir to warn
aveu *m.* confession
aveugle *adj.* blind; *m. and f.* blind person
aveuglément blindly
avide earnest, greedy, eager
avion *m.* airplane
avis *m.* advice; notice
avisé wise, shrewd
aviser to advise; **s'aviser** to notice, realize
avoine *f.* oats
avoir (ayant, eu, ai, eus) to have
avoué *m.* attorney
avouer to confess, admit
avril *m.* April
azur *m.* azure, sky color

B

babil *m.* talk, chat
baccarat *m.* baccarat (*card game*)
badaud *m.* idler
Bade *f.* Baden (*a town in Germany*)
bagage *m.* luggage, baggage
bague *f.* ring
bahut *m.* chest, commode
bai bay (*bay horse*)

baie *f.* bay, opening, window
baigner to bathe
bail *m.* lease
bâiller to yawn
bain *m.* bath
baiser *m.* kiss; *v.* to kiss
baisse *f.* fall, decline
baisser to lower
bal *m.* ball, dance
balader to walk, stroll; take for a ride
baladin *m.* mountebank, clown, buffoon
balai *m.* broom
balance *f.* scale
balancement *m.* swinging
balancer to swing
balancier *m.* pendulum
balayer to sweep
balbutier to stammer
balcon *m.* balcony
baleine *f.* spoke, rib
balle *f.* ball, bullet
ballon *m.* balloon
ballotté rocked, tossed
banal banal, common, simple
banc *m.* bench
bande *f.* band, group; strip of linen
bandeau *m.* headband
banlieue *f.* suburb, outskirts
banquette *f.* seat, bench
baptême *m.* baptism
baraque *f.* shack
barbe *f.* beard; **à la barbe de** under the nose of, in the presence of
barbier *m.* barber
barbu bearded
barre *f.* bar
barrière *f.* barrier, gate
barrique *f.* cask
baryton *m.* baritone
bas *m.* stocking
bas, -se low; **là-bas** yonder
bassesse *f.* baseness
bassine *f.* (deep) pan
bataille *m.* battle, fight
bâtarde *f.* round script
bâtiment *m.* building
bâtir to build
bâton *m.* stick, cane, staff
battant *m.* leaf of a door; **ouvert à deux battants** wide open; **battant-neuf** brand new
battement *m.* beating, flutter
battre to beat
battue *f.* beat; search

bavard talkative
bavarder to chat
bavarois Bavarian *(inhabitant of Bavaria, Germany)*
baver to dribble
Bavière *f.* Bavaria *(a province of Germany)*
béant open
beau, belle beautiful; **beaux-arts** *m.* fine arts; **beau-père** *m.* father-in-law
beaucoup much, a great deal
beauté *f.* beauty
bec *m.* beak, bill; **bec de gas** *m.* gaslight, gas burner
bêcher to spade
Bédouin *m.* Bedouin *(a man from North Africa)*
bégaiement *m.* stammering
bégayer to stammer
bénéfice *m.* benefit, profit
bénéficier to profit
bénir to bless
bercail *m.* sheepfold
berceau *m.* cradle
bercer to rock, lull
béret *m.* beret
berger *m.* shepherd
besogne *f.* job, work
besoin *m.* need; **avoir besoin** to need
bête *f.* beast, animal; *adj.* stupid, silly
bêtise *f.* stupidity
bibliothèque *f.* library
bicarbonate de soude *m.* bicarbonate of soda
bicoque *f.* hut, hovel
bicyclette *f.* bicycle
bidon *m.* can
bien *adv.* well, very; surely; *m.* property; goodness; **bien que** although
bien-être *m.* well-being
bienfaisant charitable, beneficial, salutary
bienfait *m.* benefaction, good deed, blessing
bienheureu-x, -se fortunate, happy
biens *m. pl.* property, fortune
bientôt soon
bienveillance *f.* benevolence, kindness
bijou *m.* jewel
bijoutier *m.* jeweler
billard *m.* billiards
bille *f.* marble
billet *m.* ticket

bizarre queer, strange
blague *f.* fib, humbug
blaguer to rail, talk lightly, hoax
blanc, blanche white
blanchir to whiten
blason *m.* coat of arms
blasphémer to swear
blé *m.* wheat
blessé wounded
blesser to wound, hurt
blessure *f.* wound
bleu blue
bleuâtre bluish
bloquer to blockade
blottir to curl up, nestle
bœuf *m.* ox
bohémien, –ne Bohemian; gypsy
boire (**buvant, bu, bois, bus**) to drink
bois *m.* wood
boisé wooded
boîte *f.* box
boiter to limp
bol *m.* bowl
bombance *f.* plenty, high living
bon, –ne good, kind; **pour de bon**
　really
bonbon *m.* candy
bond *m.* leap, jump
bondir to jump
bonheur *m.* happiness, good fortune;
　par bonheur happily
bonhomme *m.* good man, good fellow
bonjour *m.* good morning, good day
bonne *f.* maid
bonnet *m.* cap, bonnet
bonté *f.* goodness
bord *m.* edge
border to border, edge
bordure *f.* edge, border
borgne *m.* one-eyed person
borne *f.* milestone, limit
bottine *f.* shoe
bouche *f.* mouth
bouchée *f.* mouthful
boucher *m.* butcher
boucher to stop; **se boucher le nez**
　to hold one's nose
bouchon *m.* stopper
bouclé curly
bouderie *f.* sulkiness
boudeur *m.* sullen person
bouffant baggy
bouffée *f.* puff
bouffi swollen
bouge *m.* hovel, hole

bouger to move, budge
bougie *f.* candle
bougre *m.* poor fellow
bouillabaisse *f.* fish soup (*a special
　dish of Provence*)
bouillie *f.* stew, pulp; **bouillie à col-
　ler** hash
bouillonnement *m.* bubbling, rippling
bouillonner to bubble
boule *f.* ball
boulet *m.* cannon ball; bullet
bouleversement *m.* confusion, up-
　setting
bouleverser to upset
bouquet *m.* bunch of flowers, bouquet
bourg *m.* village, borough
bourgeois *m.* commoner, middle-class
　person
bourgeonné florid
bourrelet *m.* pad, layer
bourrer to fill
bourse *f.* purse; **Bourse** *f.* Stock
　Exchange
bousculer to jostle
boussole *f.* compass
bout *m.* end
bouteille *f.* bottle
boutique *f.* shop
boutiquier *m.* shopkeeper
boutonner to button
bouture *f.* cutting
braise *f.* embers, live coals
brancard *m.* shaft
brandir to brandish
branle *m.* motion; **mettre en branle**
　to set in motion
braquer to aim
bras *m.* arm
brasser to handle; earn
brasseur *m.* brewer; **brasseur d'ar-
　gent** money-maker
brave brave, worthy, fine
bravoure *f.* bravery, courage
brebis *f.* ewe, sheep
bredouiller to stutter, sputter
bref, brève brief, short
breloque *f.* charm
Bretagne *f.* Brittany
bréviaire *m.* breviary, prayer book
bride *f.* bridle; **à toute bride** at full
　speed
brigandage *m.* brigandage, dishonesty
brillant brilliant, shiny
briller to shine
brindille *f.* twig

brioche *f.* cake, brioche; **faire une brioche** to blunder
brique *f.* tile, brick
brise *f.* breeze, wind
briser to break
brisure *f.* break
broc *m.* jug, bottle
brocart *m.* brocade
broder to embroider
broderie *f.* embroidery
broncher to move, stir
brosse *f.* brush
brosser to brush
brosserie *f.* brush factory
brouette *f.* wheelbarrow
brouillard *m.* fog, mist
brouillon *m.* rough draft; *adj.* quarrelsome
broussaille *f.* bush
broyer to break, crush
bruit *m.* noise
brûlant burning, hot
brûler to burn
brûlure *f.* burn
brume *f.* fog, mist
brun brown
brusque sudden
brusquerie *f.* suddenness, roughness
brut raw, rough
brutalité *f.* brutality, rudeness
bruyant noisy
buisson *m.* bush
bulle *f.* bubble; document
bureau *m.* office; desk
buste *m.* bust
but *m.* aim, end, goal
buter to stumble
butor *m.* booby
buvard *m.* blotter

C

ça (*contraction of* **cela**) that, it
caban *m.* coat
cabane *f.* hut, shanty
cabanon *m.* shed
cabaret *m.* tavern
cabinet *m.* office, cabinet
caboche *f.* head (*slang*)
cabot *m.* dog (*slang*)
cabriolet *m.* buggy, cab
cache-poussière *m.* smock
cacher to hide
cachet *m.* seal, stamp
cacheter to seal

cachette *f.* hiding; **en cachette** on the sly
cadeau *m.* gift, present
cadence *f.* cadence, fall; rhythm
cadran *m.* dial (*of a clock*)
cadre *m.* frame
café *m.* coffee; café
cahier *m.* notebook, copybook; **cahier des charges** *m.* specifications
caisse *f.* chest, box
cajoler to cajole, pet, caress
cajolerie *f.* coaxing, cajolery
calcul *m.* computation, plan
calculer to calculate, count
câlin cajoling, coaxing
calme *m.* calm
calmer to calm
camion *m.* truck
camisole *f.* jacket, morning jacket
campagne *f.* countryside
camper to camp
canaille *f.* rabble, riffraff; scoundrel
canapé *m.* sofa
candeur *f.* candor
candidat *m.* candidate
canif *m.* penknife
caniveau *m.* canal, trench, gutter
canne *f.* cane
canotier *m.* boater, rower; straw hat; **canotière** *f.* oarswoman
cantique *m.* hymn
canton *m.* county
caoutchouc *m.* rubber; raincoat
capacité *f.* capacity
capitaine *m.* captain
caprice *m.* caprice, whim
capturer to capture
capuchon *m.* hood, cowl
car because, for
caractère *m.* character, print; disposition
caravane *f.* caravan, troop
carcasse *f.* skeleton; framework
caresser to caress
carillon *m.* chime, peal, racket
carillonner to ring, sound the bells
carpette *f.* carpet
carré *m.* square
carreau *m.* tile, square
carrefour *m.* crossroad
carrelé tiled
carrément squarely, firmly
carrer to square
carrière *f.* career
carriole *f.* coach, cart

carrosse *m.* coach
carrossier *m.* carriage maker
carte *f.* map, card
cartel *m.* wall clock
cas *m.* case; **en tout cas** at all events
case *f.* compartment, division
caserne *f.* barracks
casier *m.* ledger rack, (mail) box
casque *m.* helmet
casquette *f.* cap
casse-cou *m.* break-neck place; rough rider
casser to break
cassure *f.* fracture, break
catalogue *m.* catalog
cathédrale *f.* cathedral
causer to talk, chat; give rise to
causerie *f.* conversation, talk
cavalerie *f.* cavalry
cavalier *m.* suitor, horseman
cave *f.* cave, cellar
caveau *m.* vault
ceci this
céder to yield
ceint encircled, surrounded
ceinture *f.* belt
ceinturon *m.* belt
cela that
célébrer to celebrate
celui the one, that; **celui-ci** this one, the latter; **celui-là** that one, the former
cendres *f. pl.* ashes
cent *m.* one hundred
centaine *f.* a hundred or so
cependant however, yet, meanwhile
cercle *m.* circle; club, association
cercueil *m.* coffin
cérémonie *f.* ceremony
cérémonieu–x, –se ceremonious, formal
certain certain, sure
certitude *f.* certitude, assurance
cerveau *m.* brain
cervelle *f.* brain(s)
cesse *f.* intermission; **sans cesse** constantly
cesser to stop, cease
chacun each, each one, everyone
chagrin *m.* sorrow
chair *f.* flesh
chaire *f.* chair, seat, throne
chaise *f.* chair
châle *m.* shawl
châlet *m.* cottage

chaleur *f.* heat
chambellan *m.* chamberlain
chambre *f.* room, chamber
chameau *m.* camel
champ *m.* field
chance *f.* chance, luck
chanceler to totter
changement *m.* change
changer to change
chanoinesse *f.* canoness
chanson *f.* song
chant *m.* chant, song
chanter to sing
chantier *m.* work yard, block
chapeau *m.* hat
chapelière *f.* old-fashioned wardrobe trunk
chapelle *f.* chapel
chapitre *m.* chapter
chaque each
charbon *m.* coal
charge *f.* charge, load, responsibility
chargement *m.* load, lading
charger to charge, load; **se charger** to undertake
charité *f.* charity
charmant charming
charme *m.* charm
charmer to charm, please
charnel, –le carnal, sensual
charrette *f.* cart
charrue *f.* plow
chasse *f.* hunt, chase
chat *m.* cat, tomcat
châtaignier *m.* chestnut tree
château *m.* castle
chaud warm
chaudière *f.* boiler, caldron
chaudron *m.* caldron
chauffage *m.* heating
chauffeur *m.* chauffeur, driver
chausser to fit, put shoes on, wear
chausson *m.* felt shoe
chaussure *f.* footware, shoes
chauve bald
chauve-souris *f.* bat
chaux *f.* lime, limestone
chavirer to upset, wreck
chef *m.* chief, head cook, chef; **chef-d'œuvre** masterpiece; **de ce chef** on this score
chemin *m.* way, road; **chemin de fer** railroad
cheminée *f.* chimney, fireplace
cheminer to walk

chemise *f*. shirt
chêne *m*. oak tree
cher, chère dear, expensive
chercher to look for
chéri darling, dear
chérir to cherish, caress, love
chéti-f, -ve frail, puny
cheval *m*. horse; horseback riding
chevelure *f*. hair
chevet *m*. head of the bed, bedside
cheveu *m*. hair
cheville *f*. ankle; peg, plug
chèvre *f*. goat
chic pretty, chic
chien *m*. dog, cock (*of a gun*)
chiffon *m*. rag
chiffonné crumpled, vexed
chiffre *m*. figure, number
chignon *m*. knot of hair, chignon
chimie *f*. chemistry
chipoter to trifle, bargain; nibble
chiquenaude *f*. slight push with the
   finger, fillip
chocolat *m*. chocolate
choisir to choose
choix *m*. choice
choquer to shock, scandalize
chose *f*. thing; quelque chose something
choyer to pet, love
chromo *m*. colored lithograph,
   chromo
chronomètre *m*. chronometer, clock
chuchotement *m*. whispering
chuchoter to whisper
chut! hush!
ciel *m*. (*pl*. cieux) sky, heaven
cigale *f*. cicada, grasshopper
cigare *m*. cigar
cil *m*. eyelash
cimenter to cement
cimetière *m*. cemetery
cingler to lash; sail
cinq five
cinquante fifty
cirage *m*. shoe polish, blacking
circassien, -ne Circassian
circonférence *f*. circumference
circonspect cautious, wary
circonstance *f*. circumstance, occasion
circuit *m*. circuit, race
circuler to circulate, move, pass
cire *f*. wax
cirque *m*. circus, amphitheater

ciseaux *m*. *pl*. scissors
ciseler to chisel, imprint
citer to quote, mention
cithare *f*. cithern; cithara
civière *f*. stretcher
clair clear
clapier *m*. rabbit hutch
claquer to slam, clap, chatter
clarté *f*. light, brightness
classe *f*. class, classroom
clause *f*. clause, condition
clavecin *m*. harpsichord
clef *f*. key
client *m*. client, customer
cloche *f*. bell
clos *m*. field; *adj*. closed, shut
clou *m*. nail
clouer to nail
coasser to croak
cocher *m*. coachman
code *m*. code, law
cœur *m*. heart; mal de cœur *m*.
   nausea
coiffe *f*. bonnet, coif
coiffure *f*. headdress, hair
coin *m*. corner
col *m*. collar
colère *f*. anger
colis *m*. parcel, baggage
collectionner to collect
collectionneur *m*. collector
collège *m*. college
collègue *m*. colleague
coller to stick
collet *m*. collar, coat collar
collier *m*. necklace, collar
colline *f*. hill
colombe *f*. dove
colorer to color
colossal colossal, enormous
combattant *m*. fighter
combien how much, how many
combiner to combine, arrange
combler to heap up, load
comédie *f*. comedy
commandement *m*. command
commander to command
comme like, as
commencement *m*. beginning
commencer to begin
comment how
commerçant *m*. businessman, merchant
commère *f*. gossip, talkative person
commettre to commit

commissaire *m.* commissary; chief of police

commissariat *m.* office of the commissary

commission *f.* commission; committee

commode *f.* dresser; *adj.* convenient

communauté *f.* community; convent, monastery

communément generally

communicati–f, –ve open, talkative

communier to commune; partake, share

communiquer to communicate, reveal

compagne *f.* companion

comparer to compare

compartiment *m.* compartment

compassé formal, strict, restrained

compassion *f.* compassion, pity, mercy

compatriote *m.* (fellow) countryman

compl–et, –ète *adj.* complete, full; *m.* suit of clothes

complice *m.* accomplice

complicité *f.* complicity, acquiescence

compliment *m.* compliment, praise

complimenter to praise

composer to compose, write

comprendre to comprehend, understand

comptabilité *f.* bookkeeping

comptable *m.* accountant

compte *m.* account; **se rendre compte** to realize

compter to count

compteur *m.* computer; **faire sonner le compteur** to ring the register; **compteur de vitesse** *m.* speedometer

Comptoir général de crédit *m.* International Bank

concerner to concern, relate to

concevoir (concevant, conçu, conçois, conçus) to conceive

concierge *m.* janitor, porter

conclure (concluant, conclu, conclus, conclus) to conclude

concourir to compete, concur

concours *m.* concourse, agglomeration, show

condamner to condemn

condescendant condescending, complying

condisciple *m.* fellow student

conducteur *m.* conductor; motorman

conduire (conduisant, conduit, conduis, conduisis) to drive; lead

conduite *f.* conduct, behavior

confection *f.* confection; ready-made suit

conférence *f.* conference, meeting

confesser to confess, avow

confiance *f.* confidence, trust

confier to confide; entrust

confiner to confine; border

confins *m. pl.* border, limits, confines

confire to preserve

confondu confounded, mixed

confus confused

congé *m.* leave, holiday; notice to vacate

congédier to discharge, send away

conique conical

conjoint united

conjurer to conjure; beg, ask

connaissance *f.* knowledge, acquaintance; **sans connaissance** unconscious

connaître (connaissant, connu, connais, connus) to know

conquérir to conquer

conquête *f.* conquest

consacrer to devote, spend

conseil *m.* counsel, advice; **Conseil général** *m.* general assembly of a Department

conseiller to advise; **conseiller aulique** *m.* member of the Aulic Council

consentement *m.* consent, approbation

consentir to consent

conséquent important; **par conséquent** therefore

conservateur *m.* keeper, guardian

conserver to preserve

considérer to consider

consigne *f.* order, command; **forcer la consigne** to break the order

consigner to mention; close

consoler to console, soothe

constance *f.* constancy, loyalty

constater to verify, ascertain

consterner to dismay, astound

constituer to constitute, make up

construire (construisant, construit, construis, construisis) to build

consulter to consult

consumer to consume, wear out

contempler to behold, look at

contenir to contain
content satisfied, happy
contentement *m.* contentment, satisfaction
contenter to satisfy
contenu *m.* contents
conter to tell
continuel, –le continuous, continual
continuer to continue, keep on
contraire contrary, different
contraste *m.* contrast
contrat *m.* engagement, contract
contre against
contrée *f.* country, region
contribuer to contribute
convaincre to convince, prove
convenable convenient, proper
convenance *f.* propriety, fitness, convenience
convenir to agree, be suitable
converser to converse, talk
convier to invite
convive *m.* guest
convoiter to desire, covet
convoitise *f.* covetousness, desire
copain *m.* pal, friend (*familiar*)
copie *f.* copy
copier to copy
copieu–x, –se abundant, copious
coq *m.* rooster
coque *f.* shell; **œuf à la coque** *m.* soft-boiled egg
coquet, –te coquettish; smart, stylish
coquille *f.* small shell
coquin *m.* rascal, rogue
corail *m.* coral
corbeille *f.* basket; flower bed
cordelet *m.* small cord, string
cordon *m.* cord
corne *f.* horn
cornet *m.* paper cone
corps *m.* body; **à corps perdu** headlong; with courage
correspondent *m.* agent; correspondent
corriger to correct
corrompre to corrupt
corrupteur *m.* seducer, briber
corrupt–eur, –rice corrupting
corsage *m.* corsage; waist; blouse
cortège *m.* retinue, procession
cossu rich, substantial
costume *m.* costume, dress
côte *f.* rib; coast; **côte à côte** side by side
côté *m.* side; **à côté de** by the side of

coteau *m.* hill
côtelette *f.* cutlet, chop
couchant *m.* west; setting sun
couche *f.* couch; confinement
coucher to put to bed; **se coucher** to lie down
coude *m.* elbow
coudoiement *m.* elbowing
coudre to sew; **cousu d'or** loaded with money
couler to flow
couleur *f.* color
coulisse *f.* side scene, wing; **dans les coulisses** backstage
coup *m.* blow, stroke; deed; **tout à coup** suddenly; **coup de fouet** lashing, whipping
coupable guilty
coupe *f.* cut, tailoring
coupé *m.* coupé; carriage, auto
couper to cut
coupole *f.* cupola
coupure *f.* cut; small bank note
cour *f.* yard; **faire la cour** to court
courageu–x, –se courageous, brave
couramment fluently
courber to curb; curve, bend
courir (courant, couru, cours, courus) to run
couronne *f.* crown
courrier *m.* messenger
course *f.* race; errand
court short
courtisan *m.* courtier, flatterer
courtoisie *f.* courtesy
coussin *m.* cushion
couteau *m.* knife
coûter to cost
coutume *f.* custom
couturière *f.* dressmaker
couvent *m.* convent
couver to hatch
couvert shady, cloudy
couverture *f.* cover, blanket
couvrir (couvrant, couvert, couvre, couvris) to cover
cracher to spit
craindre (craignant, craint, crains, craignis) to fear
crainte *f.* fear
cramoisi dark red
cramponner to cling
crâne *m.* skull; *adj.* plucky; brave
craquer to crack, split; rustle
cratère *m.* crater

créancier *m.* creditor
créer to create
crépir to plaster, roughcast
crépuscule *m.* twilight
crétin *m.* rascal, idiot
creuser to dig; creusé hollow, empty
creu–x, –se hollow
crever to bust; have a flat tire
cri *m.* cry
cribler to sift, riddle
crier to cry, yell
crinière *f.* mane
crise *f.* crisis, danger
crisper to convulse, irritate
croc *m.* crochet hook, small hook
croire (croyant, cru, crois, crus) to
  believe
croisade *f.* crusade
croisement *m.* crossing
croiser to cross
croix *f.* cross
crouler to fall, crumble
crucifix *m.* crucifix, cross
cuir *m.* leather
cuisine *f.* kitchen; faire la cuisine to
  cook
cuisinière *f.* cook
cuisse *f.* thigh
cuivre *m.* copper
cul *m.* back, end
culte *m.* cult, worship
cultivateur *m.* farmer
cultiver to cultivate
cupide covetous, greedy
cure *f.* care; cure
curé *m.* curate, vicar, priest
curieu–x, –se curious, inquisitive
curiosité *f.* curiosity

D

daguerréotype *m.* daguerreotype
  (*photography*)
daigner to deign
dallage *m.* paving
dalle *f.* stone slab
dame *f.* lady, dame
dangereu–x, –se dangerous
danse *f.* dance
danser to dance
dater to date
davantage more
dé *m.* thimble
déballage *m.* moving, unpacking
déballer to unpack

débandade *f.* confusion
débarrasser to get rid of
débattre to debate; se débattre to
  struggle
débauche *f.* debauch; worthless life
débile weak
débilité *f.* weakness
débit *m.* wine shop; sale
déblatérer to criticize, rail (against)
déborder to overflow
déboucher to uncork; emerge
debout standing, upright
débris *m.* fragments, remains
débrouillard shrewd, clever
début *m.* debut, start
débuter to start
décavé dead broke
décembre *m.* December
décence *f.* decency, propriety
déception *f.* deception
décerner to give, grant, award
décès *m.* death
décevoir to disappoint, deceive
déchaîné unleashed, wild
décharger to discharge, unload
décharné lean, emaciated
déchausser to remove shoes
déchirer to tear out
déchirure *f.* tear; opening
décidément decidedly, undoubtedly
décider to decide, decree
décisi–f, –ve decisive
déclarer to declare
déclin *m.* decline, wane; end
décliner to decline, refuse
décomposer to decompose; divide
décor *m.* decorum; decoration
décorer to decorate, adorn
découper to carve, cut up
découragement *m.* discouragement
découvert open, uncovered
découverte *f.* discovery
découvrir (découvrant, découvert,
  découvre, découvris) to discover,
  uncover
décrire to describe
dédaigner to disdain, disregard
dédaigneu–x, –se disdainful
dédain *m.* disdain, scorn
dédale *m.* labyrinth, maze
dedans therein, into
dédire to contradict; se dédire to
  take back one's word
défaire to undo
défaut *m.* defect, fault

défendre to defend, protect; forbid
défense f. defense, protection
déficit m. deficit, shortage
défigurer to disfigure, alter
défilé m. procession, line
défiler to pass by, march by
définiti–f, –ve final
défricher to clear, prepare for cultivation
défunt dead
dégager to free, extricate
dégât m. loss, damage
dégel m. thaw
déglutition f. swallowing
dégoût m. disgust, dislike
dégoûter to disgust
dégoutter to drip, drop
dégrafer to unhook
degré m. step
déguisé disguised, costumed
dehors outside
déjà already
déjeuner m. breakfast, lunch
delà: au delà de beyond
délai m. delay
délaisser to neglect, abandon, forsake
délicat delicate, refined
délicatesse f. tact, refinement
délice m. delight
délicieu–x, –se delicious, delightful
délier to untie, release
délire m. delirium
délirer to rave
délit m. fault; **en flagrant délit** in the act
délivrance f. freedom
délivrer to free, deliver, hand out
déloger to dislodge, put out
demain tomorrow
demande f. demand, request
demander to demand, ask; **se demander** to wonder
démangeaison f. itching
démarche f. gait, bearing; step; request
démarrage m. starting
démarrer to set out
démasquer to unmask, reveal, show
déménager to move out
démence f. folly
démener to hustle; **se démener** to be busy, move rapidly
démesurément enormously
demeurer to live, inhabit, stay
demi half

démission f. resignation
démocrate democratic
démon m. fiend, demon
démontrer to demonstrate, prove
dénicher to find out
denier m. farthing, money
dénouer to untie, let loose
dent f. tooth
dentelle f. lace
départ m. departure, leave
département m. department
dépasser to go beyond, pass, surpass
dépaysé lost, not at home
dépense f. expense, expenditure
dépenser to spend
dépit m. spite, anger; **en dépit de** in spite of
dépiter to vex, spite
déplacement m. displacement, journey, traveling
déplaisir m. displeasure, grief
déplorable deplorable, pitiful
déployer to display, unfold
déposer to place, put down
dépouiller to strip, despoil
dépourvu deprived
depuis since
député m. deputy, member of the French House of Representatives
déraciner to unroot
déréglé disordered, free
dérisoire derisive, low, insignificant
derrière behind
dès from; **dès que** as soon as
désabuser to disillusion, undeceive
désagréable disagreeable
désarmer to disarm
désarroi m. confusion
désastre m. disaster, misfortune
descendre to descend, get off
désert m. desert; *adj.* deserted
désespérance f. despair
désespéré desperate
désespoir m. despair
désheuré irregular, out of time
deshydraté dehydrated
désigné designated, pointed out
désigner to point out, indicate
désintéressement m. disinterestedness, impartiality
désir m. desire
désirer to desire, wish
désoler to grieve, annoy, worry
désordonné extravagant, immoderate
désorienté lost, out of direction

désormais henceforth
dessein *m.* purpose
dessin *m.* drawing, design
dessiner to draw, outline
dessus upon, over
destiner to intend, destine
détaché detached, indifferent
détachement *m.* detachment
détacher to detach, untie, loosen
dételer to unhitch
détendre to distend, relax
détente *f.* relaxation; trigger
déterminer to determine, evaluate, fix
détourné indirect
détourner to turn away, turn aside
détraqué silly, brainless
détraquer to break, throw into confusion
détremper to dilute, dissolve
détromper to undeceive
détruire to destroy, efface
dette *f.* debt
dévaler to descend, slope down
devant before, in front of
devanture *f.* show window
dévaster to lay waste, ruin
développement *m.* development
développer to develop, unfold
devenir to become
deviner to guess
devis *m.* estimate
dévisager to stare at; disfigure
dévoiler to unveil, reveal
devoir (devant, dû, dois, dus) to owe, must; *m.* duty
dévorer to devour, eat up
dévot pious, devoted
dévotion *f.* devotion
dévoué devoted
dévouement *m.* devotion, help
diable *m.* devil; **à la diable** at random, all wrong; **le diable était** the trouble was; **pauvre diable** poor fellow
diaphane transparent
dictée *f.* dictation
dieu *m.* god
différent different
difficile difficult; **difficile à vivre** hard to get along with
difficulté *f.* difficulty
digne worthy, dignified
dignité *f.* dignity, pride, self-respect
dimanche *m.* Sunday
dimension *f.* dimension; size

diminuer to diminish, reduce, curtail
dîner *m.* dinner
diplomate *m.* diplomat
diplôme *m.* diploma
dire (disant, dit, dis, dis) to tell, say
discernement *m.* discrimination, judgment
discerner to discern, realize
discontinuer to discontinue, stop, cease
discours *m.* speech
discréditer to discredit
discr-et, -ète discreet, considerate, cautious
discrètement prudently, silently
discrétion *f.* discretion, prudence
disparaître to disappear
disperser to disperse, scatter; send away
disposer to dispose, arrange
disproportionné uncalled for, silly
disque *m.* disk, signal
dissimuler to hide, conceal
dissipation *f.* dissipation; relaxation
dissolution *f.* dissolution; mixture
distinct distinct, special, definite
distingué distinguished, stylish; different
distinguer to distinguish, observe
distrait distracted, absent-minded
diversifier to diversify, vary
divisé divided; organized
diviser to divide
divorcer to divorce, separate
dizaine *f.* about ten
docilité *f.* docility, obedience
dodo *m.* sleep (*childish*)
doigt *m.* finger
dôme *m.* dome
domestique *m.* servant
domicile *m.* domicile, home, residence
dominer to dominate, overlook, command
dominical dominical, pertaining to Sunday
dommage *m.* damage
don *m.* gift
donc therefore
donner to give
dont of which, whose, of whom
dorer to gild
dorlotement *m.* pampering, cuddling
dormir (dormant, dormi, dors, dormis) to sleep
dortoir *m.* dormitory
dos *m.* back

dot *f.* dowry

double double; **en double** in duplicate

doublé plated; wrapped up

doubler to double; pass

douceur *f.* sweetness, kindness

doué gifted, endowed, fitted

douleur *f.* grief, pain, sorrow

douloureu–x, –se painful

doute *m.* doubt; suspicion

douter to doubt; **se douter** to suspect

doux, douce sweet, soft

doyen *m.* dean

drap *m.* cloth, broadcloth

dressoir *m.* dresser, commode

droit right

drôle *adj.* strange; *m.* rogue, rascal

dune *f.* sand dune

dur hard

durer to last

dureté *f.* harshness, toughness

dyspeptique dyspeptic

E

eau *f.* water; **eau-de-vie** *f.* brandy

ébauche *f.* sketch, rough draft

ébéniste *m.* cabinetmaker

éblouissement *m.* astonishment, dazzle

ébouriffé disheveled, disordered

ébranlement *m.* commotion, disturbance

ébranler to shake, totter

ébruiter to spread, rumor; **s'ébruiter** to be rumored, take wind

écarquillé aghast, wide open

écart *m.* step aside, mistake; **à l'écart** aside

écarter to pull aside, put aside

échange *m.* exchange

échanger to exchange

échapper to escape

éclair *m.* lightning

éclairage *m.* lighting

éclaircir to clear, clarify

éclairer to lighten; enlighten

éclatant shining, bright-colored

éclater to burst, break out

éclipser to eclipse; surpass

écloper to cripple; break

éclosion *f.* budding, opening, hatching

école *f.* school

écolier *m.* schoolboy

économe economical, saving

économie *f.* saving; **faire des économies** to save

économique economical, cheap

économiser to economize

écorcher to skin

Écosse *f.* Scotland

écouler to flow; go by

écouter to listen to

écrasant crushing, heavy

écraser to crush

écrier (s') to exclaim

écrin *m.* box

écrire (écrivant, écrit, écris, écrivis) to write

écriteau *m.* billboard, (for rent) sign

écriture *f.* writing; **Écritures** Holy Writ

écurie *f.* stable

édifiant edifying

édification *f.* edification

éditeur *m.* editor

éduquer to educate

effacer to erase, blot; conceal

effaré frightened

effarer to frighten

effet *m.* effect, result; **en effet** in fact

effeuiller to pluck, detach the petals of a flower

effilé slender

effiler to sharpen

effleurer to graze, touch lightly

effondré ruined, caved in

effraction *f.* effraction, breaking into

effrayer to frighten

effroi *m.* fright

égard *m.* consideration

égarer to lead into error, misguide

égayer to cheer, enliven

église *f.* church

égoïsme *m.* egoism, selfishness

égoïste egoistic

égyptien, –ne Egyptian

Eiffel: **Tour Eiffel** *f.* Eiffel Tower (*300 meters; erected for the Exposition of 1889 by the engineer Eiffel*)

élan *m.* impulsiveness, start

élancer to dash, rush

élastique *m.* rubber band

électeur *m.* elector; voter

élégiaque elegiac, lyric

élève *m. and f.* pupil

élever to raise, bring up

éleveur *m.* cattle breeder; **éleveur de chevaux** horse dealer

élimination *f.* elimination

éloge *f.* praise
éloigner to remove, send away; s'éloigner to depart, go away
éloquence *f.* eloquence
émaner to emanate, originate
emballement *m.* anger; running away
emballer to pack; s'emballer to run away
emballeur *m.* packer, mover
embarquer to embark, ship
embarras *m.* embarrassment, bother
embarrasser to hinder, embarrass
embaumer to embalm; perfume
emboîter to join, fit in; emboîter le pas to keep in step
embrasser to embrace; kiss; take up
embrouiller to confuse, mix up
émerger to emerge, show
émerveiller to amaze, astonish
émission *f.* emission; issue
emmener to lead away
émoi *m.* emotion
émouvant moving, touching
émouvoir to move
empêcher to prevent
empeser to starch
emphase *f.* emphasis, stress
empiler to pile up
empire *m.* empire; ascendancy
empirer to get worse
emplette *f.* purchase; errand
emploi *m.* employ; use
employé *m.* employee, clerk
employer to employ, make use of
empoigner to grasp, get hold of
empoisonner to poison
emporté raging, fiery; quick-tempered
emportement *m.* outburst of anger, anger
emporter to remove, carry away, take away
empressé eager, earnest
empressement *m.* eagerness
emprise *f.* power
ému moved, affected
en in, into; like a, as a
encadrer to frame
enchantement *m.* enchantment
enchanter to please
enclume *f.* anvil
encombre *m.* obstacle, hindrance
encombrer to crowd
encore again, yet, besides

encourager to encourage, stimulate; promote
encre *f.* ink
encrier *m.* inkstand
endiablé bad, devilish
endormi asleep
endroit *m.* place
endurant patient
endurer to endure, last
énergie *f.* energy, vigor
enfance *f.* infancy
enfant *m.* child
enfantillage *m.* childishness, childish act
enfantin childish
enfariner to sprinkle with flour, whiten, whitewash
enfermer to shut in, enclose
enfiler to thread, slip on
enflammer to light, set fire to, blaze
enfoncer to sink, bury
enfoui buried
engager to engage, bind, commit
engendrer to beget, produce
engourdi numbed
enguirlandé adorned, engarlanded
enlacer to embrace, entwine
enlever to carry off, take away
ennemi *m.* enemy, foe
ennui *m.* ennui, weariness, boredom
ennuyer to bother
ennuyeu-x, -se annoying, embarrassing, boring
enquête *f.* inquiry
enragé enthusiastic; mad
enrichir to enrich
enseigner to teach
ensemble together
ensevelir to bury
ensorceler to bewitch
ensuite then, afterwards
entamer to start, begin
entasser to pile up
entendement *m.* understanding
entendre to hear, understand
entendu understood, agreed; bien entendu of course
enterrer to bury
entêté stubborn, headstrong
entêtement *m.* stubbornness
enthousiasme *m.* enthusiasm
enthousiaste enthusiastic
enti-er, -ère entire, whole
entomologiste *m.* entomologist
entourer to surround

entrailles *f. pl.* entrails; feeling
entraîner to entrain; drag along
entre between, among
entre-bâillé ajar
entrée *f.* entrance
entreprise *f.* enterprise, undertaking
entrer to enter, come in
entretenir to converse, entertain
entretien *m.* conversation
envahir to invade, take possession of
enveloppe *f.* envelope; shell
envelopper to envelop, wrap up
envers toward
envi: à l'envi with emulation
envie *f.* envy; desire
environ about
environner to surround
environs *m. pl.* neighborhood, suburbs
envisager to face, consider
envoyer to send
épais, –se thick
épaisseur *f.* thickness
épancher (s') to open one's heart, speak freely
épanoui beaming, in bloom
épanouir to bloom, flower
épargne *f.* saving
épargner to spare, save, economize
éparpiller to scatter
épars scattered
épatage *m.* boasting; amazement, surprise
épater to amaze; show off
épaule *f.* shoulder
épée *f.* sword
éperdu bewildered, distracted
éperdument madly
épicier *m.* grocer
épidémie *f.* epidemic
épine *f.* thorn
épineu–x, –se thorny
épingler to pin
épinière spinal
épisode *f.* episode, event
éploré distressed, in tears
éplucher to peel, pluck
éponger to sponge, clean
époque *f.* epoch, date, time
épouse *f.* wife
épouser to marry, espouse
épouvante *f.* fright, fear
épouvanté frightened
époux *m.* husband

épreuve *f.* proof; experiment, test
éprouver to test, experiment, feel
épuiser to exhaust
équerre *m.* square
équilibre *m.* equilibrium, balance
équilibrer to balance
équinoxe *m.* equinox
équipage *m.* crew; horse and carriage
équipe *f.* crew
équivaloir to be equal
erreur *f.* error, mistake
escalader to scale
escale *f.* landing, port
escalier *m.* staircase
escargot *m.* snail
esclave *m.* slave
escompter to anticipate
escorter to escort
espacer to space, separate
Espagne *f.* Spain
espalier *m.* fruit trellis
espèce *f.* kind, sort, species
espérance *f.* hope, expectation
espérer to expect, wait, hope
espion *m.* spy
espoir *m.* hope
esprit *m.* spirit, mind, wit
esquisser to sketch, outline
essai *m.* essay, trial
essayer to try
essence *f.* essence, perfume
essentiel, –le essential, important
essieu *m.* axle
essoufflé breathless
essuyer to wipe, clean
estampe *f.* print
estimable estimable, worthy
estomac *m.* stomach
estrade *f.* platform
estropié maimed, crippled
estropier to cripple, maim
étable *f.* stable
établir to establish, set up
établissement *m.* establishment
étage *m.* story, floor
étain *m.* tin
étaler to spread, show
étape *f.* stage, station, halting place
état *m.* state, condition
éteindre to extinguish
étendre to extend, stretch
étendue *f.* extent, expanse
étincelant shining, dazzling
étincelle *f.* spark
étirer to stretch

étoile *f.* star
étonnant astonishing, wonderful
étonnement *m.* astonishment, wonder
étonner to astonish
étouffer to stifle, choke
étourdir to stun, daze
étrange strange, peculiar
étranger *m.* stranger, foreigner; foreign lands
étrangeté *f.* oddness
étrangler to strangle, choke
être (étant, été, suis, fus) to be; être à to belong to; *m.* being
étreindre to grasp, tighten
étreinte *f.* pressing, grasp
étrenne *f.* gift, New Year's gift
étrille *f.* currycomb
étroit narrow
étude *f.* study, study room
étudier to study
étui *m.* box; sheath
Évangile *m.* Gospel
évanouir to faint
évaporer to evaporate, exhale
éveil *m.* awakening, alertness
éveiller to awaken
événement *m.* event
évent: à l'évent thoughtlessly
évincer to evict, turn out
éviter to avoid
évoquer to evoke
exalté exalted, elevated; rewarded
examinateur *m.* examiner
examiner to examine, question
exaspérer to exasperate, provoke
excédent *m.* surplus
excéder to exceed
excentricité *f.* eccentricity
excès *m.* excess; faire des excès to be guilty of excesses
excessi–f, –ve exaggerated, exorbitant
exciter to excite, inflame
excrément *m.* excrement, excretion
excursion *f.* excursion, trip
excuse *f.* excuse, pretext
excuser to excuse, pardon
exécuter to execute, perform
exécution *f.* execution, performance
exemple *m.* example; par exemple you may be sure
exempt exempt, free
exhumer to exhume, disinter
exiger to demand, insist upon
exorbitant exorbitant, enormous

expédier to expedite, ship
expérience *f.* experience
expirer to expire, die
expliquer to explain
exploiter to exploit
exposé *m.* statement
exposer to expose, show
exprès *adj.* special; *adv.* especially, purposely
exprimer to express
exproprier to expropriate, dispossess
exquis exquisite
exténuer to tire, exhaust
extraordinaire extraordinary
extrême extreme, utmost
exubérance *f.* exuberance
exubérant exuberant

F

fabricant *m.* manufacturer, dealer
fabrique *f.* factory
fabriquer to manufacture, make
fabuleu–x, –se fabulous
face *f.* face; en face de opposite; faire face to face, meet
fâcher to irritate; se fâcher to get angry
fâcheu–x, –se annoying, troublesome
facile easy
façon *f.* way, fashion
façonner to build, mould, make
facteur *m.* postman
facture *f.* bill
faculté *f.* faculty
fagot *m.* fagot, bundle of wood
faible feeble, weak
faiblesse *f.* weakness
faillir to fail; come very near (doing a thing)
faim *f.* hunger
fainéant *m.* lazy person
faire (faisant, fait, fais, fis) to do, make
falloir (fallu, il faut, il fallut) to be necessary, must; be lacking
famili–er, –ère familiar
famille *f.* family
fané faded, withered
fange *f.* mud, dirt
fangeu–x, –se muddy, miry
fantaisie *f.* whim
fantasmagorie *f.* fantastic tricks
fantasque fantastic, big
fantôme *m.* ghost, spirit

farce *f.* trick, farce
fardeau *m.* load
faste *m.* display
fatalité *f.* fatality
fatigue *f.* fatigue, hardship
fatiguer to tire
faubourg *m.* suburb
faubourien, –ne *adj.* suburban, plebeian; *m. and f.* inhabitant of a suburb
faufiler to slip in
faute *f.* fault, mistake, sin
fauteuil *m.* armchair
fauti–f, –ve faulty; guilty
fauve *adj.* wild; *m.* wild beast
faveur *f.* favor
favoris *m. pl.* side whiskers
favoriser to favor, promote
fébrile feverish
fée *f.* fairy
féliciter to congratulate
fêlure *f.* crack
femelle *f.* female
féminin feminine
femme *f.* woman
fendre to split, crack
fenêtre *f.* window
fente *f.* crack, crevice
fer *m.* iron; **chemin de fer** *m.* railroad; **fer à cheval** *m.* horseshoe
ferme firm, solid
ferme *f.* farm
fermier *m.* farmer
fermoir *m.* clasp
ferraille *f.* scrap iron, cast iron
fête *f.* feast, party; church holiday
feu *m.* fire
feuillage *m.* foliage
feuille *f.* leaf
feuilleter to thumb the leaves; consult
feutre *m.* felt
février *m.* February
fiacre *m.* taxicab
fiançailles *f. pl.* engagement
fiancé engaged
fiancer (se) to become engaged, promise
fiche *f.* record
fidélité *f.* fidelity, faithfulness
fier, fière proud
fier (se) to trust
fierté *f.* pride
fièvre *f.* fever
fiévreu–x, –se feverish
figer to set, settle

figue *f.* fig
figure *f.* face; figure; statue
figurer to figure, compute; **se figurer** to imagine
fil *m.* thread; wire
filature *f.* thread mill, spinning mill
file *f.* file, row; **à la file** in line
filer to thread, spin; go fast
fille *f.* daughter
filou *m.* swindler, dishonest person
fils *m.* son
fin fine, delicate
fin *f.* end
financier *m.* financier, businessman
finir to finish
fiole *f.* small bottle
fioriture *f.* flourish, rhetorical embellishment
fisc *m.* tax collector
fixe fixed, settled
fixé arranged, settled
flageller to whip
flagrant flagrant, evident
flambant blazing
flambée *f.* blaze
flamber to burn, blaze
flamboyer to flash, shine
flamme *f.* flame, fire
flâner to rest, loaf
flatter to flatter
flatteu–r, –se flattering
flèche *f.* arrow
fleur *f.* flower
fleurir to bloom
fleuriste *m.* florist
floraison *f.* flowering, blooming
flot *m.* wave; tide
flotter to float
fluet, –te slender
flux flux, flow
foi *f.* faith; **ma foi!** I declare!
foin *m.* hay
foire *f.* fair
fois *f.* time; **à la fois** at the same time
folâtrerie *f.* playfulness
folie *f.* folly, foolishness
fonctionnaire *m.* official
fonctionnement *m.* functioning, operation
fond *m.* bottom; **à fond** thoroughly; **au fond** after all; inwardly
fonder to establish, build
fondre to melt; burst into
fontaine *f.* fountain

force *f.* force, strength; **à force de** by dint of
forcer to force, compel
forge *f.* blacksmith shop
forger to forge, hammer
forgeron *m.* blacksmith
formalité *f.* formality, form
former to form, train
fort *adj.* strong; *adv.* very
fortifier to fortify, strengthen
fortune *f.* fortune, income
fosse *f.* hole, ditch, pit
fossé *m.* hole, ditch
fou, folle foolish, mad, silly
foudroyer to blast, crush, batter
fouet *m.* whip
fouetter to whip; hurry up
foule *f.* crowd
fourgon *m.* van, ammunition wagon
fourmi *f.* ant
fourneau *m.* furnace, stove
fournir to furnish
foyer *m.* hearth; home
fracas *m.* crash, uproar, noise
fragile fragile, frail
fraîcheur *f.* freshness, coolness
frais, fraîche fresh
frais *m. pl.* expenses
franc, franche frank
franc *m.* franc (*French monetary unit*)
français French
franchir to cross, pass
franchise *f.* frankness
frapper to strike, hit
Fräulein *German word for* young lady
frein *m.* brake; (horse's) bit
frêle frail, weak
freluquet *m.* puppy; ordinary fellow
frémir to tremble, shiver
frémissement *m.* quiver, shiver
frêne *m.* ash tree
frénésie *f.* frenzy
frénétique frantic
fréquent frequent
frétillement *m.* wagging, wriggling
friandise *f.* sweet, delicacy
fripé worn out, withered
friser to curl
frissonner to shiver, tremble
froid cold
froideur *f.* coolness
froissement *m.* offence, hurt
frôler to graze, touch lightly
front *m.* front; brow, forehead
frontière *f.* frontier

frotter to rub
fructifier to fructify, multiply
fruiti-er, -ère fruitbearing
fruste timid
frustrer to defraud; frustrate
fuir to flee
fuite *f.* flight, escape
fumer to smoke
funeste bad, baneful
fureter to ferret, search
fureur *f.* fury
furibond furious
furieu-x, -se furious
fusain *m.* charcoal
fuseau *m.* spindle
fusil *m.* gun, rifle
fusiller to shoot, execute
fuyant fleeting

G

gâcher to spoil, make a mess of
gâchette *f.* trigger spring
gage *m.* salary, wages; security, pledge
gagner to win, earn
gai gay, happy, jolly
gaieté *f.* gaiety, cheerfulness
gaillard *m.* sturdy fellow
gaillardement joyously, with zest
gain *m.* gain, profit
galanterie *f.* gallantry, kindness
galonné braided (*livery*), laced
galop *m.* trot, gallop
gamin *m.* urchin
gaminer to play boyish tricks
gant *m.* glove
ganté gloved
garantir to guarantee, protect
garçon *m.* boy, waiter; bachelor
garde *m.* guard, care, watch; **prendre garde** to be careful
garde-champêtre *m.* forester, keeper
garder to keep
gardien *m.* guardian; protector
gare *f.* station, railroad station
garenne *f.* warren
garni *m.* furnished apartment; *adj.* filled, lined
Gascogne *f.* Gascony (*a province of France*)
gaspiller to waste, squander
gâterie *f.* indulgence
gauche *f.* left side; *adj.* awkward
gaulois Gallic; **Gaulois** *m.* Gaul, Frenchman

gavroche *m.* urchin
gazon *m.* grass, lawn
gazouiller to warble
géant *m.* giant
geindre to complain, moan
gelé frozen
gelée *f.* frost
gémir to moan, sigh
gendre *m.* son-in-law
gêne *f.* difficulty; worry
gêné embarrassed, ill at ease
gêner to embarrass; worry
général *m.* general
gêneu–r, –se *adj.* troublesome; *m.* intruder
genou *m.* knee
genre *m.* sort, kind
gens *m. pl.* people
gentil, –le gentle, nice, pretty
gentilhomme *m.* gentleman
geôlier *m.* jailer
géométrie *f.* geometry
germain germane; **cousin (issu de) germain** *m.* first cousin (once removed)
geste *m.* gesture
gestionnaire *m.* manager
gifle *f.* slap
gigantesque gigantic
gigot *m.* leg of mutton
gilet *m.* vest
glace *f.* mirror, ice
glacer to freeze
glapissement *m.* yelp
glissade *f.* slide
glisser to slide, slip
gloire *f.* glory
glu *f.* birdlime; glue
gluant sticky
goguenard sneering; scoffing
gomme *f.* rubber, eraser
gonfler to swell
gorge *f.* throat
gorger to gorge, fill
gosse *m.* small child, kid
gouffre *m.* abyss
goujat *m.* cad, vulgar fellow
gourmand *m.* glutton; *adj.* greedy
goût *m.* taste
goûter to taste
goutte *f.* drop
gouvernante *f.* governess
gouvernement *m.* government
gouverner to govern, rule
grabat *m.* bed, wretched bed

grâce *f.* grace
gracieu–x, –se gracious, kind; graceful
grain *m.* grain, speck, particle
graine *f.* grain, seed
grammaire *f.* grammar
grand great, big; bright
grandi enlarged
grandir to grow
grange *f.* barn
grappe *f.* bunch
gras, –se fat
gratification *f.* gratification, reward; gratuity
gratter to scratch
grave grave, serious
graver to engrave, print
gravir to ascend, climb
gravité *f.* gravity, seriousness
gré *m.* wish; **savoir gré** to be thankful
gredin *m.* rascal, villain
gréer to rig, fix
greffier *m.* clerk of the court
grêle *f.* hail
grêle frail
grelotter to shiver
grenouille *f.* frog
grésil *m.* sleet
grever to encumber
grief *m.* grievance
grille *f.* gate, fence
griller to roast
grimace *f.* grimace, face
grimacer to scowl
grimper to climb
grippe-sou *m.* stingy person
gris grey
grisette *f.* working girl, grisette
grognement *m.* growl
grogner to growl, criticize
grommeler to grumble
grondement *m.* rumbling, muttering
gronder to scold, mutter
gronderie *f.* scolding
gros, grosse big, fat, large
grossi–er, –ère coarse
groupe *m.* group
guère hardly
guérir to cure, care for
guérison *f.* cure
guerre *f.* war
guerrier *m.* warrior
guetter to watch, lay in wait
gueusard *m.* scoundrel
gueu–x, –se *adj.* poor; *m.* rascal

guichet *m.* pay window; box office
guide *m.* guide
guide *f.* rein
guider to guide, lead
guigner to leer
guinée *f.* guinea, cotton cloth
guipure *f.* guipure (*a sort of lace*)
guise *f.* will, way; **à sa guise** as one likes; **en guise de** by way of

H

Aspirate " h " is indicated by an asterisk.

habile skillful
habileté *f.* skillfulness, skill
habiller to dress, clothe
habit *m.* suit, clothes
habitude *f.* custom, habit
habitué *m.* frequenter, regular customer
habituer to familiarize, accustom
*__habituer__ to familiarize, accustom
*__hacher__ to chop, cut to pieces
*__haie__ *f.* hedge
*__haillon__ *m.* rag
*__haine__ *f.* hatred
*__haineu-x, -se__ hateful, spiteful
*__haïr__ to hate
*__halage__ *m.* towing
haleine *f.* breath
*__haletant__ breathless
*__haleter__ to pant
*__halle__ *f.* market place; **Les Halles** *f. pl. central market place in Paris*
hallucination *f.* hallucination, delusion
*__halte__ *f.* stop, halt
*__hameau__ *m.* hamlet, village
*__hanche__ *f.* hip
*__hanneton__ *m.* May bug
*__hardi__ bold
*__hardiesse__ *f.* boldness
*__haricot__ *m.* bean
*__hasard__ *m.* hazard, chance; **par hasard** by chance
*__hasarder__ to venture
*__hâte__ *f.* haste
*__hâter__ to hasten
*__hausse__ *f.* rise
*__haut__ high, tall
*__hauteur__ *f.* height
hectare *m.* hectare (2½ *acres*)
hélas! alas!
helléniste *m.* Greek scholar

hémiplégie *f.* hemiplegia
herbe *f.* grass, herb
hérédité *f.* heredity
*__hérisser__ to bristle
héritage *m.* inheritance, legacy
héritier *m.* heir
*__héros__ *m.* hero
hésitation *f.* hesitation
hésiter to hesitate
heure *f.* hour; **à l'heure** on time; **tout à l'heure** a while ago
heureu-x, -se happy
*__heurt__ *m.* jolt, shock
*__heurter__ to bump, knock, strike
hier yesterday
*__hiérarchie__ *f.* hierarchy
hippodrome *m.* race track
hirondelle *f.* swallow
histoire *f.* history
hiver *m.* winter
*__hocher__ to shake
*__hochet__ *m.* toy, rattle
*__homard__ *m.* lobster
homme *m.* man
honnête honest
honnêteté *f.* honesty
honneur *m.* honor
honorer to honor
honorifique honorary
*__honte__ *f.* shame
*__honteu-x, -se__ shameful, bashful
horloge *f.* clock
horreur *f.* horror, fright
*__hors__ out of, outside: **hors de** beside
hostile hostile, unkind
hôtel *f.* hostel, mansion
huile *f.* oil
humain human
humanité *f.* humanity
humeur *f.* humor, disposition
humide damp, humid
humilié humbled
humilité *f.* humility
*__hurler__ to howl
*__hussard__ *m.* hussar, light cavalry man
*__hutte__ *f.* hut
hydravion *m.* hydroplane
hygiénique hygienic
hymne *m.* hymn
hypocrisie *f.* hypocrisy
hypocrite *m.* hypocrite, deceiver
hypothèque *f.* mortgage
hypothèse *f.* hypothesis

I

ici here; par ici this way
idée f. idea, notion
identifier to identify
idiot adj. stupid; m. idiot, fool
idole f. idol
ignare illiterate
ignorant ignorant, illiterate
ignorer to be ignorant of; not to know
île f. island
illisible illegible
illumination f. illumination; intuition
illuminer to enlighten; light
illustre illustrious
illustrer to illustrate, explain; make famous
imaginer to imagine
imbécile imbecile, stupid
imiter to imitate
immérité undeserved
immobile motionless
immoler to sacrifice
impair odd
impassibilité f. impassibility, composure
impétueu-x, -se impetuous
impétuosité f. impetuosity, vehemence
impitoyable pitiless
implacable ruthless, unrelenting
impliquer to involve, imply
implorer to implore, pray, entreat
important important, substantial
importer to matter; qu'importe never mind
importun bothersome
importuner to bother
imposant imposing
impossibilité f. impossibility
impôt m. tax
imprécis indistinct, indefinite
impressionner to impress, affect
imprévu unforeseen, unexpected
imprimer to print
impropre improper, wrong
improviste: à l'improviste suddenly
imprudence f. imprudence, thoughtless act
impuissant powerless
inachevé unfinished
inappréciable priceless, invaluable
inassouvi unrealized, unsatisfied
incendie f. conflagration, fire
incendier to burn; flood with light

incertitude f. uncertainty
inclinaison f. slant
incliner to bend, tilt, bow
inconnu m. stranger; adj. unknown
inconscient unconscious
incontinent immediately
inconvenant improper
incroyable unbelievable, incredible
Inde f. India
indécence f. indecency, immodesty
index m. index; first finger
indicible inexpressible
indifférence f. indifference, unconcern
indifférent indifferent
indigné indignant; angry, mad
indigner (s') to become angry
indiquer to indicate, point out
indiscrétion f. indiscretion; imprudence
indispensable indispensable, necessary
Indo-Chine f. Indochina
indulgent indulgent; forbearing
industriel m. industrialist, businessman
ineffable inexpressible
inégalité f. inequality
inévitable unavoidable, inevitable
infatigable untiring
infect foul-smelling
infidèle unfaithful
infini infinite
infirme cripple, sick
infirmerie f. infirmary, hospital
infliger to inflict, impose
informer to inform
infranchissable insuperable
ingénieur m. engineer
ingénu inexperienced; open
ingrat ungrateful
inintelligible incomprehensible
initier to initiate; admit
injonction f. order
injure f. injury, insult
injuste unjust
injustice f. injustice, wrong
innocence f. innocence; simplicity
inoccupé idle, unoccupied
inonder to flood
inouï unheard of
inqui-et, -ète uneasy, anxious
inquiétant alarming
inquiéter to worry, trouble
inquiétude f. anxiety
insaisissable inconceivable

insecte *m.* insect
insensé senseless, silly
insignifiant insignificant
insinuant insinuating
insinuer to insinuate, hint
insolemment insolently
insondable unfathomable
insouciance *f.* carelessness
inspecter to inspect
inspirer to inspire
installer to install, place, lay
instantané instantaneous; quick
instincti-f, -ve instinctive
instruction *f.* education, instruction
instruire (instruisant, instruit, instruis, instruisis) to educate, instruct; **instruit** learned, educated
insulter to insult
insupportable unbearable
insurgé *adj.* rebellious; *m.* rebel, insurgent
insurmontable insurmountable; invincible
intégral entire, integral
intercession *f.* help; intercession
interdit speechless
intéressant interesting
intéresser to interest
intérêt *m.* interest
intérieur *m.* inside, interior
interlocuteur *m.* speaker, questioner
interroger to question
interrompre to interrupt
intime intimate
intimider to intimidate
intimité *f.* intimacy
intransigeant unyielding
intrigant intriguing
introduire to introduce
invective *f.* insult, abuse
invité *m.* guest
inviter to invite
invoquer to invoke; pray
invraisemblable improbable; incredible
irisation *f.* iridescence
ironie *f.* irony
irréparable irreparable
irrité angry, irritated
isolé isolated
issu *see* **germain**
italien, -ne Italian
itinéraire *m.* route, itinerary
ivre intoxicated
ivresse *f.* intoxication; passion

J

jadis formerly
jalouser to envy, become jealous
jalousie *f.* jealousy
jalou-x, -se jealous
jamais never, ever
jambe *f.* leg
janvier *m.* January
japonais Japanese
jardin *m.* garden
jardinet *m.* little garden
jardinier *m.* gardener
jarretière *f.* garter
jaune yellow
jet *m.* gush, spurt
jeter to throw
jeu *m.* game, play; **ce n'est pas de jeu** it is not fair
jeudi *m.* Thursday
jeûner to fast
jeunesse *f.* youth
jeunet, -te youthful
joie *f.* joy
joindre to join; **joindre les deux bouts** to make both ends meet
joli pretty
jongler to juggle
jongleur *m.* juggler
joue *f.* cheek
jouer to play
jouet *m.* toy, plaything
joueur *m.* player, gambler; **joueur comme les cartes** inveterate gambler
jouir to enjoy; possess
jouissance *f.* enjoyment, delight; possession
joujou *m.* toy, plaything
jour *m.* day
journal *m.* newspaper; journal
journée *f.* day; day's work
jovialité *f.* joviality, merriment
joyeu-x, -se joyful, happy, joyous
juge *m.* judge, magistrate
juger to judge; **juger en dernier ressort** to reach a final decision
juillet *m.* July
juin *m.* June
jupe *f.* skirt
jurer to swear
jus *m.* juice; sauce
jusque till, up to; **jusqu'à** until
juste just, exact, precise; **tout juste** barely
justifier to justify, vindicate

L

là there; **là-bas** over there; **là-dessus** thereupon; **là-haut** up there
labeur *m.* labor, work
laborieu-x, -se laborious
labour *m.* farming, cultivation
labourer to cultivate
labyrinthe *m.* labyrinth
lâche coward
lâcher to let go, give up
lâcheté *f.* cowardice, baseness
ladite the same, said
laid ugly
laine *f.* wool
laïque secular, public
laisser to let, leave, permit
laisser-aller *m.* freedom, lack of conventionality
lait *m.* milk
laiterie *f.* creamery, dairy
laiton *m.* brass
lambeau *m.* shred
lame *f.* blade
lamentable pitiful, lamentable
lamenter to lament
lampe *f.* lamp
lancer to throw, rush; launch; promote
lande *f.* moor, wasteland
langage *m.* language
langoureu-x, -se languishing
langue *f.* tongue, language
lanterne *f.* lantern
laps *m.* lapse, period
laquais *m.* lackey, servant
largeur *f.* width
larme *f.* tear
larmoyant tearful
larron *m.* thief
las, lasse tired
lasser to tire
lassitude *f.* fatigue
latin Latin
lauréat *m.* laureate, prize winner
lavabo *m.* washstand
laver to wash
lécher to lick
leçon *f.* lesson
lecteur *m.* reader
lecture *f.* reading
lég-er, -ère light, slight; **à la légère** lightly
légèreté *f.* levity, fickleness
légume *m.* vegetable
lendemain next day, day after

lent slow
lenteur *f.* slowness
lettre *f.* letter
lettré *adj.* literate; *m.* learned man, literary man
lever to raise; **se lever** to get up
lèvre *f.* lip
lézard *m.* lizard
liasse *f.* bundle
libérateur *m.* savior, rescuer
libération *f.* liberation, freedom
libérer to free
liberté *f.* liberty, freedom
libre free; **libre-penseur** *m.* freethinker
lié *m. term of billiard game* (rubber *in game*)
lien *m.* bond
lier to bind, tie
lieu *m.* place, spot; **au lieu de** instead of
lieue *f.* league
lieutenant *m.* lieutenant; **sous-lieutenant** second lieutenant
lièvre *m.* jack rabbit
ligne *f.* line
ligoter to bind, tie
lilas *m.* lilac
limbes *m. pl.* limbo
limousine *f.* limousine, closed motorcar
limpide limpid, clear, fluent
linge *m.* linen
lingère *f.* woman in charge of the linen room
lire (lisant, lu, lis, lus) to read
lis *m.* lily
lisse smooth
lisser to smooth
lit *m.* bed
litre *m.* liter (*about a quart*)
littérature *f.* literature
livre *m.* book
livre *f.* pound
livrer to deliver, give up; **se livrer** to dedicate oneself
locataire *m.* tenant
locomotive *f.* engine, locomotive
logement *m.* lodging, house, apartment
loger to lodge, inhabit; locate
logique *f.* logic; *adj.* logical
logis *m.* lodging, home, house
loi *f.* law
loin far

lointain distant, remote
Londres *f.* London
long, –ue long
longer to skirt, go along
longtemps a long time
longuet, –te rather long (*familiar*)
longueur *f.* length, extent
loque *f.* rag
loqueteu–x, –se in rags
lors then, at the time
lorsque when
lot *m.* lot, plot
louange *f.* praise
loucher to squint
louer to praise; rent
louis *m.* gold piece
loup *m.* wolf; loup-cervier *m.* lynx;
speculator
lourd heavy
lubie *f.* caprice, whim
lucide lucid, clear
lucidité *f.* lucidity, clearness
lueur *f.* light
luge *f.* sledding
luire to shine
lumière *f.* light
lundi *m.* Monday
lune *f.* moon
lunettes *f. pl.* glasses, spectacles
lutte *f.* struggle, fight
lutter to fight
lutteur *m.* wrestler
luxe *m.* luxury

M

macabre ghastly, macabre
mâcher to masticate, chew
machinal mechanical, automatic
mâchoire *f.* jaw
maçon *m.* mason
madeleine *f.* small cupcake
mademoiselle *f.* Miss, young lady
magasin *m.* store
mage *m.* wise man
magicien *m.* magician, wizard
magnanime noble, magnanimous
magnétique magnetic, energetic
magnifique magnificent, beautiful
mai *m.* May
maigre meager, thin
maille *f.* link
main *f.* hand; de seconde main in-
directly
maintenant now

maintenir to maintain, uphold
maintien *m.* deportment, demeanor
mais but
maison *f.* house
maisonnette *f.* cottage, little house
maître *m.* master, teacher
maîtresse *f.* mistress, school teacher
majesté *f.* majesty, grandeur
majeur major, of age
majuscule *f.* capital letter
mal *m.* harm, evil; *adv.* badly
malade sick
maladie *f.* sickness
mâle *m.* male
malgré in spite of, notwithstanding
malheur *m.* misfortune
malheureu–x, –se unhappy
malice *f.* malice, spite
malle *f.* trunk
malpropre dirty, unclean, dishonest
malsain unhealthy
malveillance *f.* ill will, malice
mamelon *m.* bluff
manche *f.* sleeve
manche *m.* handle
manchot *m.* one-armed man
mandat *m.* draft
manette *f.* hand lever, grip
manger to eat
manie *f.* mania
manière *f.* manner, behavior
manifester to manifest, attest
manivelle *f.* crank, handle
manœuvre *f.* plot; contrivance, move
manoir *m.* manor, mansion
manquer to miss, lack, fail
manteau *m.* mantle, cloak
maquignon *m.* horse dealer; jockey
maraîcher *m.* market-gardener
marchand *m.* merchant
marchander to bargain
marchandise *f.* merchandise
marche *f.* march; step; speed
marché *m.* market; à bon marché
cheaply; par-dessus le marché
in addition
marchepied *m.* step, footboard
marcher to march
mardi *m.* Tuesday
mari *m.* husband
mariage *m.* marriage
marier (se) to marry
marin *m.* sailor
marine *f.* navy
marmite *f.* kettle

maroquin *m.* Morocco leather
marque *f.* mark
marquer to mark, denote, stamp
marron *m.* chestnut
marronnier *m.* chestnut tree
mars *m.* March
marteau *m.* hammer
marteler to hammer; batter
masque *m.* mask
masquer to hide, conceal
massacrante: **être d'une humeur massacrante** to be in a very bad temper
masse *f.* sledge
mastiquer to chew, masticate
mastodonte *m.* mastodon, big fellow
masure *f.* hovel
mât *m.* mast
matelot *m.* sailor
maternel, –le maternal
mathématiques *f. pl.* mathematics
matin *m.* morning
matinal early, early morning
matinée *f.* morning; afternoon show
maudit cursed
maussade cross, sad
mauvais bad, poor
mauve mauve, purple
maux *m. pl.* troubles, sufferings
méandre *m.* winding, meander
mécanicien *m.* chauffeur
méchanceté *f.* wickedness
méchant naughty, wicked; insignificant
mèche *f.* wick
mécontent discontent
mécontentement *m.* discontent, displeasure
mécréant *m.* scoundrel, infidel
médaille *f.* medal
médecin *m.* physician
médecine *f.* medicine; remedy
médiocre mediocre, middling
méditer to meditate
méfiance *f.* distrust
méfiant distrustful
méfier (**se**) to distrust
mélancolie *f.* melancholy
mélancolique sad, melancholic
mélange *m.* mixture
mêler to mix
membre *m.* member; limb
même *adj.* same, very; *adv.* even
mémoire *f.* memory
menacer to threaten

ménage *m.* household; married couple
ménagement *m.* kindness, courtesy
ménager to spare; manage
ménagère *f.* housekeeper; housewife
mener to lead
mensonge *m.* lie
menteu–r, –se *adj.* deceitful; *m.* liar
mépris *m.* scorn
mépriser to despise
mer *f.* sea
mercenaire *m.* mercenary; servant
merci *m.* thanks
mercredi *m.* Wednesday
mérite *m.* merit
mériter to deserve
méritoire meritorious
merveille *f.* marvel
merveilleu–x, –se marvelous
mésaventure *f.* accident, mishap
mesquinerie *f.* meanness, littleness
message *m.* message; news
messe *f.* mass
mesure *f.* measure; **à mesure que** as
mesurer to measure
métal *m.* metal
méthodique methodical
métier *m.* trade; loom
mettre (**mettant, mis, mets, mis**) to put
meuble *m.* furniture
meublé furnished
midi *m.* noon; South
miel *m.* honey; **lune de miel** *f.* honeymoon
mieux better
mignon, –ne *adj.* pretty; *m. and f.* darling
migraine *f.* migraine, headache
milieu *m.* environment, middle; **au milieu de** in the midst of
mille thousand
millier (about a) thousand
mince slender, thin, short
mine *f.* expression, look
minime small, insignificant
ministre *m.* minister
minuscule tiny
minute *f.* minute
minutieusement minutely
mioche *m.* child, kid (*slang*)
misanthropie *f.* misanthropy
misérable miserable, wretched
misère *f.* misery, poverty
missionnaire *m.* missionary

missive *f*. letter; communication
mitraille *f*. scrap iron; grapeshot
mobile movable
mobilier *m*. furniture
modérer to restrain, moderate
moelle *f*. marrow
moindre least
moine *m*. monk
moins less
moiré *adj*. watered, moiré; moire *f*.
moire, silk
mois *m*. month
moisson *f*. harvest
moitié *f*. half
moldo-valaque *f*. *one of the Slavonic
languages*
molleton *m*. swanskin, soft woolen
môme *m*. youngster
momentané temporary
monarchie *f*. monarchy
monastique monastic
monde *m*. world; company; tout le
monde everybody
monnaie *f*. coin; change
monotonie *f*. monotony
monsieur *m*. sir, mister, gentleman
monstre *m*. monster; *adj*. huge, big
monstrueu-x, -se enormous
montagne *f*. mountain
montée *f*. ascent, hill
monter to climb, go up
montre *f*. watch
montrer to show
monument *m*. monument; building
moquer (se) to mock
morale *f*. morals; faire la morale to
moralize, lecture
morceau *m*. piece; item; bite
mordre (mordant, mordu, mors, mor-
dis) to bite
morfondu chilled; worried
morgue *f*. pride, arrogance
morne morose, sad
morsure *f*. bite
mort dead
mortel, -le mortal
mot *m*. word, speech
motif *m*. motive, cause
mou, molle soft
mouche *f*. fly
moucheron *m*. mosquito
mouchoir *m*. handkerchief
moue *f*. pout, bad humor
mouiller to wet
mouler to mold

moulin *m*. mill
mourir (mourant, mort, meurs,
mourus) to die
mousse *f*. moss
mousseline *f*. muslin
mousser to froth
moustache *f*. mustache, beard
mouton *m*. sheep
mouvement *m*. movement, motion,
gesture
mouvoir (mouvant, mû, meus, mus)
to move
moyen *m*. means, way, manner
moyenâgeu-x, -se medieval
moyenne *f*. average, medium
muet, -te mute, dumb
muflerie *f*. dirty trick
multiplicité *f*. multiplicity
munir to provide
mur *m*. wall
mûr ripe
muraille *f*. wall
murer to confine, wall, limit
mûrir to ripen; mûri mature
murmure *m*. murmur, whisper
murmurer to whisper
musée *m*. museum
musique *f*. music
mutisme *m*. silence; dumbness
mystère *m*. mystery

N

nacelle *f*. skiff
nacre *f*. mother-of-pearl
nager to swim
naguère but lately; a short time ago
naï-f, -ve naive, childish, simple
nain *m*. dwarf
naissance *f*. birth
naître (naissant, né, nais, naquis) to
be born
natation *f*. swimming
nati-f, -ve native
natte *f*. braid
naturaliste *m*. naturalist
navire *m*. boat
navré broken-hearted
ne: ne ... que only; ne ... point not
(at all)
né born
néanmoins nevertheless
nécessaire necessary
nécessité *f*. necessity
néflier *m*. medlar tree

négliger to neglect
négociant *m.* businessman, merchant
négrier *m.* slave trader
neige *f.* snow
neigeu–x, –se snowy
nerf *m.* nerve
nerveu–x, –se nervous
net, nette *adj.* neat, clean; **net** *adv.* at once, outright
neuf, neuve new
neveu *m.* nephew
nez *m.* nose
Nice *f.* Nice (*winter resort on the Riviera in the South of France*)
nid *m.* nest
nier to deny
nimbe *m.* nimbus, halo
nimbé crowned, surrounded by a halo
noblesse *f.* nobility
noce *f.* festivity, marriage
nocturne nightly
Noël *m.* Christmas, Santa Claus
nœud *m.* knot
noir black
noircisseur *m.* dyer in black; scribbler
noisette *f.* hazelnut
noix *f.* nut; tender circle (*meat*)
nom *m.* name
nomade *m.* nomad
nommer to name, call
non no, not
nonchalamment nonchalantly, carelessly
nonchalant lazy, slow
nord *m.* North
notaire *m.* notary
notamment notably, particularly
note *f.* note, mark, bill
nouer to tie
noueu–x, –se knotty
nourrir to feed, nourish
nourriture *f.* food
nouveau, nouvelle new; **de nouveau** again
nouvelle *f.* news
novembre *m.* November
nu naked; **mettre à nu** to reveal
nuage *m.* cloud
nuageu–x, –se cloudy
nuit *f.* night
nul, nulle no one, not any
nuque *f.* neck, nape of the neck

O

obéir to obey
obéissance *f.* obedience
objecter to object
objet *m.* object
obliger to oblige, compel
obliquer to edge (on one side)
obscurité *f.* darkness
obsèques *f. pl.* funeral
observateur *m.* observer
observer to observe, watch
obstiné persistent, stubborn
obstiner to persist
obtenir to obtain
occasion *f.* occasion, opportunity
occuper to occupy; **s'occuper à** to be engaged in
ocre *m.* ocher
octobre *m.* October
odeur *f.* odor, smell
odieu–x, –se odious, unpleasant
œil *m.* eye
œillade *f.* glance
œsophage *m.* esophagus, gullet
œuf *m.* egg
œuvre *f.* work
offenser to offend
office *m.* office, bureau; religious ceremony
officier *m.* officer
offrir (**offrant, offert, offre, offris**) to offer
ohé! ho!
oiseau *m.* bird
ombilical umbilical
ombre *f.* shadow
ombrelle *f.* parasol, sunshade
ombreu–x, –se shady
omettre to omit, pass by
omnibus *m.* omnibus, carriage
ongle *m.* nail
opiniâtre persistent
opposé opposite, contrary
opposer to oppose
oppresser to oppress, deject
optique optic
opulent opulent, rich
or now, well
or *m.* gold
orage *m.* storm
orbe *m.* orb, world
orchestration *f.* orchestration, scoring
orchestre *m.* orchestra

ordinaire ordinary
ordonner to command, order
oreille *f*. ear
organe *m*. organ
organisation *f*. organization
organiser to organize
orge *m*. barley
orgueil *m*. pride
orgueilleu-x, -se proud, conceited
orient *m*. Orient, East
origine *f*. origin
orner to adorn, embellish
Orphée *m*. Orpheus
orphelin *m*. orphan
orteil *m*. toe
os *m*. bone
osciller to oscillate, waver, swing
oser to dare
ostentation *f*. ostentation, show, display
ôter to remove, take off
ou or
où where
oubli *m*. forgetfulness
oublier to forget
oui yes
outil *m*. tool, implement
outrager to insult
outre beyond; **Outre-Rhin** beyond the Rhine; **en outre** moreover, besides
ouverture *f*. opening, proposition
ouvrage *m*. work, publication
ouvrier *m*. workman
ouvrir (ouvrant, ouvert, ouvre, ouvris) to open

P

pacifique peaceful
païen, -ne pagan
paillasse *f*. straw mattress
paille *f*. straw
paillette *f*. golden flake, flash
pain *m*. bread
pair *m*. peer; *adj*. even
paire *f*. pair, couple
paisible peaceful
paix *f*. peace
Palais-Bourbon *m*. *seat of the French Chamber of Representatives*
pâle pale
paletot *m*. coat
palier *m*. landing (*stairway*)
pâlir to grow pale, diminish

palmier *m*. palm tree
palombe *f*. ringdove
pâlot, -te palish
palper to feel, touch
palpiter to palpitate, throb
pan *m*. corner, flap
panache *m*. plume
panier *m*. basket
panique *f*. panic
panne *f*. accident, breakdown
panneau *m*. panel; **panneau de toile** canvas
pantalon *m*. trousers
pantin *m*. jumping jack
pantoufles *f*. *pl*. slippers
paperasse *f*. paper, bundle of papers
papier *m*. paper
papillon *m*. butterfly
par through, by
paradis *m*. paradise, heaven
paradoxe *m*. paradox
paraître (paraissant, paru, parais, parus) to appear, seem
parapluie *m*. umbrella
parbleu (*exclamation of intensity or approval*) yes, indeed!
parc *m*. park
parce que because
parcourir to run through, go over
par-dessous below
par-dessus above
pardon *m*. pardon, forgiveness
pardonner to pardon, forgive
paré adorned, decked out
pare-choc avant *m*. front bumper
pareil, -le *adj*. similar; *m. and f.* equal
parent *m*. relation
parer to avoid, parry
parer to adorn
paresse *f*. weakness
parfait perfect
parfois at times
parfum *m*. perfume
parfumer to perfume
pari *m*. wager
parier to wager, bet
parieur *m*. better
parisien, -ne Parisian
parlementaire parliamentary
parler to speak
paroissien *m*. parishioner
parole *f*. word, speech
parquet *m*. floor
part *f*. part; **à part** aside from
partager to divide, share

parterre *m.* flower bed; pit
parti *m.* side, course; **prendre parti** to sympathize, side (with); **parti pris** determined decision
particuli-er, –ère particular, especial
partie *f.* part, match
partir (partant, parti, pars, partis) to depart, start
partout everywhere
parvenir to succeed, reach
parvenu *m.* upstart
pas *m.* step
passage *m.* passage; **passage à niveau** railroad crossing
passant *m.* passer-by, traveler
passé *m.* past
passer to pass, make a pass; spend
passionner to interest
passivité *f.* passivity
pâté *m.* pie, pastry
patelin *m.* home, place (*slang*)
patriotisme *m.* patriotism
patron *m.* boss
patte *f.* leg; paw; hand
pâturage *m.* pasture
paupière *f.* eyelid
pauvre poor
pauvreté *f.* poverty
pavé *m.* pavement
payement *m.* payment, cash
payer to pay
pays *m.* country
paysage *m.* landscape, countryside
paysan *m.* peasant, farmer, country-man
peau *f.* skin
pêcher to fish
pêcher *m.* peach tree
peigne *m.* comb
peignoir *m.* dressing gown, robe
peindre to paint
peine *f.* pain, trouble; **à peine** hardly; **mourir à la peine** to die in harness
peiner to grieve; work hard
peinture *f.* picture, painting
pêle-mêle confusedly, pell-mell
pelisse *f.* fur coat
pelle *f.* shovel
penaud sheepish
penchant *m.* inclination, tendency
pencher to bend
pendant during
pendre to hang
pendule *f.* clock
pénétrer to penetrate, enter, fathom
pénible painful, tedious, difficult

pénombre *f.* twilight
pensée *f.* thought
penser to think
penseur *m.* thinker
pensi-f, –ve thoughtful, dreaming
pensionnaire *m.* boarder
pente *f.* slope, tendency
percement *m.* boring, digging
percepteur *m.* tax collector
percer to pierce
perche *f.* pole; **perche à houblon** pole for staking up hops
perclu crippled
perdre to lose
père *m.* father
péremptoirement peremptorily
période *f.* period
perle *f.* pearl
perlé adorned with pearls; perfectly finished
permettre (permettant, permis, permets, permis) to permit
perpétuel, –le perpetual, continuous
perplexe perplexed, hesitant
perplexité *f.* perplexity, hesitancy
perron *m.* perron, porch, landing
perroquet *m.* parrot
perruquier *m.* barber, hairdresser
persévérant persevering
persévérer to persevere, persist
personnage *m.* character; person of high standing
personnalité *f.* personality
personne *f.* person; **ne ... personne** nobody
personnel, –le personal
perspective *m.* perspective; prospect, vista
persuader to persuade, convince
perte *f.* loss
pesant *adj.* heavy, weighty; *m.* weight
peser to weigh
petiote *f.* dear little one
petit small
pétrir to mould
pétrole *m.* petroleum
peu little; **peu à peu** little by little; **peu importe** it does not matter; **à peu près** almost; **pour peu que** however little
peuh! pooh!
peuple *m.* people
peuplier *m.* poplar
peur *f.* fear
peureu-x, –se timid, fearful, timorous
peut-être perhaps

phare *m.* lighthouse
pharmacie *f.* pharmacy
pharmacien *m.* druggist, pharmacist
photographie *f.* photograph, picture
physionomie *f.* appearance
pic *m.* pick; peak
picorer to peck
pièce *f.* piece, part; document; room; bolt (*of cloth*)
pied *m.* foot
pierre *f.* stone
piété *f.* piety
pieu *m.* bed (*slang*)
pile *f.* heap, pile; **pile ou face** heads or tails
pin *m.* pine tree
pince *f.* pincers, gripper
pincée *f.* pinch
pince-nez *m.* eyeglasses, pince-nez
pincer to pinch
pioche *f.* pick
pipelet *m.* janitor (*familiar*)
piquette *f.* inferior wine
pis worse; **tant pis** so much the worse
piste *f.* track, footprint
pistolet *m.* pistol
piteu–x, –se pitiful, miserable
pitié *f.* pity
pitoyable pitiful
place *f.* place, square, position
placer to place, invest
placide placid
plafond *m.* ceiling
plaie *f.* wound
plaindre (**plaignant, plaint, plains, plaignis**) to complain
plaine *f.* plain
plainte *f.* complaint
plaire to please; **s'il vous plaît** if you please
plaisanter to joke, make fun (of)
plaisanterie *f.* joke, teasing
plaisir *m.* pleasure
planche *f.* board, plank
planchette *f.* shelf
planter to plant
plaque *f.* metal badge
plat *adj.* flat; *m.* dish
platane *m.* plane tree
plateau *m.* plateau, tableland
plate-bande *f.* flower bed
platine *m.* platinum
plâtras *m.* old plaster
plâtre *m.* plaster
plébéien *m.* plebeian, common man

plein full
pleur *m.* tear
pleurer to weep, cry
pleuvoir (**pleuvant, plu,** il **pleut,** il **plut**) to rain
pli *m.* fold
pliant *m.* folding seat
plier to fold
plomb *m.* lead
plongée *f.* dive, plunge
plonger to plunge, search
ployer to bend, fold
pluie *f.* rain
plume *f.* pen
plumet *m.* tuft
plumier *m.* pencil box
plupart *f.* greatest part, most
plus more; **plus de** no more; **non plus** no longer
plusieurs several
plutôt rather, sooner
pneu *m.* tire
poche *f.* pocket
poêlée *f.* panful
poids *m.* weight
poignant heart-stirring
poignard *m.* dagger
poigne *f.* grip, hand
poignée *f.* handful, hilt
poignet *m.* wrist
poil *m.* hair (*of an animal*)
poing *m.* fist
point *m.* point, place
pointe *f.* sharpness, point
poire *f.* pear
pois *m.* pea; **petit pois** green pea
poisson *m.* fish
poitrine *f.* chest
poivre *m.* pepper
poli polite, polished
polisson *m.* scamp, rascal
politesse *f.* politeness
politique political
poltron *m.* coward, rascal
Polymnie *f.* Polymnia
poméranien, –ne Pomeranian
pomme *f.* apple; **pomme de terre** potato
pont *m.* bridge
populace *f.* crowd, rabble
populaire *adj.* popular; *m.* populace, common people
populo *m.* common people (*slang*)
porte *f.* door
porte-feuille *m.* portfolio, pocketbook

porte-monnaie *m.* pocketbook, purse
porte-plume *m.* penholder
porter to carry, wear, bear
portier *m.* janitor
portière *f.* janitor's wife
portrait *m.* portrait, picture
poser to place, put
posséder to possess
posthume posthumous
postulant *m.* applicant, suitor
posture *f.* posture, position
potage *m.* soup
potager *m.* kitchen garden; *adj.*
  comestible, culinary
poteau *m.* post, stake
pouce *m.* thumb
poudre *f.* powder
poudreu-x, -se dusty
poulain *m.* colt
poule *f.* hen
poumon *m.* lung
pour for, in order to
pourquoi why
pourri rotten, spoiled
poursuivre to pursue, continue
pourtant however, yet
pourvu provided, equipped; pourvu
  que provided that
poussée *f.* push
pousser to push, urge, utter; grow
poussière *f.* dust
poussin *m.* chick
pouvoir (pouvant, pu, peux, pus) to
  be able
prairie *f.* meadow
pratique *adj.* practical; *f.* customer
pratiquer to practice, contrive
préalable previous, preliminary
précaire precarious
précaution *f.* precaution, prudence
précédent preceding
précéder to precede
précipitation *f.* precipitation, hurry
précipité quick, rushed
précipiter to rush, hasten
précisément exactly, precisely
préciser to clarify, make definite
prédire to predict, foretell
Préfecture *f.* governor's house; police
préférer to prefer
prélasser to strut, stalk along; put
  on important airs
premi-er, -ère first
prendre (prenant, pris, prends, pris)
  to take

prénom *m.* first name
préoccupation *f.* preoccupation
préoccuper to preoccupy, be busy
préparatif *m.* preparation
préparer to prepare
près (de) near
présence *f.* presence
présent present
présentement presently, now
présenter to present
présider to preside
presque almost
presse *f.* newspaper; press
pressé hurried, anxious
pressentiment *m.* presentiment, intuition, foreboding
presser to hurry, hasten; squeeze
prêt ready
prétendant *m.* suitor
prétendre to pretend
prétentieu-x, -se pretentious
prêter to lend
prétexter to pretend, feign
prêtre *m.* priest
preuve *f.* proof
prévenance *f.* kindness, attention
prévenant obliging, kind, engaging
prévenir to tell, warn
prévision *f.* prevision
prévoir to foresee; provide for
prier to pray
prière *f.* prayer
prieur *m.* prior, superior
primaire primary
prime *f.* bonus
principe *m.* principle
printemps *m.* spring
prisonnier *m.* prisoner
priver to deprive
prix *m.* price; prize
probité *f.* probity, honesty
problème *m.* problem
procès *m.* lawsuit, trial
prochain *m.* neighbor; *adj.* next
proche *m.* relative; *adj.* near
procurer to procure, secure, obtain
prodige *m.* prodigy
prodiguer to lavish, squander
produire to produce
profiter to profit, benefit
profond deep, profound
projet *m.* project, plan
prolétaire *m.* working man
prolonger to prolong, lengthen
promenade *f.* walk, stroll; casting

promener (se) to take a walk
promesse *f.* promise
prometteu-r, -se promising
promettre (promettant, promis, promets, promis) to promise
promu promoted (to a)
prononcer to pronounce, utter
propos *m.* talk, remark, conversation
proposer to propose
propre proper; own; neat
propriétaire *m.* proprietor, owner
prospectus *m.* handbill, advertising matter
prosterner (se) to prostrate oneself
protéger to protect
prouver to prove, demonstrate
provenir to issue, proceed
provocation *f.* provocation, challenge
provoquer to provoke, challenge
prunelle *f.* pupil, eyeball
prunier *m.* plum tree
puis then
puiser to draw, take
puissance *f.* power
puissant powerful
puits *m.* well
pupitre *m.* desk; **pupitre à music d'ensemble** music stand
pureté *f.* purity, virtue

Q

quai *m.* quay, station, railway platform
quand when; **quand même** in spite of everything
quant à as to, as for
quantité *f.* quantity
quartier *m.* quarter, district
quasi almost
quel, quelle which, what
quelque some; **quelqu'un** someone
quelquefois sometimes
querelle *f.* quarrel
questionner to question, ask, inquire
queue *f.* tail, file, line
queuter to cue, push, strike the (billiard) ball
quitter to quit, stop, leave
quoi what; **quoi que** whatever; **de quoi** enough to
quoique although
quolibet *m.* gibe, jeer
quotidien, -ne daily

R

rabâcher to repeat over and over
rabatteur *m.* middleman
rabattre to reconsider, discount
raccommoder to mend
raccrocher to hook; pick up
racine *f.* root
raclement *m.* raking, scraping
racler to rake, scrape
raconter to tell, narrate
radieu-x, -se radiant, beautiful
radis *m.* radish
raffiné refined, well-bred
raffinement *m.* refinement, delicacy
raffoler (de) to be very fond of, dote on
rafraîchir to refresh, cool
rageu-r, -se *adj.* ill-tempered; *m.* spitfire, angry man
ragoût *m.* stew
raid *m.* excursion, trip
raide stiff, steep, stone-dead
raidir to stiffen
raisin *m.* grape
raison *f.* reason; **avoir raison** to be right
raisonnable reasonable
raisonner to reason, argue
rajuster to readjust, fix
ralentir to slow down, slacken
râler to gasp
rallumer to rekindle, light again
ramage *m.* chirping, singing
ramasser to pick up
rameau *m.* branch
ramener to bring back
rampe *f.* ramp, footlights
ramper to crawl
rancir to turn sour
rancune *f.* rancor, spite
randonnée *f.* trip, long walk
rang *m.* rank, file
ranger to arrange, settle
rapide *adj.* rapid, swift; *m.* express
rapidité *f.* rapidity, speed
rapiécer to patch up
rappeler to recall; **se rappeler** to remember
rapport *m.* report, connection; **rapport à** on account of
rapporter to bring back, tell, narrate
rapprochement *m.* reconciliation
rapprocher to come near, unite, bring together

ras *m.* level
raser to shave
rasoir *m.* razor
rassasier to satisfy hunger, saturate
rasseoir (se) to sit down again
rassurer to reassure, quiet
rate *f.* spleen
râteau *m.* rake
ratelier *m.* hayrack
rater to miss; spoil
rattraper to regain, catch up
rauque hoarse, harsh
ravir to ravish, delight
ravissant charming
ravissement *m.* delight
ravisseur *m.* ravisher; robber
rayon *m.* ray, spark
rayonnement *m.* glare, radiation
rayonner to glow, radiate
réagir to react
réaliser to realize, carry out, execute
rebondir to rebound
rebours *m.* opposite; à rebours
  backward
rebuffade *f.* rebuff, reprimand
récalcitrant obstinate, resisting
recette *f.* receipt, recipe
recevoir (recevant, reçu, reçois,
  reçus) to receive
réchauffer to warm up
rechute *f.* relapse
réciproque reciprocal
récit *m.* story, report
réciter to recite
réclamer to demand, claim
réclusion *f.* reclusion
récolte *f.* crop, harvest
recommander to recommend
recommencer to begin again
récompenser to reward
reconduire to lead back
reconnaissance *f.* gratitude
reconnaissant grateful
reconnaître to recognize
recourber to bend back, curve
recours *m.* appeal, recourse
recouvrir to cover (over), recover
récréation *f.* recreation, pastime
recréer to recreate
récréer to amuse
récrier to exclaim
recueilli collected, meditative
recueillir to gather, harvest
reculé remote
reculer to recoil, step back

reculons (à) backward
rédacteur *m.* editor
redemander to ask again
rédemption *f.* redemption, saving
redescendre to go down again
redevenir to become again
redingote *f.* riding coat, frock coat
redoutable fearful, frightening
redouter to fear
redresser to redress, straighten
réduire (réduisant, réduit, réduis,
  réduisis) to reduce
réel, –le real
réélection *f.* re-election
refaire to make over
réfectoire *m.* refectory, dining room
refermer to close, shut
réfléchi thoughtful
réfléchir to think, ponder
reflet *m.* reflection, flash
réflexion *f.* reflection, flash, thought
refrain *m.* refrain, song, theme
refréner to restrain; reprieve
refus *m.* refusal
refuser to refuse
regagner to regain
regard *m.* look, glance
regarder to look at
régiment *m.* regiment
registre *m.* register, record book
règle *f.* rule, ruler
régler to regulate, settle
régner to reign, rule, prevail
régulateur *m.* regulator
réguli–er, –ère regular
reine *f.* queen
réitérer to repeat, reiterate
rejaillir to splash, spout
rejaillissement *m.* rebounding, spout-
  ing
rejeter to reject, dismiss, throw off
rejoindre to rejoin
relevé *m.* course following the soup
relever to lift, raise
religieu–x, –se religious
reliquat *m.* balance, rest, remains
reluquer to eye, ogle
remarquer to remark, notice
rembourser to reimburse, refund
remède *m.* remedy
remerciement *m.* thanks, gratitude
remercier to thank
remettre to hand over; put off; se
  remettre to recover

réminiscence *f.* reminiscence, remembrance, memory
remonter to go up; wind (*a clock*)
remontrer to show again, teach
rempart *m.* rampart, city wall
remplacer to replace
remplir to fill
remporter to win, take back
remuer to move
rémunérer to reward, remunerate
renchérir to outdo; insist
rencontre *f.* meeting
rencontrer to meet
rendez-vous *m.* appointment, meeting
rendre to give back; **se rendre** to surrender, give up
renfermer to enclose, contain
renfoncer to push back
renommé renowned, celebrated
renoncement *m.* abandonment, giving up
renoncer to renounce
renouer to renew, tie again
renouveler to renew
renseignement *m.* information
renseigner to inform; **se renseigner** to make inquiries
rente *f.* income, revenue
rentrer to pull in, go home
renverser to upset
renvoyer to dismiss, discharge, send back
répandre to spread, scatter, spill
reparaître to reappear
répara-teur, -trice refreshing
réparer to repair
repartir to start again
répartir to divide
repas *m.* repast, meal
repasser to review; iron; sharpen
repêcher to fish out
repère *m.* mark, guiding mark, reference
répéter to repeat
répliquer to reply, retort
replonger to plunge again
répondre to answer
reporter to carry back, tell
repos *m.* rest
reposer to rest
repousser to repulse, push back
reprendre to take back, pursue, resume
représenter to represent, picture
reproche *m.* reproach, blame
reprocher to reproach, object to

répudier to repudiate
répugnance *f.* dislike, aversion
requis required
rescapé surviving
réservé reserved, serious
résidence *f.* residence, home
résignation *f.* resignation
résigner to resign; **se résigner** to submit
résistance *f.* resistance
résister to resist, oppose
résolu resolved, determined
résoudre to solve
respectable respectable, worthy
respectueu-x, -se respectful
respiration *f.* respiration, breathing
responsabilité *f.* responsibility
ressaisir to regain
ressemblance *f.* likeness
ressembler to resemble, look like
ressentir to feel
ressort *m.* resort, spring
ressource *f.* resource
restaurer to restore
reste *m.* rest, remains; **du reste** yet, nevertheless
rester to stay, remain
résultat *m.* result
résulter to result, follow
résumé *m.* summary
retard *m.* delay
retardataire *m.* late-comer, loiterer
retenir to retain, keep
retentir to resound
retentissant noisy, resounding
retentissement *m.* echo, fame
retenue *f.* reserve, caution
retirer to pull back, retire
retour *m.* return; **de retour** back
retourner to return; **se retourner** to turn around
retraite *f.* retreat; retirement
rétribuer to remunerate, pay
retroussé turned up
retrouver to find again
réunir to unite, gather
réussir to succeed
revanche *f.* revenge; **en revanche** on the other hand
rêve *m.* dream
réveil *m.* awakening, reveille
réveiller to awaken
révéler to reveal
revendre to resell
revenir to return, come back
revenu *m.* income

rêver to dream
rêverie f. dream, reverie
revers m. reverse, back
revêtir to dress (again)
rêveu-r, -se dreamy, pensive
revivre to revive, restore
revoir to see again; au revoir good-by
révolte f. revolt
révolter to revolt
révolu past, completed
révoquer to revoke
rhumatisme m. rheumatism
ricaner to sneer
richard m. rich man
riche rich
richesse f. wealth
richissime very rich
ride f. wrinkle
ridé wrinkled
rideau m. curtain
rien nothing; un rien de a shade of
rigide rigid, stiff
rigoureu-x, -se rigorous, severe
rimé rhymed
riposte f. reply
riposter to reply
rire m. laugh; v. to laugh
risée f. laughter, gust
risque m. risk, danger
rivage m. shore, border
rivière f. river
robe f. robe, dress
robinet m. faucet
robuste robust, strong
roche f. rock, pebble
rocher m. boulder, rock
rocheu-x, -se rocky
rôder to lurk, move about
rogner to cut, clip
roi m. king
rôle m. role, function
romanesque romanesque; fantastic; romantic
rompre to break
ronce f. bramble, blackberry bush
rond round, circular
rondeur f. roundness
ronflement m. snoring
ronfler to snore
ronger to gnaw; ronger son frein to chafe (at the bit)
ronronner to purr
roquefort m. Roquefort cheese
roseau m. reed
rosée f. dew
rôti m. roast

rotonde f. rotunda
rouage m. machinery
rouble m. rouble (*Russian coin*)
roue f. wheel; roue de secours spare wheel
rouge red
rougeur f. redness
rougir to redden, blush
rouler to roll, wheel
roulette f. roulette, roller
roupiller to sleep (*slang*)
route f. road; way, route
rouvrir to open again
roux, rousse red, auburn
ruban m. ribbon
rude crude, coarse, tough
rue f. street
ruelle f. alley
ruine f. ruin, decay
ruiner to ruin
ruisseau m. brook
ruisselant dripping
rusé crafty, cunning
russe Russian
rustique rustic

S

sabir m. *a mixture of Arabic, French, Spanish, and Italian spoken in the Levant jargon*
sable m. sand
sabot m. hoof; wooden shoe
sabre m. saber, sword
sac m. bag, haversack
saccadé jerky
sachet m. sachet, little bag
sacré sacred; confounded
sacrifier to sacrifice, renounce, give up
sacrilège m. sacrilege
sacristain m. sexton
sacristie f. vestry, sacristy
sage adj. wise, discreet; m. sage
sagesse f. wisdom
saigner to bleed
saillant salient, striking
sain sound, healthy
saint holy
sainte-nitouche f. sanctimonious person
sainteté f. sanctity, holiness
saisi surprised
saisir to seize, grasp; se saisir de to seize
saison f. season

salade *f.* salad, lettuce
salaire *m.* salary, wages
sale dirty
salé salted
salir to soil, dirty
salive *f.* saliva
salle *f.* room, hall; salle d'attente waiting room
salon *m.* drawing room
saltimbanque *m.* juggler, street actor
saluer to salute, greet
salut *m.* salutation; salvation
salutaire beneficial
samedi *m.* Saturday
sang *m.* blood; sang-froid *m.* calmness
sanglant bloody
sanglot *m.* sob
sangloter to sob
sans without
santé *f.* health
sarcastique critical, sarcastic
satisfaire to satisfy
sauf except
sauf, sauve safe
saut *m.* jump
sauter to jump
sautoir: en sautoir crosswise
sauvage wild, savage, uncultured, cruel
sauvagerie *f.* savagery, cruelty
sauver to save; se sauver to flee
savant *adj.* learned; *m.* scholar
savate *f.* slipper, old shoe
saveur *f.* savor, taste
savoir (sachant, su, sais, sus) to know
savon *m.* soap
scandale *m.* scandal
scandaliser to scandalize
scapulaire *m.* scapular
scélérat *m.* scoundrel, criminal
sceller to seal
scène *f.* scene, incident
sceptique sceptical
scientifique scientific
scolastique scholastic
scrupule *m.* scruple, regret
scruter to scrutinize, search
sculpté carved, sculptured
séance *f.* seance, sitting
seau *m.* pail
sec, sèche dry
sécher to dry

sécheresse *f.* dryness, aridity, severity
seconder to support, assist
secouer to shake
secourable helpful
secourir to help
secours *m.* help, assistance
secousse *f.* shock, jolt
sécurité *f.* security, safety
séduction *f.* seduction, charm, enticement
séduire to seduce, charm
seigle *m.* rye
seigneur *m.* lord, noble
sein *m.* breast
séjour *m.* sojourn, stay
sel *m.* salt
selle *f.* saddle
sellette *f.* seat, small saddle
selon according to
semaine *f.* week
semblable similar
semblant *adj.* pretending; *m.* appearance
sembler to seem
semelle *f.* sole
semer to sow, scatter
semestre *m.* semester
semonce *f.* reprimand, lecture
Sénégal *m.* Senegal, French West Africa
sens *m.* meaning, sense
sensé sensible
sensibilité *f.* sensitiveness, feeling
sentier *m.* path
sentir (sentant, senti, sens, sentis) to feel; smell (of)
séparer to separate
septembre *m.* September
sérénité *f.* peace, serenity
sergot *m.* policeman (*familiar*)
sérieu-x, -se serious
serment *m.* oath, promise
sermon *m.* lecture
sermonner to lecture, scold
serpent *m.* serpent, snake
serre *f.* hothouse
serré tight, short
serrer to squeeze, hold, press
serrure *f.* lock
servant, -e *m. and f.* domestic, maid
service *m.* service, help
serviette *f.* napkin, towel
servir to serve, wait upon
seuil *m.* sill, threshold

seul alone
sève *f.* sap
sévère severe, strict, stern
sévir to punish
si *conj.* if; *adv.* yes (*answer to neg.*)
siècle *m.* century
siège *m.* seat, siege
siéger to sit (in assembly)
sieste *f.* nap
sieur *m.* Mr., sir
siffler to whistle
signaler to signal, mention
signe *m.* sign
signifier to mean, indicate
silencieu-x, –se silent
sillon *m.* furrow
similitude *f.* resemblance
simplicité *f.* simplicity, humility
simplifier to simplify
simultanément at the same time
sincérité *f.* sincerity
singe *m.* monkey; "boss"
singuli-er, –ère peculiar, extraordinary
sinistre *adj.* sinister, forbidding; *m.*
accident, catastrophe
siphoïde siphonal
site *m.* site, spot
sitôt: de sitôt so soon
situer to locate, situate
sobre sober, moderate
sobriété *f.* sobriety
soc *m.* plowshare
sociabilité *f.* sociability
société *f.* society
socle *m.* pedestal, base, stand
sœur *f.* sister
soie *f.* silk
soif *f.* thirst
soigner to nurse, take care of
soin *m.* care
soir *m.* evening
soirée *f.* evening party
soit! so be it! soit namely of
sol *m.* soil, land
soldat *m.* soldier
soleil *m.* sun
solennel, –le solemn
solide solid, strong
solitaire alone, solitary
solliciter to solicit, ask for
solliciteur *m.* petitioner
sollicitude *f.* anxiety, solicitude, care
sombre dark
somme *m.* nap

somme *f.* sum; en somme after all
sommeil *m.* sleep, slumber
somnambule *m.* sleepwalker
somptueu-x, –se sumptuous
son *m.* sound
songe *m.* dream
songer to dream, think
songerie *f.* dream
sonner to ring
sonnette *f.* little bell
sonore sonorous
sort *m.* fate
sorte *f.* sort, kind, species; manner
sortie *f.* exit, egress
sortir to go out, depart; stick out
sottise *f.* foolishness, stupidity
sou *m.* cent, penny
soubresaut *m.* spasm, jerk
souci *m.* care, worry
soudain suddenly
soudoyer to bribe
souffle *m.* breath, murmur
souffler to blow
soufflet *m.* bellows; slap
souffleter to slap
souffrance *f.* suffering
souffrir to suffer
souhait *m.* wish
souhaiter to wish
soulager to help, relieve
soulever to raise
soulier *m.* shoe
soumettre to submit
soumis submissive, humble
soupçonner to suspect
soupente *f.* loft, garret
souper *m.* supper
soupeser to weigh
soupir *m.* sigh
soupirer to sigh
souple supple, gentle, lithe
source *f.* spring, source
sourcil *m.* eyebrow
sourd deaf, dull
sourdine *f.* low tone; en sourdine
quietly
sourire *m.* smile
sournois cunning, sneaking
sous under
souscription *f.* subscription
souscrire to subscribe, agree
soustraction *f.* subtraction
soustraire to subtract; shield
soutane *f.* cassock
soutenir to sustain, support, help

souterrain underground
souvenir *m.* souvenir, remembrance;
se souvenir *v.* to remember
souvent often
souverainement supremely, extremely
souveraineté *f.* sovereignty, supremacy
spasme *m.* spasm
spectre *m.* specter
spéculation *f.* speculation, gambling
spéculer to speculate
spirituel, –le spiritual
spontané spontaneous, voluntary
sport *m.* sport, game
squelette *m.* skeleton, frame
stopper to stop
stupéfait stupefied, astonished
stupeur *f.* stupor
suave sweet, gentle
suavité *f.* softness, fragrance
subir to undergo, experience
subit sudden
subsister to subsist, last
succéder to succeed, follow
succès *m.* success
succomber to succumb, yield, die
sucer to suck
sucre *m.* sugar
sueur *f.* sweat
suffire to suffice
suffisamment sufficiently
suffoquer to suffocate, choke
suie *f.* soot
Suisse *f.* Switzerland
suite *f.* succession, sequel, continuation; **tout de suite** immediately;
dans la suite subsequently
suivre (suivant, suivi, suis, suivis) to follow; **suivant** according to
sujet *m.* subject; **sujet à** amenable, exposed to; **à sujet** with carved figures
superficiel, –le superficial
supérieur superior
suppliant imploring, begging
supplication *f.* prayer, supplication
supplice *m.* torment, torture
supporter to support, undergo
supposer to suppose
supprimer to suppress
supputer to figure out, compute
sur on, upon
surcharger to overload
surgir to arise, spring up; draw near

surnaturel, –le supernatural
surnuméraire *m.* supernumerary (*one who does not receive a full salary*)
surplus *m.* excess, surplus; **au surplus** moreover, besides
surprenant surprising
surprendre to surprise
surpris surprised
sursauter to jump, start
surtout especially
surveillant *m.* usher, guard
survenir to happen, arrive; develop
survivre to survive
suspendre to interrupt; defer; hang
suspens (en) suspended, hesitating; in abeyance, in suspension
sycomore *m.* sycamore
sympathie *f.* sympathy
sympathiser to sympathize
synthétiser to synthetize

T

tabac *m.* tobacco
tabatière *f.* snuffbox
tableau *m.* picture, board
tablier *m.* apron
tache *f.* spot, stain, blot
tâche *f.* task
tacher to stain
tâcher to try
taille *f.* height; waist
tailler to cut, carve
tailleur *m.* tailor
taire (taisant, tu, tais, tus) to keep silent
talent *m.* talent, skill, intelligence
talon *m.* heel; stub
tamponner to stamp, hit
tanche *f.* tench
tandis que while, whereas
tant so much, so many
tantôt at times; just
tapage *m.* noise, racket
taper to strike, pounce; **taper de l'œil** to fall asleep (*slang*)
tapis *m.* carpet
tapissé carpeted
tapissier *m.* carpetmaker
tard late
tardi–f, –ve tardy, late
tarir to dry up
tas *m.* pile, heap, lot
tasse *f.* cup
tasser to crowd, pack

tâter to touch, feel
tatoué tattooed
taverne *f*. inn
tavernier *m*. innkeeper
té! so! (*slang*)
teint *adj*. tinted, with dyed hair; *m*. complexion
tel, telle such
télégraphe *m*. telegraph
téléphoner to telephone
témoignage *m*. testimony
témoigner to give evidence, show
témoin *m*. witness
tempe *f*. temple
tempérament *m*. character, disposition, temperament
tempête *f*. tempest
temps *m*. time; weather
tendre tender, loving
tendre to extend, stretch
tendresse *f*. tenderness, love
ténébreu-x, –se tenebrous, dark
tenir (tenant, tenu, tiens, tins) to hold, keep; tenir devant to hold out against
tentation *f*. temptation
tentative *f*. attempt
tenter to tempt, try
tenue *f*. bearing, demeanor
terme *m*. term
ternir to tarnish
terrain *m*. ground, terrain
terrassier *m*. digger, excavator
terre *f*. earth
terreur *f*. terror, fright
terrifier to frighten
territoire *m*. territory
tertre *m*. knoll, hillock
tête *f*. head
textuellement textually
théorie *f*. theory
thermomètre *m*. thermometer
tic *m*. tic, twitching; tic-tac *m*. tick-tack
tiens! well! look here!
tiers *m*. third, third party
tige *f*. stem, rod
tilleul *m*. linden tree
timbre *m*. stamp; sound, tone
timbré stamped; papier timbré *m*. officially stamped paper
timide timid, bashful
timidité *f*. timidity
tinter to ring, jingle
tirer to pull, take out

tireuse: tireuse de cartes *f*. fortune teller
tiroir *m*. drawer
tisane *f*. herb tea
tison *m*. firebrand, ember
titre *m*. title
tituber to stagger, reel
toile *f*. linen, canvas
toilette *f*. toilet, dressing, attire
toit *m*. roof
tombe *f*. tomb
tombeau *m*. tomb, gravestone
tombée *f*. fall
tomber to fall
ton *m*. tone, accent
Tonkin Tonkin (*in Indochina*)
tonnerre *m*. thunder, noise, uproar
toque *f*. skullcap
torche *f*. torch
tordre (tordant, tordu, tors, tordis) to twist
toréador *m*. toreador, bullfighter
torrent *m*. torrent, stream
torride torrid
torse *m*. torso, trunk, body
tort *m*. guilt, wrong; avoir tort to be wrong
tôt soon
total *adj*. total; *m*. amount
touchant *adj*. touching, moving; *prep*. concerning
toucher to touch, approach, concern, collect
toujours always; still
toupie *f*. top; odd fellow
tour *f*. tower
tour *m*. turn; faire un tour to take a stroll; tour de force trick
tourbillon *m*. whirl, tempest
tourment *m*. torment, suffering
tourmente *f*. storm, tempest
tourmenter to torment, bother
tournée *f*. trip
tourner to turn
tourterelle *f*. turtledove
tousser to cough
tout all, whole; everything; tout de suite immediately; tout de même just the same; tous deux both
toutefois however
toutou *m*. doggy
toux *f*. cough
trace *f*. trace, mark
traducteur *m*. translator
traduction *f*. translation

traduire (traduisant, traduit, traduis, traduisis) to translate
trahir to betray; fail
train *m.* train, speed; être en train de to be in the act of
traînée *f.* trail, track
traîner to trail, track
trait *m.* trait, feature; example
traité *m.* treatise, agreement
traiter to treat, negotiate; traiter de to call
trajet *m.* journey, trip
tramer to plan
tranche *f.* slice, edge
trancher to cut, separate
tranquille tranquil, quiet
tranquillité *f.* quietness, repose
transformer to transform
transpirer to transpire; sweat
transplanter to transplant
transport *m.* transport; rapture, enthusiasm
travail *m.* work
travailler to work
travers *m.* oddity, eccentricity; à travers through; par le travers broadside
traverser to cross, penetrate
travesti disguised
treillage *m.* trellis, lattice
tremblement *m.* trembling
trembler to tremble, shake
tremper to dip
trépidation *f.* trepidation, trembling
trépigner to stamp one's feet, get mad
très very
trésor *m.* treasure
tressaillir to throb, shudder
tribu *f.* tribe
tricot *m.* sweater
trimestriel, –le quarterly
triomphant triumphant, winning
triomphe *m.* triumph
triste sad
tristesse *f.* sadness
tromper to deceive; se tromper to be mistaken
tronc *m.* trunk
trône *m.* throne
tronqué truncated, broken
trop too much
trottiner to trot
trottoir *m.* sidewalk
trou *m.* hole
trouble *m.* trouble, confusion

troubler to disturb, trouble
trouer to pierce, make a hole
trousseau *m.* outfit, bundle, trousseau
trouvaille *f.* discovery, finding
trouver to find; se trouver to be
truffe *f.* truffle
tuer to kill
tuile *f.* tile
tumulte *m.* noise, tumult
tunique *f.* coat, tunic
turban *m.* turban; valeurs à turban Turkish stocks (*financial vernacular*)
tutelle *f.* guardianship
tuteur *m.* tutor
typographe *m.* printer, typographer

U

ulcérer to ulcerate, wound
unique one, unique, sole
unir to unite; uni united; smooth
univers *m.* universe
usage *m.* usage, custom
user to use, wear, wear out
usine *f.* factory
ustensile *m.* utensil, implement
utile useful
utiliser to utilize

V

vacances *f. pl.* vacation
vacarme *m.* uproar, noise, bedlam
vache *f.* cow
vaciller vacillate, hesitate
vagabond *m.* vagabond, vagrant
vague vague, uncertain
vague *f.* wave
vaillant brave, valiant
vain vain, useless
vaincre to conquer
vainqueur *m.* victor
vaisseau *m.* vessel, boat, ship
valet *m.* valet, servant; valet de chambre *m.* manservant
valetaille *f.* flunkies, servants
valeur *f.* valor, courage
valise *f.* valise, suitcase
vallée *f.* valley
vallon *m.* vale
valoir (valant, valu, vaux, valus) to be worth; valoir mieux to be better
valser to dance

vanité *f.* vanity, conceit
vaniteu-x, -se vain, conceited
vanter to boast, praise
vapeur *f.* vapor, steam
vaporeu-x, -se vaporous, light, ethereal
varier to vary, change
vaste vast, immense
veau *m.* veal, calf
véhémence *f.* vehemence
veille *f.* eve, vigil, day before
veiller to watch
veine *f.* luck, chance; vein
velin *m.* velum
velours *m.* velvet
velu hairy
vendange *f.* vintage, grape gathering
vendeur *m.* seller
vendre to sell
vendredi *m.* Friday
vénérable venerable
vengeance *f.* vengeance, revenge
venger to avenge
venir (venant, venu, viens, vins) to come; **venir de** to have just
vent *m.* wind
vente *f.* sale
ventre *m.* belly, stomach
venue *f.* coming
verdir to turn green
verdoyer to turn green (*poetical*)
verdure *f.* verdure, greenness
vergogne *f.* shame, boldness
véritable true, real
vérité *f.* truth, verity
vermeil, -le vermillion, red
vermicelle *m.* vermicelli
vermoulu worm-eaten
vernir to varnish, polish
verre *m.* glass
verrou *m.* bolt
vers toward
vers *m.* verse, poetry
verser to pour, spill
vert green
vertige *m.* dizziness
vertu *f.* virtue
vertueu-x, -se virtuous
verve *f.* animation, inspiration
veste *f.* coat
vestibule *m.* vestibule, hall
vestige *m.* vestige, remains
veston *m.* jacket
vêtement *m.* garment, clothes
vêtir to clothe, dress

veuf *m.* widower
veuve *f.* widow
vexé vexed, irritated, angry
viande *f.* meat
vibrer to vibrate, quiver
victoire *f.* victory
victorieu-x, -se victorious
vide *adj.* empty; *m.* vacuum, emptiness
vider to empty
vie *f.* life
vieillard *m.* old man
vieillesse *f.* old age
vierge *f.* virgin
vieux, vieille old
vif, vive quick, lively
vigne *f.* vine, vineyard
vigneron *m.* winegrower
vignette *f.* vignette (*engraving on letter paper*)
vigoureu-x, -se vigorous, strong
vigueur *f.* vigor
vil base, despicable
vilain ugly, mean; poor
villageois *m.* villager
ville *f.* town, city
villégiature *f.* sojourn in the country
vin *m.* wine
vindicati-f, -ve vindictive
vingt twenty
virage *m.* turning
virer to turn
virginité *f.* virginity, purity
virilité *f.* virility, manhood
visage *m.* face, countenance
vis-à-vis face to face, opposite
viser to aim
visière *f.* visor
visite *f.* visit; **visiteur** *m.* visitor
vitalité *f.* vitality
vite quick
vitesse *f.* speed
vitrail *m.* stained glass window
vitre *f.* window pane, glass
vitrine *f.* shop window, show case
vivier *m.* fish pond
vivre (vivant, vécu, vis, vécus) to live
vociférer to yell, vociferate, bawl
vœu *m.* vow, promise, wish
voici here is (it); **voici que** here, lo and behold
voie *f.* way, road
voilà there is; here you are; **voilà que** there, then
voile *f.* sail; *m.* veil

voiler to veil, cover
voir (**voyant, vu, vois, vis**) to see
voire even
voisin *m.* neighbor
voisinage *m.* neighborhood
voiture *f.* carriage; **voiture à bras** barrow
voix *f.* voice
vol *m.* flight
volaille *f.* poultry, fowl
volant *m.* wheel, shuttlecock
volatil *adj.* volatile; *m.* winged animal
volée *f.* flight; **à la volée** at random
voler to steal; fly
volet *m.* shutter
voleur *m.* thief
volontaire voluntary, willful
volonté *f.* will, wish
volontiers willingly
voltiger to flutter, hover
volumineu-x, -se voluminous
volupté *f.* pleasure, delight
voter to vote
votre your
vouer to devote, dedicate
vouloir (**voulant, voulu, veux, voulus**) to will, wish
voûte *f.* vault, arch

voyage *m.* voyage, trip, journey
voyager to travel
voyageur *m.* traveler
vrai true
vraisemblance *f.* likelihood, similarity, probability
vue *f.* sight, view
vulgaire vulgar, low, common
vulnérable vulnerable

W

wagnérien, -ne Wagnerian
wagon *m.* wagon, railway carriage
wisigoth Visigothic

Z

zèle *m.* zeal, warmth, courage
zéphyr *m.* zephyr; gentle breeze
zézayer to lisp
Zidore Isidore
zone *f.* zone, belt
zouave *m.* Zouave (*Algerian foot soldier*)
zut! shucks! (*conveys anger, disappointment*)
zyeuter to look, stare (*slang*)